Alfonso de Toro
Los laberintos del tiempo

TCCL - TEORIA Y CRITICA DE LA CULTURA Y LITERATURA
INVESTIGACIONES DE LOS SIGNOS CULTURALES
(SEMIOTICA-EPISTEMOLOGIA-INTERPRETACION)
Vol. 3

DIRECTORES: Alfonso de Toro, Kiel ; Fernando de Toro, Ottawa,Ontario

CONSEJO ASESOR: W.C.Booth (Chicago); E.Cros (Montpellier); L.Dällenbach (Ginevra); M.De Marinis (Macerata); U.Eco (Bologña); E.Fischer-Lichte (Maguncia); G.Genette (París); D.Janik (Maguncia); H.-R.Jauß (Constanza); W.Krysinski (Montreal); K.Meyer-Minnemann (Hamburgo); P.Pavis (París); R.Posner (Berlín); R.Prada Oropeza (México); M.Riffaterre (Nueva York); Fco.Ruiz Ramón (Nashville) Th.A.Sebeok (Bloomington); C.Segre (Pavía); Tz.Todorov (París); J.Trabant (Berlín).

CONSEJO EDITORIAL: J.Alazraki (Nueva York); F.Andacht (Montevideo); S. Anspach (Sao Paulo); G.Bellini (Milán); A.Echavarría (Puerto Rico); E.Forastieri-Braschi (Puerto Rico); E.Guerrero (Santiago); R.Ivelic (Santiago); A.Letelier (Santiago); W.D.Mignolo (Ann Arbor); D.Oelker (Concepción); E.D.Pittarello (Venecia); R.M.Ravera (Buenos Aires); N.Richard (Santiago); J.Romera Castillo (Madrid); N.Rosa (Buenos Aires Rosario); J.Ruffinelli (Stanford); C.Ruta (Palermo); J.Villegas (Irvine).

REDACCION: Sylvia de Toro, M.A. (Kiel)

Alfonso de Toro

Los laberintos del tiempo

Temporalidad y narración

como estrategia textual y lectoral ·

en la novela contemporánea

(G. García Márquez, M. Vargas Llosa, J. Rulfo
A. Robbe-Grillet)

Vervuert Verlag · Frankfurt am Main

1992

A MI MADRE

PQ
7082
.N7
T65
1992

Die Deutsche Bibliothek - CIP-Einheitsaufnahme

Los laberintos del tiempo: Temporalidad y narración como estrategia textual y
lectoral en la novela contemporánea (G. García Márquez, M. Vargas Llosa, J. Rulfo,
A. Robbe-Grillet) / Alfonso de Toro. - Frankfurt am Main: Vervuert, 1992
  (Teoría y crítica de la cultura y literatura ; Vol. 3)
  ISBN 3-89354-203-5
NE: GT

[...] la description ne peut pas se passer d'un outillage théorique, la théorie a besoin d'analyses concrètes pour tester ses notions. (Tz. Todorov: *L'analyse du récit à Urbino*, en: *Communication* 11 (1968) 167)

Cet arsenal, comme tout autre, sera inévitablement périmé avant quelques années, et d'autant plus vite qu'il sera davantage pris au sérieux, c'est-à-dire discuté, éprouvé, et révisé à l'usage. C'est un des traits de ce que l'on peut appeler l'effort scientifique [...]. (G. Genette: *Figure III*. Paris 1972, p. 269)

[...] Interpretatorische Aussagen müssen eindeutig intersubjektiv verstehbar sein (also z.B. mit möglichst präzisen Definitionen oder doch wenigstens Umschreibungen ihrer Begriffe arbeiten).

[...] Jede Analyse eines »Textes« umfaßt einen Akt der Zerlegung in Segmente und davon abstrahierte Klassen und einen Akt der Zusammensetzung durch Korrelierung und Hierarchisierung dieser abgeleiteten Klassen.

[...] Jedes Modell eines »Textes«, das die Analyse erstellt, ist eine Idealisierung. (M. Titzmann: *Strukturale Textanalyse*. München 1977, pp. 21, 27, 29, 30)

INDICE

Karl Alfred Blüher

LA ESTRUCTURA DEL TIEMPO
Y
LA NOVELA CONTEMPORANEA DE
ALFONSO DE TORO

Una doble finalidad persigue la investigación de Alfonso de Toro, *Los laberintos del tiempo*[1]. Por una parte, propone un concepto teórico para el análisis del tiempo en los textos narrativos, teniendo como base el estado actual de la teoría narrativa semiótico-estructuralista y el modelo de Gérard Genette, poco conocido en el medio alemán, *Discours du récit* que éste desarrolla partiendo de las estructuras narrativas de Proust, *A la recherche du temps perdu*[2] El instrumental analítico de Genette, que distingue entre las categorías *ordre* (en el trabajo de de Toro, *manipulación del tiempo*) *durée* y *fréquence*, es ampliado sustancialmente en cuanto se analizan los procedimientos temporales bajo el aspecto de la estrategia lectoral, es decir, considerando elementos comunicativo-funcionales, y se acuña una serie de nuevos términos para la descrip-ción de nuevos y complejos procedimientos temporales.

Por otra parte, se lleva a cabo un vasto análisis y una amplia interpretación de tres obras capitales que caracterizan la novela contemporánea hispanoamericana y francesa, a las cuales se aplica el modelo teórico para probar las virtudes y los límites de su empleo. Este se descubre como un convincente método que está en condiciones de registrar las complejísimas estructuras de la constitución temporal en la *nueva novela* y en el *nouveau roman* y, a la vez, de describir e interpretar sus diversas concretizaciones. A la novela de Gabriel García Márquez, *Cien annos de soledad* (1967) se le cracteriza en base a la oposición entre la linearidad histórica y la circularidad mítica, a *La casa verde* (1965) de Mario Vargas Llosa a través de sus procedimientos acronológicos y de simultaneidad con una función distanciadora y a la *Maison de rendez-vous* (1965) de Alain Robbe-Grillet por medio de sus técnicas de la *mise en abyme*, determinada por una temporalidad perspectivo-

---

1 El título original en alemán era: *Die Zeitstruktur im Gegenwartsroman*. Acta Romanica 2. Gunter Narr Verlag Tübingen 1986/*La estructura del tiempo en la novela contemporánea*.

2 En su libro *Figures III*. Paris 1972.

espectacular, que lleva a una generación y destrucción textual interna dentro de la poética del *Tel Quel*.

Este trabajo, concebido metódicamente en forma lúcida, contribuye de manera importante a la investigación de estructuras narrativo-temporales, y su publicación en *Acta Romanica* en 1983 fue para mí motivo de especial satisfacción.

Kiel, noviembre de 1983

Wladimir Krysinski

LOS LABERINTOS DE LA NOVELA
Y
LA MAQUINA CIBERNETICA LLAMADA
ALFONSO DE TORO

Los universos de la novela son infinitos, multiplicables y transformables, son espaciales, temporales, sociales, psicológicos y metafísicos, se cruzan, se rodean y se entrecruzan. Por esto, es el universo del tiempo lo principal, lo fundamental. El crea la novela en su relación con el correr del mundo, ya que la vivencia subjetiva del mundo por el narrador es la desaparición, el fluir de intensidades subjetivas. Así, como el tiempo, fluye el mundo, y su espacio está consagrado a su evanescimiento. El narrador novelístico cuenta lo que se produce entre los hombres. Los gestos, las palabras, las miradas, los movimientos, los desplazamientos, la muerte, el amor, la violencia, la memoria y los recuerdos. ¡Allí pues el cátalogo incompleto de lo efímero! La novela narra este fluir y evanescer, siendo ésta la forma literaria por excelencia de la modernidad, en la medida en que el discurso novelístico escapa a toda definición unitaria y no retrocede frente a ninguna innovación.

Hoy podemos reirnos si recordamos aquéllo que supuestamente Valéry dijo sobre la novela. Esta humorada, »*Marquise sortit à cinq heures*«, debía encerrar la novela en una fórmula lapidaria, lapidariamente despectiva y señalar la inferioridad del género novelístico en relación a la poesía. Por otra parte, podemos leer con placer *Los laberintos del tiempo* de Alfonso de Toro, quien ha comprendido que ninguna poesía puede ser más laberíntica que la novela. Contra la simplicidad negativa del poeta, el crítico desarrolla aquí modelos para la novela que son numerosos y complejos. Estos exprimen los espacios textuales tortuosos y laberínticos producidos por la voz del narrador.

El propósito principal de Alfonso de Toro en su libro, es de describir precisamente la diversidad de la temporalidad narrativa. Los laberintos de la novela son construidos de particulas, de estratos de tiempo que produce el narrador. Identificar, definir y describir los tipos y funciones de estas partículas temporales, de estas estructuras en desarrollo, es la tarea crítica que se ha propuesto Alfonso de Toro. En este libro, se considera al tiempo, ya no solamente como la marca del movimiento, según la tradición aristotélica, sino como un signo de la estratégia textual, esto es, ubicado al nivel narrativo, temático, categorial y semiótico. Luego, la temporalidad será descrita en forma exacta y transparente en cuanto a estructura verbal, narrativa o descursiva producida por el narrador.

Alfonso de Toro aplica su modelo a cuatro novelas modernas, tres de éstas forman parte de las grandes novelas latino-americanas: *Pedro Páramo, Cien años de soledad* y *La casa verde*, a las cuales se adjunta *La maison de rendez-vous* de Alain Robbe-Grillet.

¿Cuál es el tipo de aproximación del método y de los análisis de Alfonso de Toro? Yo diría que, partiendo de un análisis temporal micro-semiótico, estudia la relación de la organización novelística del tiempo con respecto al saber. Como ninguna novela es idéntica a la otra, Alfonso de Toro demuestra que la lectura del tiempo en la novela revela una puesta en relación de lo vivido, de lo acontecido y de lo narrado. Este método permite hacer ver, qué es lo que la novela realmente comunica, es decir, ese saber filtrado por la voz del narrador. De esta forma, el saber de la novela es un saber inscrito en el tiempo. La temporalidad se descubre como el soporte del saber en la medida en que pone en relación, pone en escena, proyecta, rechaza y destruye. Comprender este saber relacional que la novela nos revela, es concebir la novela como un organismo espacial que se contruye según una textualidad temporal. Esta es descrita rigurosamente por Alfonso de Toro. Términos tales como, rigurosidad, matematicidad y estructuralidad definen la escritura semiótica de Alfonso de Toro. Similar a una *'máquina cibernética'* realiza sus cálculos, sus esquemas, sus formalizaciones e interpretaciones. Somos llevados a un nivel metatextual de una precisión inaudita. Cada novela es convertida en una sucesión de cifras de movimiento que el *'cronos'* ha propulsado y que el narrador ha transformado en estructura. Alfonso de Toro sigue, paso a paso, esta sucesión y descubre los mecanismos novelístico que ordenan este juego de estructuras.

Inspirándose en la investigación que hace Gérard Genette del tiempo en *A la recherche du temps perdu* en su libro *Figure III*, Alfonso de Toro enriquece, diferencia y amplía en forma considerable y sustancial el modelo del crítico francés. Luego de haber hecho una nueva distribución de las categorías de las *'analepsis'* y *'prolepsis'*, acuña aquellas de la *'circularidad temporal'*, de la *'simultaneidad temporal'* de la *'sincronía implícita/explícita'* y de la *'permutación'*, *'entrelazamiento'*, *'superposición temporal implícita/explícita'*. Realiza una sutil diferenciación de la *'duración'* y de la *'frecuencia'*, creando también nuevos términos para las diversas concretizaciones temporales. Las categorías temporales desarrolladas en los siglos XIX y XX no son suficientes ni para el tipo de crítico y teórico que encarna Alfonso de Toro ni para describir adecuadamente la novela moderna, especialmente aquella de la segunda mitad del siglo XX. Alfonso de Toro pone en el centro de la estructura temporal la categoría de la *'manipulación temporal'*, la que describe partiendo de la tensión entre el *'tiempo textual'* y el *'tiempo de la acción'*, siendo éstas lo suficientemente amplias para describir e interpretar el fenómeno de la temporalidad en su totalidad.

Alfonso de Toro especifica en qué consiste la finalidad temporal de la *'nueva novela'* latinoamericana y francesa. En la primera se destaca la importancia fundamental del nivel de la historia narrada, que se distingue por un relato de determinados acontecimientos y por la presencia de personajes singularizados. En este sentido, es ejemplar el análisis de *Pedro Páramo*, una obra maestra absoluta de la literatura latinoamericana. Se debe leer atentamente: Alfonso de Toro muestra cómo el paradigma narrativo de Juan Rulfo se inscribe en una manipulación mítica del tiempo y cómo la narración, que se funda en lo onírico, desrealiza la vivencia cotidiana del tiempo. La manipulación del tiempo en la *'nueva novela'* reposa sobre una base acronológica, circular y simultánea con respecto a la conexión de la acción. La distorsión temporal, su entrelazamiento y su superposición es cada vez más compleja y marcada.

En la *'nueva novela'* francesa se produce una despersonalización sistemática de los personajes, lo cual desemboca paradojalmente en la célebre *'subjetividad total'*, en el sentido que le da Alain Robbe-Grillet al término, esto es, el individuo, incapaz de reproducir su realidad en forma objetiva y coherente, es reducido a un ente puramente onírico, que revela solamente fragmentos de su situacionalidad. La subjetivdad de uno o más yo-narradores se desprende de la neutralidad narrativa desarrollada por G. Flaubert y H. James. Como procedimiento típico de *La maison de rendez-vous*, Alfonso de Toro descubre los *'temas generadores'* tales como, la similitud, la inversión, la contigüidad, la repetición, la aumentación, la disminución, la exclusión, etc. que reemplazan o destruyen los procedimientos temporales característicos de las novelas latinoamericanas, produciendo un laberinto, ya no de historias y destinos en diversos puntos del universo espacio-temporal, sino de significantes, esto es, del discurso narrativo.

He resumido tan sólo algunos aspectos de la lectura de la temporalidad novelística, que esta investigación construye sobre una base que podríamos denominar como una *'semiótica-estructural cibernética'*. El recorrido crítico y analítico de Alfonso de Toro, demuestra cómo la organización de la forma novelística nace de una inscripción del tiempo en su múltiple movimiento, pleno de virajes, de vicisitudes, retomas, etc., que la concienda cibernética y semiótica del crítico reproduce cuidadosamente.

Lo que le da al libro de Alfonso de Toro su marca original y de solidez, es la contextualización semiótica y crítica de sus análisis que está siempre al servicio de la interpretación. Esta contextualización consiste aquí en que las diferentes formas de la manipulación narrativa y novelística del tiempo están siempre vistas desde una perspectiva funcional. En cuanto a éstas, nos parece un principio teórico y analíticio fundamental el postulado siguiente del autor: *En el centro del análisis pondremos la pregunta de la 'función'* de la organización temporal, que consideramos [...] *como un instrumento con efectos al interior del texto y con respecto al recipiente, siendo tan fundamentales para la narración como aquellos de la ironía, de la perspectivación, etc., y no solamente un simple transcurrir del tiempo accional [...]. Al interior del texto partimos del supuesto que todo tipo de organización temporal tiene consecuencias relevantes para la interpretación. Consideramos la organización temporal como un 'signo', como un 'mensaje' que manipula la recepción del lector* (p. 34).

En *Los laberintos del tiempo* la contextualización resultante de la perspectiva funcional consiste en mostrar cuáles son las relaciones entre los procedimientos de la temporalización narrativa y discursivos en las novelas analizadas y la constitución del sentido. El sentido está determinado por la estructura temporal e implica la organización de isotopías específicas, formales y temáticas que nos remiten a la visión de lo real del mundo. Ahora bien, el análisis de la temporalidad se acompaña de un análisis semántico y semiótico que describe y problematiza cada vez, específicamente, los ejes semánticos de los universos novelísticos en cuestión. Se puede citar aquí como un ejemplo el análisis de la 'superposición temporal' entre dos acciones, que tienen lugar en puntos espacio-temporales diversos, interpretándose, relativizándose y cuestionándose mutuamente, en una palabra, produciendo sentido. Este es un procedimiento que se inscribe como la marca temporal de *La Casa Verde* de Mario Vargas Llosa.

Luego de un análisis minucioso de este juego narrativo de superposición temporal, el crítico realiza una detallada análisis semántico para demostrar cómo en el universo novelístico de Vargas Llosa se estructuran las oposiciones de un conflicto base de la cultura y civilización peruana y, al límite, latinoamericana que se concretiza en la archioposición 'cristianismo/civilización vs. paganismo/indigenismo'. Lo que Alfonso de Toro demuestra en forma muy convincente, es la reciprocidad de la mediatización de las temporalidades novelísticas por medio de los personajes al revés. En este contexto quisiera llamar la atención del lector respecto al ejemplar análisis de las relaciones semióticas entre los personajes y las secuencias narrativas de *La Casa Verde*: Bonifacia/las Madres/huída de las alumnas, o bien: Anselmo/muerte de Antonia/aborto de Bonifacia.

El análisis de la circularidad temporal en *Cien años de soledad* de Gabriel García Márquez muestra cómo este procedimiento engendra mensajes axiológicos, es decir, vehiculan valores específicos. Dentro de una tensión lineal, circular y recurrente del tiempo, Gabriel García Márquez crea aquello que Alfonso de Toro denomina el narrador *con un estado de oráculo* (p. 233) como así también una dimensión *mítica y sacral en la que se funda la historia de Macondo y de los Buendía*. De Toro indica persistentemente que *todos estos procedimientos contribuyen a la creación de ese mundo mítico, en cuyo centro se encuentra un narrador que oscila entre cronista y oráculo, entre omnisciencia y divinidad, que encuentra su duplicación, o concretización, en Melquíades, que de facto es el narrador de »CAS«, ya que es él, el que antes de haber comenzado la historia, ha escrito la crónica de los Buendía y su vida en Macondo hasta su fin, con lo cual se produce una totalización entre narrador y lo narrado. Esta totalidad se proyecta finalmente a los personajes y al recipiente: así como Aureliano Babilonia descifra su propia historia y dictamina a través de la lectura la destrucción total, así también, paralelamente el recipiente implícito concluye su propia lectura, determinando el final de la novela. Tenemos una fusión de la totalidad del texto con la conciencia del recipiente, o formulado de otra forma, una »mise en abîme« del proceso de creación y de recepción. Se insinúa que la historia se desenlaza según avance el proceso interno del desciframiento, siendo así el personaje descodificador la proyección narradora de Melquíades, y por otra parte, el recipiente mismo, el motor y finalizador del texto.*

La semiótica narrativa practicada por el crítico es al mismo tiempo una semiótica de la cultura que integra y pone en relieve las estructuras narrativas, el mito, el símbolo, las estructuras mentales y la memoria colectiva. En este libro se ve claramente cómo las inspiraciones discursivas tan ricas como aquellas de Juri Tynianov y Juri Lotman, Claude Lévi-Strauss y Mircea Eliade, Lothar Bornscheuer, Eberhard Lämmert y Gérard Genette permiten al crítico constituir un tejido semiótico como resultado de una lectura englobante, donde se inscribe la novela como »forma simbólica« en el sentido en que lo entiende Ernst Cassirer.

Además debemos señalar el hecho que el discurso crítico de Alfonso de Toro no renuncia al debate resultante de sus principios semióticos. De esta forma me parece la relativización de las »tesis fundamentales« del método y del sistema crítico de Wolfgang Iser una buena manera de postular una interdiscursividad crítica que pone en juego dos o más presuposiciones teóricas divergentes.

Paul Ricoeur, en su monumental obra, *Temps et récit*, retoma al final de su trabajo la idea fenomenológica de la »aporética del tiempo« y de su misterio. La fuente primera se encuentra en San Agustín, quien muestra, para aplicar los términos de Ricoeur, que existe un conflicto irremediable entre una concepción psicológica del tiempo y una concepción cosmológica. Después de San Agustín, »la psicología se junta legítimamente a la cosmología«, pero sin poderla cambiar y sin que la una o la otra, tomadas por separado, »puedan proponer una solución satisfactoria a su insoportable disenso«. Ricoeur constata que la »reafirmación de la conciencia histórica en los límites de su validez, requiere por su parte la investigación, por el individuo y por las comunidades a la cual éstos pertenecen, de su identidad narrativa respectiva«. Y Paul Ricoeur concluye: »es solamente en esta investigación que se responde convenientemente a la aporética del tiempo y de la poética del relato.«

El libro de Alfonso de Toro persigue, a través de los medios específicos de un análisis microsemiótico, la búsqueda de esta identidad narrativa propia a los individuos y a las colectividades. Así, nos facilita la comprensión de la identidad narrativa de las comunidades latinoamericanas y francesas, mostrando cómo las estructuras novelísticas temporales de la obra de Juan Rulfo, Gabriel García Márquez y Mario Vargas Llosa se fundan en las relaciones específicas de esta comunidad y de estos individuos con respecto al mito, a la magia y al sueño, que a su vez determinan también la compleja identidad de su vida, y revelando cómo en la novela de Alain Robbe-Grillet la reflexión sobre la cultura y la vida forman su epicentro.

El libro de Alfonso de Toro es una contribución primordial a la compresión profunda del campo narrativo y discursivo de la novela cuya presuposición esencial es la estructuración axiológica del tiempo. Este libro posee un valor heurístico indiscutible. Su método es preciso, unificante y eficaz. Este permite comprender la complejidad semiótica y simbólica de las formas narrativas modernas, siendo la novela latinoamericana una de las manifestaciones más diversificadas y convincentes.

Montreal, abril de 1991

PREFACIO DEL AUTOR A LA EDICION ESPAÑOLA

El presente libro es una traducción y una versión ampliada de la edición alemana, terminada en 1982, pero aparecida en 1986 en la editorial Gunter Narr Verlag Tübingen, con el título, *Die Zeitstruktur im Gegenwartsroman am Beispiel von G. García Márquez, »Cien años de soledad«, M. Vargas Llosa, »La casa verde« und A. Robbe-Grillet »La maison de rendez-vous«*, y que es el resultado de mis investigaciones realizadas a partir de 1979.

El punto de partida del trabajo radicó en la constatación que los modelos temporales existentes estaban ya superados por la práctica y por el desarrollo de la teoría narrativa.

En Alemania se propone por última vez un modelo amplio, que merezca esta calificación, en 1955, con el exitoso libro de Eberhard Lämmert, *Bauformen des Erzählens*, y en Francia con aquél de Gérard Genette, *Figure III* en 1972, dos trabajos que, a la vez, hemos empleado como puntos de arranque.

Nos propusimos elaborar, tanto al nivel general de la narratología[1] como al nivel particular de la especificidad de la novela contemporánea, de la *nueva novela* y del *nouveau roman*, un modelo que estuviese en condiciones de analizar aquello puramente temporal, como a la vez, de captar la gran gama de procedimientos temporales, incluyendo la dimensión de la recepción, que, hasta la fecha, no se había considerado en los trabajos sobre la temporalidad en la narración y, finalmente, hemos tratado de describir las diversas funciones de los procedimientos narrativos como así también su contribución a la constitución del mensaje.

Para la edición española hemos ampliado y precisado el trabajo original en dos aspectos: primero en lo que corresponde a la explicación de la teoría, en especial aquélla en lengua germana, y en segundo lugar, en cuanto al análisis. En este caso no solamente hemos perfeccionado los capítulos correspondientes, sino que a la vez, hemos agregado un apéndice con un análisis de *Pedro Páramo* de Juan Rulfo[2]. Naturalmente que aprovechamos también la oportunidad de completar ciertas partes (por ejemplo la parte correspondiente a la constitución mítica) y de enmendar algunos descuidos de la edición alemana. Mas la concepción general del libro ha

[1]   Empleamos el término de 'narratología' como »teoría de la narración«.
[2]   Este trabajo había aparecido anteriormente en mi libro *Texto-Mensaje-Recipiente* publicado en 1988 por Gunter Narr Verlag Tübingen y luego en 1990 por Galerna Buenos Aires. Citaremos de la edición argentina.

quedado intacta, ya que tanto nuestra revisión crítica y la consideración de las reseñas aparecidas, no han dado pie a realizar algún cambio. No hemos incluido la escasa bibliografía aparecida sobre el tópico desde 1983, ya que ni ha cuestionado nuestros resultados, ni ha aportado algo sustancialmente nuevo en este campo, sólo en casos aislados consideramos algunos títulos nuevos[3]. Hemos preferido, de esta forma, conservar el trabajo en su espíritu original, en particular, el aspecto prolegómeno del capítulo teórico.

Finalmente, quisiera agradecer a mis editores Gunter Narr y Klaus Dieter Vervuert por el interés y apoyo para la publicación de este libro en español, como así también a InterNationes y al Ministerio de Cultura de Schleswig-Holstein por la generosa subvención, sin la cual este libro no habría visto luz en el campo de la narratología hispánica.

Mi especial reconocimiento vale para Fernando de Toro (Carleton University/ Ottawa), quien me convenció de la necesidad de traducir el libro al español, por su generosa supervisión de la traducción y sus valiosas observaciones con respecto a la terminología en español, como así también para Rosalba García, que se ocupó de la corrección del manuscrito final y de las galeradas.

Naturalmente, que cualquier insuficiencia restante, queda en mi entera responsabilidad.

A. de T., Kiel, mayo de 1992

---

[3] Una tesis doctoral recientemente terminada en el Ibero-Amerikanisches Forschungsinstitut de la Universidad de Hamburgo de Carolyn S. Klinker: *Die Verfahren der Zeitbehandlung in literarischen Erzähltexten* que analiza tres textos diferentes de G. García Márquez promete - partiendo en particular de mis investigaciones - una ampliación de mis modelos.

0. INTRODUCCION

0.1 Fundamentación y finalidad de la investigación

La estructura temporal, entendida como la concretización de los procedimientos para la organización temporal de la historia narrada con todas sus implicaciones para la organización y recepción textual y para la constitución de la significación textual, es considerada desde Flaubert hasta nuestros días, tanto por los narradores como por la narratología, como un aspecto fundamental de la estructura textual, aun cuando la dimensión temporal, en determinados períodos de la novela contemporánea, haya perdido, en parte, aparentemente su relevancia.[1]

En el siglo XIX, es Flaubert el primer novelista que descubre la organización temporal, especialmente el tipo que llamaremos 'manipulación temporal', como un instrumento efectivo de la estrategia narrativa, aplicándola en *Madame Bovary*, pero en especial, en *L'Education sentimentale* y en *Bouvard et Pécuchet*.[2]

Con respecto a la temporalidad narrativa en la novela francesa a partir de los años 50, tenemos posiciones contrarias y diversas. En la obra de Butor el tiempo goza un *status* privilegiado.[3] Para el grupo *Tel Quel*, la temporalidad, por el contrario, es prácticamente nula, como resultado de la negación total de los procedimientos narrativos tradicionales. Robbe-Grillet, por otra parte, trata el tiempo en forma diversa en su obra narrativa, la cual se caracteriza por una historia que va de la posibilidad de reconstruirse en forma fragmentada hasta su total imposibilidad. A partir de *Le Voyeur* se neutraliza paulatinamente la conexión temporal de la historia y en *La maison de rendez-vous* es la temporalidad reducida a una cita.[4]

En la *nueva novela* es la estructura temporal de fundamental e indiscutida importancia como transportadora de un 'mensaje', como instancia organizadora de la narración y como elemento conector entre narrador y lector.

---

1   Los términos 'estructura temporal', 'organización temporal' y el de 'tiempo de la historia' serán definidos en la p. 4.

2   Flaubert - como ya es reconocido y aceptado en forma general en la narratología - lleva a su fin y supera un sistema literario determinado por el *Don Quijote* de Cervantes, el cual se caracterizaba por la inserción de un narrador omnisciente que conduce al lector a través de una acción organizada en forma lineal y unívoca con un comienzo, desarrollo y final claramente establecidos. La estructura temporal tenía allí una función subordinada y condicionaba solamente en forma parcial la estructura textual general. La obra de Flaubert, con sus diversas innovaciones, no solamente influenciará la novela francesa de los siglos XIX y XX, sino también la novela moderna y contemporánea en su totalidad: la europea, norteamericana y la latinoamericana. Para un gran número de autores, desde E. Zola, M. Proust y H. James hasta A. Robbe-Grillet y M. Vargas Llosa, ha sido Flaubert el punto de referencia; cf. al respecto Brombert (1966); Friedrich ([5]1966); Robbe-Grillet (1963); Sarraute (1965); Pabst (1968); Vargas Llosa (1975).

3   Vid. Butor (1975: 49ss., 109ss.).

4   Con respecto a la función de la organización temporal en la novela moderna y de los años 50 en adelante, vid. Robbe-Grillet (1963: 130-134); sobre *La maison de rendez-vous*, vid. más abajo cap. II. 3.

En la narratología se le ha dedicado una atención creciente a la investigación de la estructura temporal, desde fines del siglo XIX en adelante. A partir del primer decenio de este siglo, se encuentra la estructura temporal como parte importante del análisis de textos narrativos con variable predominio en un buen número de publicaciones.

Paralela e independientemente se dedicaron trabajos a la estructura temporal, siendo uno de los primeros aquellos de los formalistas rusos, que trataron el problema dentro de sus análisis de la 'fábula' y del 'sujeto'. Su atención se dirigió a la función de los procedimientos para la organización temporal.[5] Sus investigaciones fueron luego continuadas por los estructuralistas franceses tales como Todorov, Genette y otros.[6]

En Alemania se caracterizó la tarea científica, con respecto a la estructura temporal, desde sus comienzos con Rührmund (1848) hasta Gerz (1930), por la orientación positivista de sus trabajos, en los cuales, en un principio, el planteamiento de la función de la organización temporal, de la relación de ésta con otros niveles textuales (tales como la situación narrativa, la lógica de la acción, etc.) o la reflexión sobre la posibilidad de desarrollar un instrumental de términos o de un modelo para la descripción de la estrucura temporal narrativa, no jugó un papel fundamental. En todo caso, los trabajos del período mencionado, contribuyeron con un aporte determinado a algún aspecto del análisis de la estructura temporal.[7]

De especial importancia nos parece mencionar que, desde Muir (1928)[8], la investigación de la estructura temporal se realiza en relación con la estructura espacial, una dirección que posteriormente es continuada por Petsch (1934)[9] y Staiger (1939)[10], pero en particular por Ohl (1968) que acuña la fórmula de la *temporalización del*

---

5   Vid. Striedter (1971); (Todorov (1966: 139ss.).

6   Todorov (1966); Genette (1972: 67-224); vid. Bibliografía, cap. V, II, 2.

7   Cf. el resumen panorámico de Ritter (1978: 1-25). Los autores mencionados se concentraron, en especial, en la fijación de las fechas del nacimiento de los textos como así también con datos temporales-autobiográficos del material analizado. Luego se ampliaron sus análisis a la descripción de la cronología de la acción y a la relación entre el 'tiempo interno' (ficticio) y el 'tiempo externo' (real). Ejemplos serían - fuera de Rührmund - las publicaciones de Wackernell (1877) y Jauker (1882). Los trabajos que siguen quedaron más o menos enmarcados en los objetos de los análisis descritos, tocando de paso la fundamental reflexión sobre la función de la organización temporal. Zielinski (1901) se concentra en la descripción de la sincronía de dos o más acciones, conectando este fenómeno temporal-ficticio con la situación temporal del autor y lector. Heusler (1902) investiga, partiendo de Zielinski, la acción bajo su aspecto acronológico y asincrónico, llegando a la diferenciación entre un 'tiempo ideal' y uno 'real', que determinan el tiempo narrativo, definido como 'tiempo de la oración/discurso' y aquel de lo narrado, definido como 'tiempo accional'. El trabajo de Leibs (1913) se concentra en el estudio del carácter ficcional del tiempo en la literatura, denominándolo 'tiempo representado/narrado'. Gerz (1930) analiza la función de la interrupción de la cronología a través de las anticipaciones. Ermatinger (1921) trata el problema de la 'extensión temporal' que, según él, está constituida por el 'tiempo de los acontecimientos' (= el tiempo total de la acción relatada, que él también denomina 'tiempo imaginario') y el 'tiempo de la acción' (= el tiempo representado/narrado que realmente ha sido descrito y que es limitado). Esta diferenciación se encuentra nuevamente, algo variada, en Hirt (1923), con lo cual se acuñan aquellos términos que se hacen famosos posteriormente en los años 50 con Müller (vid. más abajo). Flämming (1925) dedica su atención al fenómeno que, en la terminología de Genette, se tratará bajo la categoría de 'duración', constituido por el ritmo de la narración, por la aceleración, elipsis, etc. Finalmente Weinreich (1937) se ocupa del tiempo bajo el aspecto de componentes míticos, naturales y cíclicos.

8   Empleamos la edición de ([5]1949).

9   Empleamos la edición de (1978).

10   Vid. también Staiger (1964).

espacio y de la espacialización del tiempo. Ohl plantea con esto la imposibilidad del análisis aislado de tiempo y espacio en textos artísticos.[11] Una posición similar constatamos en Bakhtin (1974), el cual sostiene que *las características del tiempo son descubiertas en el espacio y el espacio es interpretado a través del tiempo y comparado con éste*[12].

Uno de los primeros intentos importantes de desarrollar términos precisos y adecuados para el tratamiento de la materia en discusión fue el trabajo de Hirt (1923). El término 'tiempo de la acción' lo entiende como el tiempo de la historia relatada y el de 'tiempo de la narración' como la extensión del número de páginas del texto o como el 'tiempo de la lectura'. También lo denomina 'tiempo representado o actuado' en analogía con el drama. A pesar del paso que da Hirt, éste no se ocupa de la relevancia del tiempo en la estructura textual.[13] Será el mérito de Petsch (1934)[14] el haber dedicado su atención a este aspecto fundamental, pero sin llegar a desarrollar un amplio instrumental descriptivo e interpretativo. El autor se concentró en el análisis de la 'duración' y de la 'densidad temporal'. Su trabajo marca, en todo caso, un nuevo rumbo, en cuanto considera algunas formas de la organización temporal (en nuestra terminología la 'manipulación del tiempo'), como un principio de organización *par excellence* en textos narrativos, que no solamente tiene importancia para la acción, sino también para el recipiente, con lo cual se descubre la temporalidad como una estrategia narrativa con respecto al recipiente, aun cuando no se desarrolle este aspecto sistemáticamente.

Después de Petsch la discusión sobre la temporalidad adquiere una dirección filosófica, anunciada en ciertas observaciones de Lukács (1916), de las que se toma nota después de la segunda guerra mundial.[15] Staiger se interesa - bajo la influencia de Heidegger (1927)[16] e Ingarden (1930)[17] -, por ejemplo, en el aspecto ontológico-fenomenológico del tiempo, sin entrar en la formalización y sistematización de la descripción temporal. Solamente en los años 40 Müller (1946/48)[18] reanuda el debate sobre la posibilidad de una metodología, empleando los términos ya acuñados por la crítica anterior, mas que siempre se le han atribuido a éste inmerecidamente, el de 'tiempo de la narración' (*'Erzählzeit'*) y 'tiempo narrado' (*'erzählte Zeit'*).[19] Su método cae en un exagerado formalismo sin ser capaz de responder a los aspectos verdaderamente fundamentales de la temporalidad en textos artísticos, como lo indican las crí-

---

11 Citamos a partir de Ritter (1978: 22ss.).

12 (Ibid.).

13 Cf. también Ritter (1978: 27-31).

14 Vid. Ritter (1978: 32-50).

15 Empleamos la edición de ([3]1971: 107ss.).

16 Empleamos la edición de ([6]1949).

17 Empleamos la edición de ([2]1960: 247-257).

18 Empleamos la edición monográfica de ([2]1974).

19 Müller se orienta según la morfología de Goethe, la concepción ontológica de la literatura de Ingarden y de la relación entre tiempo físico y biológico de Weizsäcker (1942).

ticas de Lämmert (1955)[20], Jauss (1955)[21], Jens (1957)[22], Genette (1972) y como quedará claro en las páginas siguientes.

De las publicaciones hasta aquí mencionadas, consideramos como relevantes para nuestra investigación la de Lämmert, donde se propone un amplio instrumental para el análisis de la estructura temporal, en estrecha relación con las técnicas de la conexión de la acción, y muy especialmente, el trabajo de Genette, el cual crea un modelo diferenciado y vasto, casi exclusiva y estrictamente temporal. Partiendo de estos dos trabajos, particularmente del de Genette y, a la vez, ampliando e introduciendo un buen número de categorías, como así también proponiendo otros aspectos para el análisis temporal, tales como la relación entre la manipulación del transcurso del discurso y aquél de la historia narrada, es decir, entre la narración y lo narrado, en relación con los 'modos narrativos' y las 'situaciones narrativas', la 'duración' y la 'frecuencia', trataremos de desarrollar un modelo descriptivo que incluya en forma homogénea todos estos aspectos mencionados.

Para finalizar, quisiéramos definir los términos hasta aquí empleados de 'estructura temporal', 'organización temporal', 'tiempo de la historia' y 'manipulación temporal'.

Por 'estructura temporal' entendemos la cantidad de relaciones entre elementos temporales de un texto determinado, desprendiéndose el tipo de relaciones de una forma determinada de organización temporal.

El término 'organización temporal' indica un procedimiento determinado para la elaboración temporal de la historia narrada, como la manipulación, duración o frecuencia temporal.

De estos tres tipos de organización temporal (de los cuales consideramos la frecuencia sólo parcialmente como elemento del tiempo, vid. cap. I. 2.23), es la manipulación temporal el primordial y que definimos como *la suma de los procedimientos para la elaboración temporal de las unidades accionales*. Este procedimiento pertenece taxonómicamente al nivel del discurso.[23]

La manipulación del tiempo tiene por lo menos dos funciones: una texto-interna, que tiene consecuencias fundamentales para la constitución de la acción y del mensaje y otra texto-externa que consiste en crear una recepción determinada sin recurrir a un narrador omnisciente.

El término 'tiempo de la historia' (o 'tiempo de la acción' el 'tiempo ficticio', vid. p. 31 y 32) se puede definir como la evolución lineal/ficcional, es decir, independiente del tiempo real, en la sucesión de una acción, que pertenece taxonómicamente al nivel de la historia.

---

20 Empleamos la edición de ([5]1972).
21 Empleamos la edición de ([2]1970).
22 Vid. Ritter (1978: 19).
23 Vid. cap. I. 2. Con respecto a los conocidos términos de 'historia' y 'discurso' cf. Todorov (1966: 125-152) y cap. I.1.3.

0.2 Procedimiento

Nuestro trabajo lo hemos dividido en dos grandes partes. La primera abarca las *Bases teóricas de la investigación* (I), donde después de un excurso sobre la estructura de los textos artísticos y su tipo de comunicación, se presentará un modelo de las formas y concretizaciones temporales posibles. Esta parte tiene como finalidad el fijar los niveles de análisis y determinar su relación con la estructura temporal. Luego se resumirán los resultados en un *Cuadro sinóptico*.

La segunda parte está dedicada a la aplicación del modelo a tres novelas contemporáneas: *Cien años de soledad* (= *CAS*)[24], *Casa Verde* (= *CV*)[25] y *La maison de rendez-vous* (= *MRV*)[26]. En un primer paso, describiremos el nivel de la historia, luego aquél del discurso en relación con la estructura temporal. La *MRV* constituye una excepción en el proceder, ya que el nivel de la historia y aquél del discurso están organizados en la forma específica del *nouveau roman*, siendo ambos niveles prácticamente indivisible el uno del otro, resistiéndose a un tratamiento por separado.

La organización temporal será primeramente analizada a un nivel macro-estructural, donde se ofrecerá un panorama general de la especifidad de la estructura temporal de la novela analizada, y luego a un nivel micro-temporal, donde se describirán las particularidades temporales de las unidades accionales pequeñas. Según la necesidad, se incluirán en el análisis de la macro- o micro-estructura aspectos tales como, las situaciones narrativas o los procedimientos de la segmentación tipográfica. La necesidad de la división en dos niveles estructurales, cuya imprescindibilidad ha sido ya demostrada y ejercitada por Rossum-Guyon y Genette[27], radica en que mientras el macro-análisis se ocupa de reconstruir temporalmente la cronología distorsionada, el micro-análisis se concentra en procedimientos más específicos y relevantes para la estructura general.

La base teórica de la investigación son el estructuralismo y la semiótica. El texto se trata como un sistema y su interpretación es tipológico-sistemática y no diacrónica.

Dentro del marco científico elegido, desistiremos del análisis de las implicaciones socioculturales, filosóficas e históricas de la estructura temporal. Por esta razón, no hemos considerado publicaciones de este tipo en nuestra exposición y bibliografía. Esta decisión no debe ser interpretada, en caso alguno, como un cuestionamiento al legítimo lugar que tienen semejantes trabajos en la ciencia literaria, ya que en muchos casos quizás sean esos aspectos los realmente más interesantes. Mas, somos de opinión que para tratar esos campos hay antes que haber aclarado las modalidades específicas de la estructura del texto artístico, ya que es el texto el que en primera línea, aún más que los fenómenos socioculturales, es decir, que los factores no-artísti-

---

24 Empleamos la edición de (^{32}1972).
25 Empleamos la edición de (^{12}1972).
26 Empleamos la edición de (1965).
27 Cf. Rossum-Guyon (1970: 232-233, nota 1); Genette (1972: 85s.).

cos, determinan la recepción inmediata. Luego de un detallado análisis textual se pueden incluir las diversas formas de recepción e implicaciones mencionadas.

0.3 Textos

Hemos elegido las novelas indicadas anteriormente porque representan tres técnicas narrativas diversas y tres tipos de estructuras temporales de carácter paradigmático de la novela del siglo XX. La primera novela es *CAS* (1967), de Gabriel García Márquez, quizás la obra más famosa de la *nueva novela*, en la cual se narra la ascención, el desarrollo y la caída de Macondo o de su principal familia, los Buendía, y que se caracteriza por su realismo mágico o lo real maravilloso, es decir, que se encuentra en esa tradición que parte de Miguel Angel Asturias a través de Juan Rulfo y Alejo Carpentier.[28] *CAS* es una novela constituida por una estructura lineal y circular, como resultado del masivo empleo de analepsis y prolepsis[29] y de un cronista omnisciente, lo cual llamó la atención a la crítica mundial por considerarse estas técnicas narrativas como superadas. Siebenmann, por el contario, recalca que, con *CAS* se recupera el fructífero poder del narrador frente a la tan criticada esterilidad del *nouveau roman*.[30] La *CV* (1965) de Mario Vargas Llosa, que pertenece a las novelas más exitosas de Latinoamérica, encaja, por una parte, en una tradición de la novela realista y, a su vez, en aquélla experimental de la conciencia, como ya lo habían practicado, en parte, Dos Passos, Faulkner y Carlos Fuentes. *CV* tiene cinco historias que acontecen en diversos lugares y tiempos (con diferentes personajes), conducidas en forma acronológica y simultánea. La *MRV* (1965) de Alain Robbe-Grillet se entiende en nuestro trabajo como un ejemplo contrario a *CAS* y a la *CV*, ya que esta novela no funciona en base a un sistema de relaciones 'anacrónicas' (sean éstas lineal-circular o simultáneas)[31], sino de relaciones 'acrónicas', donde los segmentos son casi imposibles de relacionar según criterios temporales.[32] Pero, a través de los diversos intentos del narrador por destruir las situaciones temporales, se tematiza la temporalidad narrativa. La inclusión de la *MRV* en nuestro trabajo no se debe solamente a que este texto sea típico del *nouveau roman*, o por lo menos de una de sus concretizaciones, ya que en ella se emplean procedimientos narrativos y temas que son comunes a todos los autores del *nouveau roman* y en parte a algunos del grupo *Tel Quel*, sino especialmente porque es el mejor ejemplo para lo que llamamos acronía en su expresión más radical.

---

28 Al respecto de este término vid. Carpentier (1949/³1980: 51-57); Jara Cuadra (1970); Janik (1976), Barroso VIII (1977); Schefell (1990).

29 Con respecto a estos términos vid. cap. I. 2.212.

30 Vid. Siebenman (1973: 603-623); Kulin (1969); Janik (1978: 331s.).

31 Con respecto a este término vid. cap. I. 2.212.

32 Con respecto al término 'acronía' vid. cap. I. 2.213.

La *MRV* nos permite demostrar que la novela contemporánea no se caracteriza solamente por estructuras temporales cronológicas y anacrónicas, sino a la vez por acrónicas, y que los textos del *nouveau roman* en ningún caso pueden ser *pars pro toto* calificados como »esotéricos« o como »casos especiales« de la novela a partir de los años 50, tampoco si se considera la radicalidad de sus procedimientos textuales, sino que, muy por el contrario, éstos constituyen un paradigma en nuestro siglo que proviene de una tradición literaria bien establecida y conocida.

El orden que hemos preferido para el análisis de las tres novelas mencionadas obedece a un principio, que parte de la sucesiva complejidad de sus estructuras narrativas y de la concretización temporal fuerte hasta la disolución temporal.

Estas tres novelas las hemos elegido, también, debido a que representan tres tipos de estructuras temporales y narrativas de carácter paradigmático, alcanzando un grado de tipicidad tal que un considerable número de estructuras temporales y narrativas pueden ser reducidas a estas tres. Naturalmente, no debemos olvidar que paralelamente existe un buen número de textos con una estructura mixta.

La explicación de los criterios de selección de los textos por analizar han querido, a la vez, subrayar que no trataremos de llevar a cabo una comparación entre los sistemas de la *nueva novela* y el *nouveau roman*, ni mucho menos tratar de encontrar ciertas similitudes entre ellos. Una semejante intención acarrearía más problemas que soluciones, y las publicaciones en esta dirección no han podido obtener los resultados deseados, ya que la *nueva novela* y el *nouveau roman* se caracterizan especialmente por sus diferencias y están constituidas por premisas teóricas y poetológicas completamente diversas: mientras el *nouveau roman* trata de romper con todo compromiso sociopolítico, la *nueva novela* permanece estrechamente realacionada a esta referencia; mientras el *nouveau roman* rechaza el realismo mimético, disolviendo el nivel de la historia y acentuando el nivel del discurso, todos los textos de la *nueva novela* conocen un nivel de la historia mimético y fuertemente constituido, como así también un nivel del discurso altamente dominante[33]. En muchos casos se caracterizan los textos del *nouveau roman* por su casi exclusiva experimentalidad, por su carácter reflexivo y por su debilísima referencialidad, lo cual es diametralmente opuesto a los textos miméticos y no-reflexivos de la *nueva novela*. Aun cuando esporádicamente los textos de la *nueva novela* muestren una referencia floja, nunca se pierde el contacto con la realidad, como es en el caso de muchos textos del *nouveau roman*. Se podrían eventualmente encontrar puntos de coincidencia entre ambos sistemas al comienzo de ambas novelas, en autores como Butor o Sarraute, en comparación con Sábato, Vargas Llosa o Fuentes, y no en relación con Sollers o Ricardou. Robbe-

---

33 Cuando hablamos de la 'dominación' de un nivel u otro, esto quiere decir, en caso del 'discurso', que este nivel se transforma cada vez más en el 'objeto' de la narración, pasa a ser, en muchos casos, como en el *nouveau roman*, *nouveau-nouveau-roman* y *roman-Tel Quel*, el motivo de la historia narrada. Este significado de 'dominación' debe ser distinguido de aquél en las novelas de Fielding, Stern o Balzac, donde la dominación se articula a través de un fuerte narrador omnisciente, pero el nivel del discurso permanece siempre subordinado a aquél de la historia.

Grillet tiene una posición más o menos intermedia.

La *nueva novela* y el *nouveau roman* proponen, con sus diferentes concepciones poetológicas, dos sistemas igualmente válidos en la novela de la segunda mitad del siglo XX.

Antes de iniciar nuestra investigación propiamente tal, nos parece aconsejable ofrecer un breve excurso sobre algunas de las características que consideramos fundamentales en la *nueva novela* y el *nouveau roman*. Nuestro excurso no pretende dar una sinópsis completa o sistemática; semejante tarea significaría no solamente salir de nuestro contexto, sino que implicaría una publicación separada al respecto, que es por el momento prácticamente irrealizable por la cantidad de textos y su complejidad. Más bien pretendemos recordar las bases de estos sistemas.[34]

0.4 Excurso: La *nueva novela* y el *nouveau roman*

0.41 La 'nueva novela'

Con el término de *nueva novela* se vienen considerando todas aquellas novelas latinoamericanas a partir de los años 60, pero somos de opinión que este término abarca novelas anteriores, ya desde *El Señor Presidente* de Miguel Angel Asturias, escrita en 1930, mas publicada en 1946.[35]

Como producto de una síntesis de la tradición literaria europea, anglosajona y latinoamericana la *nueva novela* se forma como un sistema literario autónomo[36], cuya

---

34 La mayoría de las historias de la novela latinoamericana cumplen más bien con una función informativa, pero no han desarrollado una sistemática en base a modelos, donde se describan aspectos sincrónicos y diacrónicos en forma complementaria. Al respecto de la *nueva novela* y el *nouveau roman* vid.:
a)*Nouveau roman*: Sarraute (1956); Pingaud (1958); Butor (1960); Robbe-Grillet (1963; 1972); Barthes (1964a); Bernal (1964); Janvier (1964); Stoltzfus (1964), (1985; Anzieu (1965/66); Rircardou (1967; 1971; 1971a; 1972); Goebel (1968; 1972); Pollmann (1968); Morrissette (²1969); Sturrock (1969); Wilhelm (1969); Albérès (1970); Blüher (1970; 1975); Netzer (1970); Zeltner-Neukomm (1970); Heath (1972); Ouellet (1972); Ricardou/Rossum-Guyon (1972); Wehle (1972; 1980); Hempfer (1976).
b)*Nueva novela*: Carpentier (1949); Alegría (1967); Fuentes (²1969); Grossmann (1969); Kulin (1969); Giacoman (1970; 1971; 1971a; 1972; 1974); Vargas Llosa (²1971; 1971a); *Asedios a Carpentier* (1972); *Nueve Asedios* a *García Márquez* (³1972); *Asedios a Vargas Llosa* (1972); Georgescu (1972); Siebenmann (1972; 1973); Rodríguez Alcalá (1973); Segre (1973); Boldori de Baldusi (1974); Martín (1974); Arnau (²1975); Harss (⁶1975); Boorman (1976); Janik (1976; 1978); Roa Bastos (1976); Strausfeld (1976); Barroso VIII (1977); Eitel (1978); Meyer-Minnemann (1978); Sábato (⁵1979).

35 Con respecto a Asturias vid. Giacoman (1971a) y a las diversas periodizaciones de la *nueva novela* vid.: Torres Ríoseco (1965); Hámilton (1966); Alegría (1967); Pollmann (1968); Fuentes (²1969: 9-34); Grossmann (1969: 244-257); Franco (1970); Goic (1972; 1973); Siebenmann (1972); Martín (1974: 15-40); Harss (⁶1975: 9-50); Strausfeld (1976: 9-14); Pollmann (1982, I); Bellini (²1985).

36 Autores del siglo XIX y XX tales como Balzac, Flaubert, Proust, Joyce, Woolf, Breton, Faulkner, Dos Passos, Sarte, etc. son parte de esta síntesis. Con respecto a Flaubert como precursor de la novela moderna, vid. James (1914); Thibaudet (1922); Hauser (1943); Hatscher (1944: 354-374); Auerbach (1946: 428-438); Matignon (1960: 83-89); Poulet (1961: 391-396); Kenner (1962); Rousset (1962: 109-133); Genette (1963: 51-57); Kayser (³1963); Main (1963: 218-237); Robbe-Grillet (1963: 31ss.); Kesting (1965: 9-30); Sarraute (1965: 3-11); Brombert (1966); Friedrich (⁵1966); Pabst (1968: 7ss.); Wilhelm (1969: 14); Jauss (²1970: 14ss.; en especial 25-28); Cross (1971); Lukács (³1971: 110ss.); Proust (1971: 586- 600); Ricardou (1971: 33-38); Barthes (²1972: 41-68, 135-144); Bertl (1974: 22-47); Gothot-Mersch (1975); de Toro (1987: 9-30).

evolución se caracteriza, en primer lugar, por la continuidad y cambio de las estructuras existentes y no por la ruptura. Por esta razón, Pollmann denomina los años 60, que según él representan la culminación de esta novela, los de la gran síntesis, una caracterización que vale también para la novela a partir de *Pedro Páramo* de Juan Rulfo y *El Acoso* de Alejo Carpentier, dos ejemplos de los más genuinos de la *nueva novela*.

La narrativa latinoamericana naturalmente no se inicia con la *nueva novela* como el boom lo ha sugerido, sino que con su primer texto importante, *Vida de Juan Facundo Quiroga* (1845) de Domingo Faustino Sarmiento, el cual se distancia de la mera imitación europea e introduce la »realidad latinoamericana« como objeto narrativo central, exigiendo que ésta sea el punto de arranque de la labor literaria, tenga una función didáctica, educativa y ética. A continuación de esta nueva orientación, con respecto a la temática y finalidad de la narrativa, cuyo efecto se concretiza después de casi un siglo, durante los años 20 y 40, en obras de autores tales como José Eustasio Rivera, Ricardo Güiraldes, Rómulo Gallegos, Jorge Icaza y Ciro Alegría. Ya con Ruben Darío el modernismo había comenzado un período experimental, durante el cual tienen lugar grandes transformaciones, en especial, en el campo del lenguaje.[37]

Partiendo del modernismo de Darío, e influenciado por el surrealismo francés, se inicia el modernismo brasileño con su manifiesto de 1922.[38] Un momento fundamental en la evolución de la literatura latinoamericana es el creacionismo de Huidobro y Borges con su escritura calificada como 'ultraista'.[39]

El gran aporte de los momentos brevemente descritos radica en la innovación del lenguaje y en la concepción de que la literatura es un sistema autónomo y legitimado en sí mismo, aun cuando no sea independiente de la realidad. Borges fue uno de los primeros que se resistió al imperativo del realismo y de la literatura comprometida, poniendo en el centro de su interés la *escritura*, donde ésta se entiende como un procedimiento literario autorreferencial, lo cual causó un impacto evidente en los autores que luego constituyeron la *nueva novela*, y contribuyó a que éstos osaran a buscar a través del experimento su propio camino.

Un último aspecto fundamental en la literatura hispanoamericana, que pasó luego a ser un »credo« en la *nueva novela*, fue el descubrimiento del 'realismo mágico' y de 'lo real maravilloso', que también ha sido considerado como su característica más marcada.[40] El realismo mágico es concebido por Miguel Angel Asturias, el cual se

---

37 Cf. Siebenmann (1972: 11-12); Strausfeld (1976: 9-11); Eitel (1978: XXIVss.).

38 Cf. Eitel (1978: XXVI).

39 La poesía de Huidobro, *Arte Poética* de 1916 y el ensayo de Borges, *El arte narrativo y la magia* (1932) son calificados como textos programáticos en esta evolución, como así también *Ficciones* (1934-1944) y *El Aleph* (1940-1952). Con respecto a Huidobro, vid.: Siebenmann (1965: 144ss.) y a Borges, vid.: Kesting (1965: 50-66); Kockelkorn (1965); Bürger (1971: 152-164); Alazraki (²1974); *Iberoromania* (1975); Videla de Rivero (1975: 173-195); Rodríguez Monegal (1976: 177-189); *Revista Iberoamericana* (1977). La importancia de Borges para la *nueva novela* es hoy por hoy insdiscutida; vid.: Fuentes (²1969: 26); Lorenz (1971: 58s.); Harss (⁶1975: 49); Eitel (1978: XXXI). También nos parece la presencia de Borges en el *nouveau roman* evidente; vid. de Toro (1992).

40 Cf. arriba nota 28. El término más común en la ciencia literaria es el de 'realismo mágico', con lo cual no se diferencia entre las posturas de Asturias y Carpentier, definiendo por lo general solamente la concepción del autor cu-

dedicó en París al estudio de los mitos mayas que luego tradujo al español e introdujo en su producción narrativa. Pero fue realmente Alejo Carpentier, que partiendo del surrealismo francés, del cual luego se distancia, funda en teoría y práctica '*lo real maravilloso*', quien encuentra en las culturas indígenas y africanas, donde los individuos no creen solamente en el empirismo de los hechos, sino en las *leyendas y los mitos*.[41] Para Carpentier es '*lo real maravilloso*' una *revelación privilegiada* que naciendo de la vida misma, transforma y amplía la realidad descubriendo sus partes ocultas.

El realismo mágico se puede interpretar, sin recurrir a la herencia precolombina, como una concepción antropológica-universal del ser humano, la cual lo puede proteger frente a la radical sumisión de un sistema cultural extraño (es decir, frente a la industrialización que ha exterminado a algunos grupos étnicos o está por exterminar los restantes, como así también su naturaleza) y le permite a los escritores describir su realidad en forma adecuada.[42]

Completando la posición de Janik agregamos que, en la *nueva novela*, el realismo mágico se concretiza en primera instancia como un procedimiento literario, así como lo fueron los del realismo francés decimonónico, es decir, es descriptible y analizable como estrategia narrativa.

El nivel de la historia se caracteriza la *nueva novela* a través de la narración de un acontecimiento[43], el cual está a su vez constituido por los destinos singulares de sus personajes respectivos, por conflictos históricos, políticos, sociales y económicos en el devenir de Latinoamérica. Los segmentos históricos son generalmente tematizados en estrecha relación con los personajes y en una acción organizada en forma acausal, fragmentada o circular.

La realidad histórica de Latinoamérica, transmitida por una refinada técnica narrativa, no se reduce a una denunciación directa y desnuda, es decir, a poner de manifiesto la opresión e injusticia - como era el caso de la novela de los años 20, 30 y 40 -, no ofrece al lector fórmulas para solucionar los conflictos descritos, no pretende ser didáctica-moralizante o idealizante, sino que mezcla unidades imaginadas con reales, describe y no toma partido evidente, sino que plantea situaciones oponentes.[44]

Los personajes no representan 'héroes tradicionales', sino 'anti-héroes', que se caracterizan por su pérdida de identidad, por su alienación, por su carácter lábil - como resultado del efecto del medio ambiente. La desmoronación o fragmentación de los personajes y del medio ambiente se inscribe en una narración y en una acción altamente inestables.

---

bano.

41   Cf. Carpentier: *Prólogo* al *Reino de este mundo*. Barroso VIII (1977) nos da a conocer que el término '*lo real maravilloso*' tiene semejanzas con aquél de '*realismo mágico*', como se entendía en el expresionismo alemán. Cf. también Scheffel (1990).

42   Cf. Janik (1976: 20).

43   El término 'acontecimiento' lo empleamos según Lotman (1973: 347-348).

44   Cf. entre otros, Siebenmann (1972: 21s.); Eitel (1978: IX-LXII).

El nivel del discurso se manifiesta a través de una gran pluralidad y diversidad de formas narrativas. Constatamos que a partir de los años 50 - con la excepción de algunos pocos autores, entre ellos de G. García Márquez - la historia no es más transmitida, o por lo menos no solamente realizada, por un narrador omnisciente, sino por un 'narrador oculto'[45], el cual - como en el caso de la obra de G. Flaubert o de H. James - se sirve de un 'mediador figural', es decir, de uno o varios personajes a través del cual (de los cuales) el narrador comunica la historia. Además se emplea el discurso indirecto libre o elíptico o un yo-narrador (con el uso masivo del *stream of consciousness*) o los tres tipos de narración, como es el caso de Vargas Llosa.[46]

La *nueva novela* renueva además el lenguaje: acompañada de la ya mencionada y muy desarrollada estrategia narrativa se incluye un lenguaje regional, coloreado con dialectismos locales, se introduce el lenguaje indígena y de la flora y fauna, se imita la lengua coloquial.

Con respecto a la estructura temporal de la *nueva novela*, ésta se caracteriza por el confrontamiento de formas cronológicas, circulares y simultáneas. Distorsión, entrelazamiento y superposición temporal se articulan de novela en novela cada vez en forma más compleja. Semejante organización temporal no es un mero recurso artificial, sino que tiene como finalidad, en el texto, de representar la totalidad del mundo tanto exterior como el psicológico de los personajes. En este contexto, los nuevos novelistas hablan del »afán totalizante« de la *nueva novela*, es decir, del intento de hacer representable la realidad en su forma más amplia.[47] La concepción de la representación literaria de la realidad latinoamericana - postulan los *nuevos novelistas* - no debe ser confundida ni con aquélla del 'realismo socialista' (entendido como literatura adicta a un partido que tiende a su estabilización) ni con aquélla del realismo neocapitalista (una calificación que aplican al *nouveau roman*, en forma injustificada, como creemos) que ellos rechazan terminantemente.[48] La realidad representada en la *nueva novela* es siempre una referencial-mimética, pero de una gran elaboración literaria, es decir, es una realidad que se hace materia literaria. El novelista debe por esto - así por

---

45 Preferimos hablar de narrador oculto que de 'narrador neutral' o 'imparcial', ya que este tipo de narrador no es en ningún caso neutral o imparcial, sino que interviene en la narración en forma velada y sutil, sin recurrir a aquéllas técnicas del narrador omnisciente.

46 Para la obra de Vargas Llosa son característicos el 'monólogo interior', el empleo radical del narrador oculto, que va más allá de la técnica desarrollada por G. Flaubert y establecida por H. James, y de la pluralidad de los modos narrativos. En *La ciudad y los perros* ([12]1973) pone en acción un gran número de mediadores figurales, lo que le permite describir, sin la intervención de los comentarios y explicaciones de un narrador omnisciente, las diversas experiencias de los alumnos de la academia militar. Vargas Llosa emplea el discurso indirecto libre, conectado con el discurso del narrador y de los personajes lo cual contribuye, junto con la técnica de la manipulación temporal, al efecto de la simultaneidad; al respecto cf. Pollmann (1968: 209-211); Oviedo ([2]1977: 89-135). Sobre la obra de Vargas Llosa en general vid.: Giacoman/Oviedo (1971); González Bermejo (1971: 54-89); *Asedios a Vargas Llosa* (1972); Boldori de Baldussi (1974); Martín (1974); Harss ([6]1975: 420-462); Oviedo ([2]1977); Kloepfer/Zimmermann (1978: 469-493).

47 Cf. Osorio Tejada (1971: 23-35); Martín(1974: 63, 65-67); Oviedo ([2]1977: 67ss.); Boldori de Baldussi (1974: 122).

48 Vid. Fuentes ([2]1969: 19); Vargas Llosa en Lorenz (1970: 254) y Sábato ([5]1979: 37-43).

ejemplo Carlos Fuentes - interpretar y transformar la realidad por medio de la palabra, con lo cual se postula una de las utopías de la modernidad cultural.[49] La *nueva novela* le dará al recipiente un activo papel dentro de su estructura, tratando de convertirlo en el »personaje principal« del texto.[50]

0.42 El 'nouveau roman'

El *nouveau roman*, como una corriente literaria en la cual - al contrario de la *nueva novela* - la historia narrada no se basa en la mediación de un acontecimiento tradicional, sino en su impedimento, donde no es posible representar ni asuntos históricos ni socio-políticos, estaba constituida por un grupo de autores más o menos unidos, pero que en *sensu stricto*, no formaron nunca una escuela.[51] Visto retrospectivamente, Sarraute inicia el *nouveau roman* con *Portrait d'un Inconnu* (1947), que realmente es su segunda obra después de *Tropismes* (1932) que aparece en 1939, siguiendo luego una colección de ensayos escritos entre 1947 y 1956 bajo el título de *L'ère du soupçon* publicado en 1956. En esta obra se plantean una serie de teoremas de la poética del *nouveau roman*. La irrupción del *nouveau roman* se hace general con *Le Vouyeur* (1955) de Robbe-Grillet. Este pasa a ser por un período el »portavoz« de este grupo literario y contribuye, con una serie de trabajos teórico-programáticos, escritos entre 1955 y 1966 y reunidos en *Pour un nouveau roman* (1963), a estabilizar y propagar las bases teóricas de la nueva novela francesa.

El *nouveau roman* proviene de una tradición literaria que data desde Flaubert[52] e incluye autores tales como, Proust y Joyce, St. Mallarmé, P. Valéry, F. Kafka, R. Roussel y S. Beckett, y se caracteriza por la anonimidad de sus personajes y por el

---

49 Vid. Fuentes (²1969: 85).

50 Vid. Vargas Llosa en Osorio Tejada (1971: 31); Boldori de Baldussi (1974: 114, 122, 155); Dorfman (1974: 152); O'Neill (1974: 321); Sacoto (1974: 393-394); Strausfeld (1976: 21). Los nuevos novelistas latinoamericanos y franceses comparten la misma intención, pero por medios muy diferentes.

51 Los nuevos novelistas franceses rechazan el ser clasificados como escuela; cf. Robbe-Grillet (1963: 9-10, 114-115). Con el término *nouveau roman* pretenden solamente ser entendidos como autores que, de forma diversa, quieren superar definitivamente el sistema de novelas decimonónicas. En todo caso deben ser considerados como un grupo con cierta coherencia, ya que entre ellos no solamente existen diferencias, sino una serie de procedimientos literarios y principios poetológicos; cf. al respecto Wehle (1972: 9-13) por el contrario de Wilhelm (1969: 12-13) que niega todo trazo en común entre los autores del *nouveau roman*, aceptando que solamente los une su rechazo a la novela tradicional; Ricardou (1972: 9ss.) considera el *nouveau roman* como una hipótesis (planteamiento), no encontrando ningún tipo de rasgos comunes entre Butor, Ollier, Sarraute, Simon y Robbe-Grillet; Barthes (1964a: 101-105), indica cuán erróneo es hablar de una *école du nouveau roman* o de la *école Robbe-Grillet* y hace notar las diferencias entre éste y Butor; Ouellet (1972: 7ss.), entiende el *nouveau roman* como el resultado de una suma de factores tales como la pólemica que se inició contra o a favor de este nuevo tipo de producción literaria, la crítica y teoría literaria que nació entorno a estos autores. En *L'ère du soupçon* de Sarraute y en *Pour un nouveau roman* de Robbe-Grillet, Ouellet ve dos poéticas que se transformaron en la base del *nouveau roman*, una opinión que compartimos plenamente; cf. también Sturrock (1969: 1ss.). Una sinópsis del estado de las investigaciones sobre el *nouveau roman* ofrece Wehle (1972: 10-39 y 1980: 1-28).

52 El rol de Flaubert como modelo para el *nouveau roman* se desprende de que éste pretendió escribir *un livre sur rien [...] sans attache extérieur, qui se tiendrait du lui-même par la force de son style,* y postuló, dentro de la poética de la modernidad, la autonomía del arte y de la literatura. Fundamental son sus procedimientos narrativos y sus descripciones; cf. Robbe-Grillet (1963: 31ss.).

traspaso de los acontecimientos al nivel de la conciencia. En el centro de su actividad se encuentra la 'escritura' y la reflexión sobre el acto productor, algunas veces en forma casi exclusiva.

La poética del *nouveau roman* puede ser descrita *ex negativo* y *ex positivo.*[53]

Los *nuevos novelistas* franceses critican gran parte de la novela a partir de 1955, porque según ellos, ésta sigue reproduciendo, de una u otra forma, los modelos narrativos decimonónicos. Este tipo de novela, calificada de »burguesa«, no era ya más capaz de interpretar la realidad contemporánea en forma adecuada, ya que reproducía el mundo moderno, complejo y contradictorio como un mundo coherente, con firmes ideales y valores, donde cada individuo tenía su lugar bien determinado, una clara identidad y donde su medio ambiente aparce como una unidad intachable. El lenguaje es además reducido a una mera función transportadora de lo narrado, donde se ha experimentado un desgaste sustancial. La novela contemporánea adolece de muchos de estos defectos tomados de aquélla del siglo XIX. Frente a esta situación, se puede entender el rechazo del *nouveau roman* a narrar una historia coherente, para así liberar el lenguaje de su subordinación y poder renovarlo.[54] Que no toda la novela contemporánea puede ser *pars pro toto* calificada como arcaica, es evidente y la *nueva novela* lo ha demostrado claramente. La crítica del *nouveau roman* es una polémica que resultó más bien de una defensa de su atacado sistema, que de un análisis sólido del sistema literario de los años 50 en adelante. Especialmente el juicio altamente negativo que propaga Robbe-Grillet de la obra de Balzac, revela una particular ceguera del autor frente al aporte del escritor decimonónico.[55]

La nueva función del lenguaje en el *nouveau roman* se puede constatar especialmente en la teoría y práctica de la descripción. Se rechaza el »antropomorfismo«, objetos y cosas no son metafóricos, no se les atribuyen rasgos existenciales, ya que los objetos - como en Robbe-Grillet - no se encuentran en relación ontológica alguna con los seres humanos y, por esto, deben ser descritos en su »muda existencia«.[56] Cosas y objetos son en este sistema una tarea literaria, son sometidos a una descripción, es decir, son un fénomeno de la escritura. De ahí que pierden su función transportadora, no apoyan la acción ni la descripción del medio ambiente, los objetos y la descripción se transforman en autónomos. Esta nueva forma de descripción o de transformar los objetos en literatura la han denominado 'description créatrice'[57].

Los personajes del *nouveau roman* poseen o un prenombre, como en *Le Voyeur*, o

53 Se han descrito especialmente los aspectos negativos del *nouveau roman* en el sentido de 'antinovela' pero no suficientemente su sistema; cf. Sartre (1956: 7-14) que habla de »anti-novela« o Pingaud (1958: 55-59) que crea la fórmula de *écoles du réfus*; cf. también Ouellet (1972: 38-50). Considerar el *nouveau roman* solamente en oposición a la novela tradicional sería reducir sus méritos.

54 Robbe-Grillet (1963: 25-32); Wehle (1980: 10s.) observa que para los nuevos novelistas franceses la liberación y renovación del lenguaje es equivalente con una nueva calidad de vida.

55 Cf. también Gumbrecht/Stierle/Warning (1980: 57-82) y de Toro (1987: 9-31) con respecto a la obra de Balzac.

56 Vid. Robbe-Grillet (1963: 20, 48-51); Wilhelm (1969: 14ss.).

57 Vid. Robbe-Grillet (1963: 123-134); Ricardou (1967: 16-21, 91-121).

un nombre ambiguo, como en *La maison de rendez-vous*, o carecen de nombre por completo. Los nombres pueden estar constituidos por una letra, como en *La Jalousie* de A. Robbe-Grillet, o ser reducidos a un pronombre gramatical, como en *Tropismes* de N. Sarraute o en *Drame* de Ph. Sollers[58]. Con este procedimiento se pretende alcanzar la despsicologización de los personajes y de representar su anonimidad.

Precisamente en este aspecto se ven claramente las diferencias entre los *nuevos novelistas* franceses: a Sarraute y Butor se les reprocha practicar una novela psicologizante tradicional - y esto no sin razón -, ya que (y en particular Butor) siguen considerando la novela como »instrumento para conocer la propia conciencia«, y de allí que la novela permanezca en su función usual de »transportadora/proyectora de la realidad«.[59] Robbe-Grillet, en sus ensayos de 1961, se refiere en relación a este aspecto en forma similar a Sarraute y a Butor, pero sus observaciones no tienen ninguna consecuencia en su práctica literaria, en especial con respecto a sus novelas a partir de 1965.[60]

El que los nuevos novelistas franceses rechacen la novela tradicional, especialmente la concepción de los personajes y el empleo del lenguaje, tiene su origen en la concepción del realismo. 'Realismo' no significa para ellos el captar la realidad en una forma mimética-objetiva, sino muy por el contrario, en forma anti-mimética-subjetiva.[61] En este contexto califican sus texto como producto de una '*subjectivité totale*'[62]. La renuncia a la objetividad se funda en la incapacidad del individuo de narrar en forma neutral, ya que la realidad implacablemente reclamada se manifiesta a cada uno en forma diversa y nunca en su totalidad, sino en fragmentos.

Partiendo de esta posición estamos en condiciones de sostener que la radicalización de la neutralidad narrativa introducida por G. Flaubert y perfeccionada por H. James conduce lógica, consecuente e inevitablemente a la subjetividad de uno o varios Yo, a una forma narrativa en primera persona, que se encuentra deíctica o implícitamente

---

58 Con respecto a Sollers (1965) cf. Hempfer (1976: 71-94) y con respecto a la estructura de los personajes en el *nouveau roman*, cf. Robbe-Grillet (1963: 26-28); Ricardou (1971: 234-265). Vid. también Ionesco (1966: 226).

59 Robbe-Grillet reprocha a Sarraute y a Butor escribir libros *à la gloire de la psychologie* y querer describir un mundo con *un arrière-monde invisible et mystérieux*, con *une sorte de conscience supérieur qui jugerait l'homme et assurait le rachat de ses erreurs et de ses échecs*; la cita la hemos tomado de Ouellet (1972: 9).

60 Nos referimos en este lugar a aquellos títulos como *Pour un nouveau roman* (1963: 116-117) tales como *Le nouveau roman ne s'interesse qu'a l'homme et à sa situation dans le monde/Le nouveau roman ne vise qu'à une subjectivité totale*. Somos de parecer que no es lícito incluir las opiniones de autores en el análisis textual, sin haberlas considerado críticamente en relación con su práctica literaria. Cuánto las intenciones de los autores pueden divergir frente a su teoría y práctica - lo cual no es nuevo ni mucho menos -, lo ha demostrado por ejemplo Hempfer (1976) en base al grupo *Tel Quel*.

61 Nota del traductor: en alemán existen los términos 'Realität', 'Wirklichkeit' y 'Realismus'. Los dos primeros son sinónimos y se refieren a la realidad concreta, mientras que el tercer término se refiere a los procesos artísticos, que tienen como finalidad reproducir o proyectar la realidad.

62 Cf. Robbe-Grillet (1963: 117ss. y 123ss.); Blüher (1975: 281ss.) habla, partiendo del autor francés, de un 'realismo subjetivo' y acentúa la dimensión fundamental de la conciencia en sus novelas, lo cual es solamente un elemento entre otros, si se consideran otros aspectos de la teoría del *nouveau roman* (vid. abajo, cap. II. 3). Wehle (1980: 10) aplica el término más certero de 'realismo reflexivo', refiriéndose a la bivalencia del discurso del *nouveau roman*, al nivel 'meta-textual' (o 'meta-discurso') y al nivel del 'objeto-textual' (o del 'objeto-discurso'). Si se tiene en cuenta el *nouveau roman* en su totalidad, y no solamente Robbe-Grillet, se constatan ambas tendencias.

presente en todas las novelas del *nouveau roman*.[63]

En la concepción de la *subjectivité totale* no existe ningún tipo de jerarquía: acciones y sueños, alucinaciones y recuerdos tienen el mismo *status* narrativo. Todos los aspectos de la vida - también aquellos tabuizados - son tematizados y puestos al descubierto. Especialmente, por medio de esta concepción de la realidad en la literatura, se puede explicar por qué los nuevos novelistas franceses ponen la narración de una historia en un segundo plano y, con esto, una acción tradicionalmente organizada no es ya posible, perdiendo así tanto la dimensión espacial como la temporal su función tradicional.

La narración en el *nouveau roman* consiste, en la mayoría de los casos, en una cadena de situaciones descontextualizadas y estáticas que se suceden en forma anacrónica y acrónica. Muchas veces desaparecen los límites entre las acciones realmente llevadas a cabo por un personaje y las que son meramente imaginadas, perdiendo así todo sentido el intento del recipiente de reconstruir o fijar su eje espacio-temporal.[64] La historia narrada se reduce en el *nouveau roman*, en parte o totalmente, a un reflejo o a una proyección o tematización de los procedimientos narrativos, es decir, del nivel del discurso, en el sentido de una continua metáfora. La historia narrada adquiere una función de coartada, fundiendo ambos niveles, el de la historia y el del discurso. Como consecuencia de la pérdida del 'acontecimiento', por parte de la historia, se desprende la eliminación parcial o total de la importancia del tiempo y del espacio. La organización temporal comienza desde *Le Voyeur* a perder su lugar privilegiado como elemento fundamental de la estrategia narrativa. Con la expulsión del eje espacio-temporal de la narración como resultado del transporte de lo narrado a la conciencia de un Yo, queda solamente como dimensión espacio-temporal la duración de las situaciones en la conciencia del personaje y la lectura del recipiente implícito, es decir, un *temps mental*[65]. El espacio es desemantizado, se transforma en neutral y mudo, el único espacio que queda es el de la página escrita.

Los nuevos novelistas franceses reemplazan los modos tradicionales de producción

---

63 Cf. Goebel (1968) describe como Mathias en *Le Voyeur* a través de los recuerdos y alucinaciones, y en especial a través de los vacíos de su memoria, va desplazando al narrador en tercera persona al comienzo de la novela hasta reemplazarlo completamente; vid. al respecto Blüher (1970: 295-319) el cual demuestra que en *Le Voyeur*, una novela aparentemente narrada en tercera persona, un 'yo-narrador' narra envuelto dentro de una estructura narrativa en tercera persona. *De facto* aparece sólo una vez un deíctico en primera persona, con lo cual se alude a la tendencia narrativa en primera persona; cf. también de Toro (1987a: 31-70).

64 El término recipiente lo queremos definir como ya lo hicimos en nuestro libro *Texto-Mensaje-Recipiente* 1990: XIII, nota 1) de la forma siguiente: *lo derivamos del término latino 'recipio' y del alemán 'Rezipient'. Si es posible hablar de la 'estética de la recepción' ('Rezeptionsästhetik'), no encontramos mayor inconveniente en emplear e introducir el de 'recipiente', que lo definimos como »la instancia real o heurística capaz de recibir un mensaje«. Con esto, desistimos deliberadamente emplear el término 'receptor' tan difundido en la lingüística hispánica, que es de una naturaleza puramente mecánica. Al término 'recipiente' le adjudicamos de esta forma un status estético. Por lo demás, sea dicho de paso, los términos técnicos no son entidades ontológicas invariables, sino tienen un carácter meramente instrumental, ya que cambian su significado según los predicadores semánticos que se les atribuyan* (vid. también abajo p. 20ss.).

65 Cf. Robbe-Grillet (1963: 123-134).

textual por procedimientos que son, según la forma de su empleo y en su radicalidad, únicos y sin precedentes en la historia de la narración. Estos recurren a los '*temas generadores*' ('*thèmes générateurs*') siguiendo los principios de composición de la música atonal y de la serial-aleatoria. El término '*tema*' alude a las unidades de contenido tradicional, que son puestos al descubierto, distorcionados y destruidos, y el término 'generador' se refiere a operaciones tales como '*identidad*', '*similitud*', '*inversión*', '*contigüidad*', '*repetición*', '*ampliación*', '*reducción*', '*exclusión*', etc. Los '*temas*' parten de '*elementos o unidades bases*' que están relacionados con el significado y/o significante de un lexema.[66] Los '*temas generadores*' se organizan, según las operaciones mencionadas, en diversas '*series*' ajerárquicas e independientes las unas de las otras que se reunen, se separan, se cruzan, se superponen, etc.[67]

Otro procedimiento narrativo es la '*mise en abyme*' que traducimos como el '*texto en el texto*', como un principio similar al del 'teatro en el teatro' pero con otras funciones.[68] El procedimiento como tal no es nuevo, sí la forma en que los nuevos novelistas franceses lo emplearon. Aquí no tiene solamente la función, como en *Les Faux Monnayeurs* de Gide, de contribuir al esclarecimiento de partes oscuras de la acción, de responder a preguntas, que se desprenden del nivel de la historia, a través de la '*mise en abyme*' (al nivel del discurso) o de descubrir los procedimentos narrativos usados, sino que gradualmente, a partir de *Le Voyeur*, hasta *La maison de ren-*

---

66 Cf. Ricardou (1971a: 143-162); Robbe-Grillet (1971: 157-176); de Toro (1987a: 31-70). Nota del traductor: el término '*Verfremdung*', que no tiene correspondencia directa en el español, se puede traducir como '*procedimiento de distanciación*' o como '*distorsión*', y quiere decir, que una unidad tradicional es transformada radicalmente en algo nuevo. Es como si un rostro en un retrato tradicional se reprodujera en forma cubista. El término lo empleamos dentro de la tradición de los formalistas rusos, allí denominado '*ostrenanie*'/'*minus prijom*' (Stierdter 1971) y en la tradición de la semiótica de Tartu (Lotman 1973) y de la alemana (Titzmann 1977) en el sentido de '*posición vacía o cero*'. En español encontramos muchas veces la traducción de este término, en especial para describir los procedimiento dramáticos del teatro épico de Brecht, como '*alienación*', lo cual es erróneo, ya que alienación equivale a '*Entfremdung*', un término de la filosofía económica de Marx que significa, como sabemos, el vivir nuestro propio trabajo y existencia como algo extraño y ajeno a nosotros mismos.

67 Nos ha llamado la atención que críticos tan versados en el *nouveau roman*, como Sturrock (1969); Wilhlem (1969); Albérès (1970); Zeltner-Neukomm ([3]1970); Heath (1972); Morrissette ([2]1969) entre otros, no hayan considerado en su trabajos los procedimientos fundamentales de los '*temas generadores*', de la '*descripción creativa*' y del '*texto en el texto*'. Se ha creído que estos principios narrativos tienen validez a partir de los años 60 y, en particular, para la novela *Tel Quel*. Una razón de semejante posición es que durante los años 60 y comienzos de los 70 autores como Ricardou (1967: 1971, 1971a) y Robbe-Grillet (1970a, 1972) se manifestaron teóricamente al respecto, y que el desarrollo máximo de estos procedimientos se concretiza con *La maison de rendez-vous* (1965), *La Prise/Prose de Constantinople* (1965), *Projet pour une révolution à New York* (1970), etc. Este hecho no se debe interpretar en el sentido que los procedimientos en cuestión, no se empleen ya desde *Le Voyeur* (1955) y *La Jalousie* (1957). La gran mayoría de los críticos concentraron su atención en el aspecto psicológico del *nouveau roman*. Una excepción constituyen los trabajos de Stoltzfus (1964), (1985), Hempfer (1976) y Wehle (1980: 1-28) que indican, por el contrario, que los procedimientos indicados abarcan, en mayor o menor medida, todo el *nouveau roman*. Especialmente los análisis de orientación psicoanalítica no nos parecen justificados, si se compara este tipo de interpretaciones con la teoría y práctica del *nouveau roman*. Por esta razón tenemos una posición crítica frente a trabajos como los de Morrissette ([2]1969) y Anzieu (1965/66: 608-637). Por ejemplo la interpretación de que Mathias (en *Le Voyeur*) ha cometido un crimen sexual que luego reprime, no está probada por el texto. Naturalmente que Robbe-Grillet (1963: 116-119) mismo - como ya habíamos indicado más arriba - contribuye a semejantes interpretaciones.

68 Por lo general se entiende bajo este término el reflejo de la estructura o del contenido de la obra total en partes del texto. Cf. Ricardou (1967: 171-190); Hempfer (1976: 95ss.); Dällenbach (1977: cap. 2,3); de Toro (1987a: 31-70).

dez-vous y de *La Prise/Prose de Constantinople*, de destruir la *'lógica de la ficción'* y de constituir el proceso de *'escritura'* como el auténtico objeto de la actividad literaria. La reflexión sobre el acto de escribir pasa a ser dominante.[69] Por esta razón, se le ha reprochado al *nouveau roman* haber transformado la novela en un *laboratoire du récit*. Pero, la consciente reflexión sobre sus procedimientos como parte de la obra - argumentan los nuevos novelistas franceses - debe contribuir a superar la novela tradicional y a construir una nueva, de tal forma que los texto no se transformen en canónicos y degeneren en un clisé.[70] Esta concepción no solamente le permite al escritor tomar distancia frente a su obra, sino también al recipiente, cuya potencial identificación o ilusión mimética es siempre interrumpida o destruida. Los procedimientos descritos, además del de la *'descripción creativa'*, que tiene como función el crear una descripción con una referencia puramente lingüística, pretenden activar al recipiente hasta transformarlo en el personaje principal del texto.[71] Los textos del *nouveau roman* no se prestan más a la mera recreación estética, su estructura reflexiva y distanciadora tiene como finalidad de cambiar la actitud consumista del recipiente. Por esta razón, los nuevos novelistas franceses intentan, y en forma aún más radical que el grupo *Tel Quel*, de equiparar el acto escriptor con el receptor. Leer significa 'reinventar', comprender, significa no solamente reconstrucción, sino producción, la lectura la entienden como 're-escritura' que quiere ganar al lector como un compañero al mismo nivel de la comunicación.[72]

Nuestra breve enumeración y nuestro escueto comentario de algunos aspectos fundamentales de la *nueva novela* y del *nouveau roman* nos han mostrado algunos puntos de similitud, pero, a la vez y sobre todo, las profundas diferencias entre ambos sistemas.

---

69 Cf. Hempfer (1976: 95-104); Dällenbach (1977: 41s., 151s.).

70 Nota del traductor: el término *'kanonisch'* se emplea en la teoría literaria alemana, siguiendo a los formalistas rusos, para describir un sistema literario »clásico«, ya archiconocido y empleado. En este sentido lo traspasamos al español.

71 Cf. Wehle (1972: 247-257; 1980: 19s.) que questiona las consecuencias en parte negativas de semejante concepción de la recepción. Netzer (1970: 11-12, 23-28, 82-85) nos ofrece una compacta introducción al *nouveau roman*, pero no de sus lectores como nos anticipa el título de su trabajo. Con respecto al lector del *nouveau roman* vid. Butor (1960: 267); Robbe-Grillet (19643: 123ss.); Wilhelm (1969: 41ss.); Blüher (1975: 282, 296-297).

72 Esta concepción de los nuevos novelistas franceses ha sido una utopía de la modernidad literaria tardía, no así de los nuevos novelistas latinoamericanos. Mas, visto de un punto de vista estrictamente científico, ambas poéticas crean una utopía comunicativa, ya que el acto productor jamás se puede reemplazar por el receptor. No se debe confundir la activación del recipiente con la igualdad entre ambos polos de la comunicación. Al respecto cf. también Hempfer (1976: cap. 3).

I. BASES TEORICAS DE LA INVESTIGACION

Una breve descripción del sistema textual y sus elementos constituyentes nos parece indispensable, en cuanto el objeto de investigación consiste en analizar la organización temporal de la historia en su trayecto o disposición al nivel del discurso. Es necesario, especialmente por lo menos dentro del marco de nuestro trabajo, definir y delimitar la significación del término *discurso* (que se emplea con diversas denotaciones en la ciencia literaria) con la finalidad de una clara distribución de los fenómenos temporales en los diversos niveles del análisis. Además, como una historia es siempre una transformación de un estado temporal t_1 en un estado temporal t_2, tendremos que definir y delimitar en forma precisa los términos 'acción' o 'segmento accional' y 'secuencia accional', como así también indicar los criterios de segmentación accional.

1. EL 'TEXTO'

Como texto consideramos todos aquellos sistemas semióticos que, empleando signos determinados, sirven para la comunicación, sean éstos pertenecientes a sistemas naturales o artificiales, lingüísticos o no-lingüísticos, orales o escritos.[1] De esta forma se diferencian los textos según el tipo de signos que emplean, según el tipo de comunicación producida y finalmente según su función e intención. De aquí que los textos escritos sean aquéllos que emplean signos naturales-lingüísticos concretizados a través de un sistema grafemático, por el contrario de la pantomima o de textos orales. Los textos narrativos en particular (y bajo éstos entendemos solamente aquellos textos constituidos por estructuras narrativas donde se *relata* una acción[2]) se caracterizarían, por ejemplo, por el tipo de instancia comunicativa, es decir, en especial por su '*situación narrativa*' o por un tipo determinado de organización temporal.

El término texto lo queremos establecer, partiendo de Lotman, en base a los criterios siguientes[3]:

---

1   Lotman (1973: 85ss.); Link (1974: 67); Titzmann (1977: 9-19).
2   No somos de opinión que cualquier texto que se base en una acción sea narrativo, ya que de esta forma no se podrían distinguir textos narrativos en *sensu stricto* (novela, cuento etc.) y textos dramáticos.
3   Lotman (1973: 87-90).

a) Manifestación/Expresión: el texto es una *realización/concretización de un tipo particular de signos* establecidos en un sistema semiótico, él es su *manifestación/expresión material y concreta de este sistema*;

b) Delimitación: el texto dispone de un límite: comienzo y final; *su contenido es una selección 'n'* de un número indeterminado de términos. A través de esta selección el texto obtiene una serie de características que lo diferencian de otras realizaciones semióticas, y en particular, de aquello que no es texto (no-texto);

c) Estructuralidad: el texto obedece a un tipo determinado de organización, los términos están *seleccionados* en una forma específica para cada realización/actualización textual.

1.1 Los principios de construcción de los textos artísticos

Puesto que entre los procedimientos de la organización temporal y aquéllos de la organización textual existe una estrecha relación, debemos comentar esta conexión con respecto al análisis a realizar posteriormente.

Para Lotman los textos se construyen en base a dos principios fundamentales[4]:

a) en base a un principio de construcción paradigmático, es decir, según los procedimientos de *equiparación* y *confrontación* de elementos *recurrentes equivalentes*, donde la 'recurrencia' (o 'repetición') es sinónimo de 'equivalencia' y donde bajo 'equivalencia' no se entiende una igualdad, sino implica la diferencia dentro de la similitud;

b) en base a un principio sintagmático de construcción, es decir, según los *procedimientos de enlace* de *equiparación* y *confrontación* de elementos *vecinos* (de elementos no-equivalentes).

Estos principios de construcción se encuentran en todo tipo de textos, aun cuando, por ejemplo, la relación paradigmática sea típica para textos líricos y la sintagmática para narrativos (también dramáticos), ya que en estos textos - como indica Lotman - solamente domina un tipo de relación, pero la otra no queda excluida.[5]

Procedimientos textuales paradigmáticos implican un *dislocamiento* virtual o real de los términos de sus sintagmas, y los textos pueden, por ejemplo, organizarse según procedimientos serial-aleatorios.

Procedimientos textuales sintagmáticos, por el contrario, *varían* sus términos y

---

4   (Ibid.: 128ss.) que parte a su vez de Jakobson (1963: 209-248).

5   Lotman: (Ibid.: 83-84).

conducen a una virtual o real causalidad, donde dentro de los sintagmas son posibles las relaciones paradigmáticas, aun cuando se den en forma subordinada.[6]

Los textos que son construidos según principios paradigmáticos tienden a una 'carencia de sujeto/historia' - en el sentido de Lotman[7] - y, en casos extremos, a una eliminación del nivel de la historia y, con esto, de la secuencia temporal.[8] Los textos construidos según un principio sintagmático tienden, por el contrario, a la 'constitución de la historia'[9]; este tipo de textos permite una historia con un nivel significativo.

1.2 Excurso sobre la comunicación artística en textos narrativos

La organización temporal la consideramos - como habíamos aludido más arriba - como un instrumento efectivo para la manipulación de la recepción. Por esta razón, queremos describir brevemente las características bases de la 'comunicación artística' y sus consecuencias para la organización temporal de la acción.

La pragmática, en los textos artístico-literarios, se constituye en el texto mismo a través de la interacción de codificación y descodificación: el texto transmite en su propio lenguaje lo que el recipiente debe descodificar. Codificación y descodificación significan, en nuestro contexto, el entrar a conocer la organización del lenguaje textual y su sistema, es decir, el descubrir los principios generales y particulares según los cuales el texto ha sido construido.

El texto artístico no dispone de una pragmática como aquélla de la comunicación normal o real, pero esto no significa que no se base en una pragmática que está inscrita en el texto y que comienza en el proceso de recepción a estabilizarse y a concretizarse.[10] El recipiente se enfrenta a un tipo de comunicación hermética, con un código artístico, el cual no puede ser comprendido de inmediato, sino que tiene que ser descifrado, y es en este momento cuando el recipiente juega un papel activo.[11]

El mensaje artístico tiene, a diferencia del mensaje en la comunicación normal, un carácter ficticio, cuyo contexto es el texto artístico y el mundo ficticio representado. Para el análisis textual es irrelevante si el mundo representado es absolutamente ficticio (como en la Ciencia Ficción o en parte en la literatura fantástica), es decir, si tiene una referencia real, externa o una meramente ficticia, interna, si los objetos solamente

---

6   (Ibid.: 131ss., 138ss.).

7   (Ibid.: 347-358).

8   Cf. Bremond (1966: 62) que define '*récit*' como '*histoire*'.

9   Lotman (1973: 356).

10   Cf. muy particularmente Iser (1972, 1975: 253-256) y Dirscherl (1975: en especial 38-39) que desarrollan un sistema pragmático para textos narrativos y líricos respectivamente. Cf. además Warning (1979: 231-337), que se refiere a una pragmática del discurso ficcional, y de Toro (1990: cap. III).

11   Existen diversas formas de la actividad lectoral, sin que esto signifique que el recipiente tenga el mismo *status* que el productor del texto, como lo pretendían especialmente los autores del grupo *Tel Quel*. Pero dudamos - como cree Hempfer (1976: 51-65, 88) - *que el lector [sea] siempre un recipiente pasivo*.

existen en el texto, o si son construidos según una mímesis realista.[12] En ambos casos el mundo representado y el mensaje artístico permanecen ficticios.[13] Los textos artísticos que tienen una referencia externa muy alta, nada cambian con respecto a su *status* ficticio.

La comunicación en textos artísticos narrativos está constituida, por el contrario a la comunicación real, no solamente por un emisor y un recipiente, sino por tres emisores y tres recipientes: el 'autor$_1$', el 'autor implícito$_2$', el 'narrador$_3$', el 'lector real$_1$', el 'lector implícito$_2$' y el 'lector ficticio$_3$'.

Por 'autor$_1$' se entiende al individuo histórico y empíricamente definido, el cual no debe ser confundido con el 'lector implícito$_2$', ya que este último lo definimos como el sujeto de la emisión, como un espectro, como un papel, una función literaria del 'autor$_1$', *es la suma de las estrategias narrativas inscritas en el texto.*

El 'narrador$_3$' es una instancia mediadora construida por el autor con la finalidad de narrar una historia, y no es equivalente ni con el 'autor$_1$', ni con el 'autor implícito$_2$'. En todo caso, el 'autor implícito$_2$' y el 'narrador$_3$' pueden en su función transmisora formar una unidad en aquellos casos donde se trate de una 'situación narrativa neutral', es decir, donde haya un narrador virtualmente imparcial.[14] El 'narrador$_3$' puede constituirse en tercera o en primera persona y en ambos tipos puede adquirir las características de un narrador neutral u omnisciente.[15]

---

12 Naturalmente que tanto la Ciencia Ficción como la literatura fantástica están organizadas miméticamente según modelos del mundo real, pero el mundo representado es ficticio: es un planeta, con una ciencia y técnica aún no existente en la tierra, sus personajes no tienen un equivalente en el ser humano (a pesar de su comportamiento), suceden acciones que en la vida real son imposibles, por ejemplo, la inmortalidad, la simultaneidad de una experiencia, como es el caso en los cuentos de Borges.

13 En un aspecto existe consenso: que el arte, o en nuestro caso específico, la literatura, no es una reproducción del mundo real como se sostenía en la discusión sobre el realismo y luego en la crítica marxista o de proveniencia marxista, sino un modelo, una interpretación de la realidad; cf. Lotman (1973); Iser (1972: 277ss., especialmente 294); Schmidt (^{2}1976: 45); en forma similar se expresa también Lämmert (^{5}1972: 27).

14 Cf. Stanzel (^{6}1972).

15 No hemos querido diferenciar el modelo de Stanzel (^{6}1972), ya que tratándose en nuestro trabajo, en especial, de la temporalidad, nos basta con estas categorías. Por esto, nos reducimos a indicar las publicaciones de Genette (1972: 183ss.), Janik (1973) y Stanzel(1979).
Con respecto a las tres 'situaciones narrativas típicas' de Stanzel, quisiéramos aludir a ciertos malentendidos. La primera situación narrativa la denomina 'situación narrativa auctorial' (= la del narrador omnisciente), la segunda 'situación narrativa personal' (= la del narrador impersonal o neutral) y la tercera 'situación narrativa en primera persona'(= la del 'yo-narrador'). Stanzel habla con respecto a la narración auctorial de un narrador omnisciente 'personal' (*persönlicher Erzähler*) en el sentido que éste da a conocer su opinión privada o particular. Con lo que se refiere a la narración personal (*personale Erzählsituation*), habla de un narrador impersonal, neutral o imparcial, el cual narra por medio de un personaje que hace las veces de un mediador (*personales Medium*). El término 'personal' de la 'situación narrativa personal' resulta del uso de un personaje como mediador entre narrador y lector. Es decir, se está usando dos veces el término de 'personal' para formular situaciones narrativas distintas. Otro problema es el de caracterizar la 'situación narrativa personal' como »sin narrador«, lo cual si fuese este el caso, se encontraría en discrepancia con el término de 'situación narrativa' que implica un narrador. Este empleo es una metáfora para indicar en algunos casos la gran reducción de la instancia mediadora. Pero, el narrador, se comporte neutral o no, siempre está presente y manipula al lector (Cf. diversos casos en de Toro (1987: 9-30 y 121-148); (1990: cap. I. A.) y más abajo el cap. II. 2). Los términos 'situación narrativa auctorial o personal' expresan solamente dos posibilidades del comportamiento del narrador, que consiste en la presencia gradualmente regulada de éste que va de una escala '1 a n', es decir, son dos funciones posibles del narrador, siendo tipológicamente iguales (pertenecen a la narración en tercera persona). Por esto, nos parece mejor hablar de 'formas de narración' o

Con respecto a la recepción de la comunicación, encontramos el 'lector$_1$' que es, al igual que su contrapartida, el 'autor$_1$', el sujeto histórica y empíricamente definido en un momento determinado, luego sigue el 'lector implícito2', que es el alocutario del 'autor implícito$_2$' y que entra en el juego de la estrategia narrativa. Este es un espectro, es una función literaria, es la suma de las recepciones pasadas, presentes y futuras. En el contexto de nuestra base metodológica semiótico-estructural, definimos al 'lector implícito' como *un constructo heurístico que resulta del análisis de los procedimientos textuales orientados hacia el recipiente*[16]. El 'lector ficticio$_3$', es finalmente, como el narrador, un constructo creado por el autor, que se encuentra por lo general en un texto con una situación narrativa omnisciente.

Los emisores y los recipientes no tienen el mismo *status* dentro de la comunicación: mientras el autor y el lector real forman parte de la pragmática externa o real, es decir, de un sistema de comunicación externa, el narrador y el lector ficticio pertenecen a la pragmática interna o ficticia, es decir, a un sistema de comunicación interna, que atribuimos al nivel del '*discurso II*'.[17] El autor y el lector implícito, como constructos heurísticos, se encuentran al límite entre ambos sistemas comunicativos, entre la pragmática interna y la externa.

Bajo el término de 'comunicación/pragmática externa' denominamos el acto de comunicación entre un lector histórico 'x' y un autor 'y' a través de su texto. El nivel de la comunicación/pragmática interna existe solamente en el texto. Por esto denominamos el Código 1 a aquél de la 'situación comunicativa' externa (= SC) y el Código 2 está constituido por el sistema sígnico del texto artístico y su específica situación comunicativa, en nuestro caso, por la 'situación narrativa' (= SN)[18]. Resumimos lo expuesto en el siguiente modelo de comunicación:

'discursos narrativos', una en tercera persona (él-narrador/narración') y otra en primera persona ('yo-narrador/narración') que pueden ir en su presencia de '1 a n'. Otro aspecto, poco claro, es el del empleo del término de 'perspectiva' que hace Stanzel. Por lo general se usa en forma muy ecléctica. Se emplea en el sentido de opinión, de parecer, y en *sensu stricto*, como perspectiva en el sentido de la narratología, es decir, como históricamente se presenta en Standahl, especialmente en Flaubert y James. La perspectiva en *sensu stricto* es aquélla donde el narrador usa un 'medio figural' (un personaje a través del cual narra) y no tiene por qué existir una fijación de una sóla perspectiva, como pretende Stanzel (que parte en especial de James), sino que pueden existir varios 'medios figurales', y basta que el narrador se mantenga escondido consecuentemente detrás del medio figural, para que una narración pueda ser denominada como 'él-narración neutral'. En la 'él-narración omnisciente' no existe una perspectiva, en *sensu stricto*, ni tampoco una pluralidad de perspectivas (con lo cual Stanzel quiere manifestar la opinión de los diversos personajes), sino la opinión del narrador omnisciente que filtra los pareceres de los diversos actantes, que es algo muy diferente a la perspectivación de la narración.

16 Esta definición difiere en parte a las de algunos autores de la recepción estética alemana, en cuanto el término 'lector implícito' es, en nuestro caso, una categoría lingüístico-pragmática que solamente se puede desprender del texto mismo, y tiene cierta afinidad con Warning (1975: 25). En todo caso, este término queda muy vago (como aquél del 'horizonte de expectativa') en la teoría de la recepción, incluso en las obras de Iser, que es el autor que trató con más éxito el problema, partiendo de la pragmática y de los actos de habla. Nunca queda claro quién es el lector implícito, si es el lector ideal, el cultivado, el real, un grupo elegido, o si es equivalente con las opiniones científicas.

17 Al respecto vid. cap. I. 1.32.

18 Con respecto al término 'situación' de fundación pragmática cf. Dirscherl (1975: 24-26), el cual no debe ser confundido con aquél de la 'lógica de la acción' como lo han desarrollado Propp (1972), Bremond (1964, 1966, 1970, 1973), Greimas (1966, 1967) y otros.

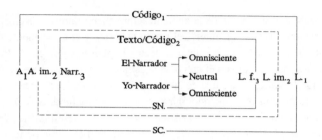

1.3 El texto como categoría estructural teórico-narrativa

Como es ya sabido, tienen las estructuras narrativas un carácter universal.[19] No son específicamente literarias, ya que las encontramos, por ejemplo, en la comunicación normal y en la pantomima. Por esta razón, los textos con estructuras narrativas se consideran como un '*récit*', es decir, como un '*relato*', un término que no nos debe llevar a concluir que cualquier tipo de texto que contenga estructuras narrativas sea clasificado como perteneciente al mismo grupo, por las razones dadas más arriba.

R. Barthes consideró el 'relato' como una gran frase, la cual posee, como la frase del lenguaje, un orden determinado y no es una simple anexión de términos, donde se reflejan las categorías bases del sistema verbal, tales como la 'temporalidad', los 'aspectos' y los 'modos'.[20] El 'relato' obedece a un sistema.

Para la descripción y clasificación de este sistema entre los diversos métodos se presta el frástico de Benveniste como el más fructífero.[21] Benveniste logra, en base al empleo temporal de determinados verbos, establecer dos *modos de enunciación*: la '*enunciación histórica*' y la '*enunciación del discurso*'.

Todorov fue el primero en traspasar las clasificaciones de Benveniste a la narratología estructural, diferenciando consecuentemente dos niveles en el 'relato': el nivel de la '*historia*' (proveniente de la '*enunciación histórica*') y aquél del '*discurso*' (proveniente de la '*enunciación del discurso*').[22]

Las categorías introducidas por Todorov se han venido empleando de diversa forma según las escuelas y autores, lo cual ha conducido a graves complicaciones. A esto se añade que los términos 'relato' y 'discurso' contienen significados que apuntan a problemas diversos. Sin pretender entrar, en este lugar, en una discusión meta-teórica, quisiéramos por lo menos, dentro del contexto de este trabajo, fijar brevemente

---

19   Barthes (1966: 1ss.).

20   (Ibid.: 4ss.).

21   Vid. Benveniste (1966: 237-250).

22   Todorov (1966: 125-151). Esta diferenciación corresponde a la de '*fábula*' y de '*sujeto*' en la teoría de los formalistas rusos (cf. Striedter: 1971), a la de '*fábula*'/'*story*' y de '*plot*' en la del *New Criticism*, y finalmente a la de '*Geschichte*' und '*Fabel*'/'*Diskurs*' en el ámbito germano.

nuestro empleo de la terminología.

1.31 El nivel de la 'historia'

El 'nivel de la historia'(= 'NH') (correspondiente en la retórica tradicional al *inventio*), constituida por personajes, acción, espacio y tiempo, la definimos, según la narratología estructural, como *una abstracción, ya que siempre es percibida y contada por algún sujeto*, ésta no existe por sí misma.[23]

La historia es una convención variable de frases que no existe al nivel textual, sino que es un constructo que tiene que ser constituido a través del análisis, de lo cual se desprende que el análisis del nivel de la historia no se desarrolla en la superficie textual. Aquí se trata, en primer lugar, de destilar las diversas conexiones sintagmáticas a través de abstracciones.

La historia la podemos considerar como el desarrollo de un acontecimiento, que según Lotman, es *el traspaso de un personaje a través de un límite entre dos campos semánticos*[24], pudiendo ser el límite o frontera de carácter tipográfico o semántico. La transgresión de un límite puede ser el paso de un territorio a otro, la violación de una norma o la infracción de una prohibición.

Uno de los constituyentes centrales de la historia es la acción, un término que tanto al nivel del objeto-lengua como al de la meta-lengua es polivalente y que a continuación pasamos a definir y a diferenciar.[25]

Bajo '*segmento accional*' entendemos *la acción de un personaje que tiene una importancia vital para el contexto accional general, de tal forma que si falta un segmento la historia es interrumpida, quedando incomprensible*. Esta definición mínima es adecuada para fijar el criterio de segmentación del total de la acción. Como punto de segmentación indispensable se puede siempre elegir *una acción de un personaje que produzca una »transformación relevante« para el contexto accional total, y que no pueda ser dividida*.

Este criterio, de tipo intencional y funcional, presenta el problema que todas las otras acciones que no poseen la cualidad de ser relevantes para la transformación de la historia, no pueden ser aquí consideradas, de tal forma que siempre estaremos describiendo una parte de la totalidad de la historia. De allí resulta la necesidad de estipular los grados de relevancia, lo que a su vez es altamente problemático, ya que los criterios de relevancia no son universales, sino dependientes y variables de una

---

23 Todorov (Ibid.: 127).

24 Cf. Lotman (1973: 347-358, en especial 350 y 1974: 200-271) considera el espacio artístico como la síntesis de diversas relaciones con respecto a la imagen del mundo, tales como temporales, sociales, étnicas, éticas, etc. y, por esto, no es el espacio solamente de carácter topográfico, sino, a la vez, está definido por unidades semánticas que se pueden encontrar en oposición. Estas dividen el espacio en campos disjuntos separados por una frontera o límite. Los campos pueden ser un río, el límite entre ciudad y bosque o normas, leyes, etc.

25 Cf. Propp (1924/1972), Bremond (1964, 1966, 1970, 1973), Greimas (1966, 1967); Link (1974: 256); Pfister (1977: 265-272).

cultura determinada 'px' en un determinado momento 'tx'. Para la finalidad de nuestra investigación serán, partiendo de la definición dada, especificados de texto en texto los criterios de segmentación y de relevancia. Otra posibilidad no se encuentra a disposición, ya que hasta la fecha la ciencia literaria no ha desarrollado semejantes métodos y tampoco la teoría del relato.

El contexto accional superior lo llamamos 'secuencia accional' y está constituido por un número determinado de segmentos accionales, personajes y de un eje espacio-temporal. Podemos solamente hablar de secuencias accionales cuando:

a) éstas obedecen en su organización a la tríada: 'Situación de partida - Desarrollo - Punto final';

b) tienen sus propios personajes independientes de otras secuencias accionales; es posible que un personaje aparezca en diversas secuencias accionales; es solamente importante la función y el grado de su participación para determinar si se trata de un personaje independiente o no;

c) y por último cuando disponen de un eje espacio-temporal también independiente.

1.32 El nivel del 'discurso'

En la narratología estructural francesa se clasifican - como sabemos - bajo 'discurso', la organización temporal ('el tiempo del relato'), la organización del narrador y sus modos de narración ('aspectos' y 'modos del relato').[26] Además se considera bajo esta categoría el aspecto puramente lingüístico de la narración. Para diferenciar estos niveles (correspondientes en la retórica al 'dispositio' y al 'elocutio') y evitar equivocaciones queremos distinguir dos tipos de discurso[27]:

a) un 'nivel del discurso I' (= 'D I') que definimos como el 'discurso profundo'. Este nivel es equivalente a aquél del 'dispositio' teniendo a cargo la organización textual; a este nivel atribuimos la organización temporal;

b) y un 'nivel del discurso II' (= 'D II') que definimos como el 'texto de la historia'. Este nivel corresponde al 'elocutio', es decir, en nuestro caso, al acto de narrar; a éste pertenecen las técnicas del 'point of view', los 'modos de la narración' que han sido denominados en la narratología internacional con términos tales como 'narration'/'telling', 'représentation'/'showing'.[28]

---

26 Cf. Todorov (1966: 138-147).
27 Tomamos como base a Stierle (1975: 49-55).
28 Cf. Todorov (1966: 138-147); Genette (1972: 75).

1.33 El nivel de los procedimientos de segmentación tipográfica

El texto literario artístico no solamente se organiza a través de procedimientos al nivel de la historia y del discurso, sino también por medio de métodos de disposición tipográfica tales como su división en partes, capítulos, párrafos, líneas vacías, etc. Un procedimiento semejante puede tener una intención deliberada, es decir, ser parte de la estrategia narrativa o puede carecer de ésta. En el primer caso estos procedimientos pueden tener, por ejemplo, la finalidad de organizar los personajes, el tiempo, el espacio y la acción y de tematizar algunos aspectos de lo narrado. Su relevancia dependerá de cuán estrecha sea su relación con los niveles del 'D I' y 'D II', como se da en el caso de *La casa verde*. Se deberá diferenciar claramente entre segmentos accionales y segmentos tipográficos, ya que a pesar de ser de una naturaleza completamente diversa, por lo general son confundidos. La segmentación tipográfica de una novela no corresponde a la segmentación accional, aunque naturalmente en algunos casos *pueden* coincidir.

2. HACIA UN MODELO TEMPORAL PARA LA NOVELA CONTEMPORANEA

El modelo temporal de Genette, que consta de tres partes, *'ordre'*, *'durée'* y *'fréquence'*, será completado y además ampliado a través de la introducción de un número considerable de nuevos criterios y de la propuesta de nuevas finalidades, que serían las siguientes[29]:

1. en el campo de la *'manipulación temporal'* (*'ordre'*) se ampliará el modelo de Genette en base a la diferenciación de *'anacronías implícitas'* y *'explícitas'* que se desprenden de su tipo de transmisión, y por medio de la consideración, sistematización y descripción de otros fenómenos temporales - fuera de los de las *'prolepsis'* y *'analepsis'* descritas por Genette[30] -, tales como *'permutación'*, *'entrelazamiento'*, *'superposición'* y *'sincronía temporal implícita'* y *'explícita'*, y además, de formas de la *'simultaneidad'* y *'circularidad'*;
2. en el ámbito de la *'duración'* (*'durée'*), e incluyendo los trabajos de Lämmert y Ricardou, serán diferenciadas las formas de la *'aceleración temporal'*, *'ampliación temporal'* y *'elípsis'*. El fenómeno de la duración tendrá en nuestro trabajo, por el contrario de Genette, solamente una importancia secundaria, y por dos razones:

---

29 La parte que empleamos de Genette se encuentra en nuestro modelo bajo el término *'permutación temporal explícita'*, en parte en el apartado sobre *'duración'* y *'frecuencia'*.

30 Estas categorías se denominan tradicionalmente como anticipación y retrospección.

primero, porque la duración está relativamente relacionada con la temporalidad, si se trata ésta en forma pura; segundo, porque en la mayoría de los casos el estudio de la duración se reduce a una mera descripción cuantitativa, lo cual significaría recaer en aquellos métodos de Müller y su escuela morfológica de Bonn.[31] Sólo en el caso, en que las formas de la duración sean relevantes para la interpretación, podrán ser éstas consideradas en el análisis. Lo mismo vale, y en forma aún mayor, para la 'frecuencia' ('fréquence'). Los diferentes tipos de repetición, tanto lingüísticos como de la historia, representan un fenónemo, que según nuestro parecer, son sólo en parte temporalmente específicos. Repeticiones tales como, 'todos los días come X a las 12 a.m.' o 'X viene hoy día, X viene hoy día, X viene hoy día' están relacionadas con la historia o con la enunciación, pero no necesariamente con la organización temporal, aunque en ciertos casos pueden estar conectadas con ésta, lo cual se debe decidir en cada caso. La categoría de la frecuencia reúne también lo que denominamos 'concretización temporal', es decir, la forma de la manifestación de datos temporales o de datos similares. Central es aquí, como en el caso de la duración, la función que tienen estos procedimientos en los lugares sintagmáticos donde han sido insertados.

3. Por último sistematizaremos y formalizaremos nuestros procedimientos analíticos por medio de 'diagramas temporales', al servicio de una precisa descripción e ilustración de los fenómenos tratados. Los diagramas serán construidos considerando los niveles 'D I' y 'D II'.

Los aspectos fundamentales en la nueva orientación que le daremos al análisis temporal, frente a los modelos hasta la fecha existentes, los resumimos de la forma siguiente:

1. En el centro del análisis pondremos la pregunta de la 'función' de la organización temporal, que consideramos - como aludíamos más arriba - como un instrumento con efectos al interior del texto y con respecto al recipiente, siendo tan fundamentales para la narración como aquellos de la ironía, de la perspectivación, etc., y no solamente un simple transcurrir del tiempo accional (Ahora ... y luego). Al interior del texto partimos del supuesto que todo tipo de organización temporal tiene consecuencias relevantes para la interpretación. Consideramos la organización temporal como un 'signo', como un 'mensaje' que manipula la recepción del lector;

2. Para analizar el efecto de la organización temporal en el recipiente, partimos del modelo de comunicación ya expuesto y del constructo del 'recipiente implícito', con lo cual calificamos la recepción no como un acto subjetivo y arbitrario, sino como un resultado de procedimientos narrativos, en particular de los temporales;

---

31 Vid. Müller (1946-1955/²1974) y la crítica a sus teorías por Lämmert (⁵1972: 23, 33, 82); Jauss (²1972: 15-16); Genette (1972: 77-78).

3. Los procedimientos temporales ('D I') serán tratados en estrechísima relación con los narrativos propiamente tal ('D II'). Se demostrará que un tipo de situación narrativa implica un tipo determinado de organización temporal o al revés. Así, encontramos en textos con una 'El-situación narrativa omnisciente' una organización temporal lineal-circular como producto de un masivo empleo de analepsis y prolepsis. En textos con una 'El-situación narrativa neutral' se da el de la simultaneidad. Naturalmente que pueden haber casos mixtos, lo cual no disminuye la validez de estos principios;

4. Los procedimientos generales para la construcción de textos literario-artísticos ya descritos se encuentran a su vez en una relación determinada con los procedimientos temporales. Podemos partir de la base, que textos con un tipo de construcción paradigmática, tienden a la anacronía (en especial a la simultaneidad), alcanzando una total acronía a raíz del dislocamiento de sus sintagamas; textos que obedecen a un encadenamiento sintagmático tienden a la cronología, a ciertos tipos de anacronía y a la circularidad.

2.1 La estructura temporal como parte del 'mensaje': 'selección'/'combinación' y 'organización temporal'

Una operación paradigmática selectiva apunta a la conducción, a la forma y al grado de formas de organización temporal que son puestas a disposición. La operación sintagmática *conectadora* interviene en la distribución y en la combinación temporal de los segmentos accionales. Ambas operaciones no resultan del mero azar, sino son intervenciones intencionales del autor para la transmisión de su mensaje.

En forma similar a la de un compositor, el cual dispone de una serie de tonos, que elige y combina de manera determinada, procede también el escritor, el cual, en vez de tonos, trabaja con secuencias y segmentos accionales elegidos *a priori* y combinados deliberadamente.

Podemos suponer que un escritor parte de las secuencias accionales, A, B, C, D, E ... n, con cinco segmentos accionales respectivamente, 1, 2, 3, 4, 5. Este tiene un número de posibilidades de combinación de 'x' a 'n' según la cantidad de segmentos accionales, y puede combinar en forma cronológica los segmentos de la secuencia A y así también los de las otras secuencias, o en forma acronológica:

$$A1,2,3,4,5 \text{——} B1,2,3,4,5 \text{——} C1,2,3,4,5 \text{ etc.}$$

o

$$E5,2,1 \text{——} A5,2,1,4,3 \text{——} C3,2,5 \text{ etc.}$$

Debemos indicar que la combinación/distribución temporal de segmentos descrita es, en primer lugar, un fenómeno temporal y no uno de segmentación accional, como ha sido desarrollada por la teoría del relato.[32] Acciones tales como: 'el héroe abandona la casa/el lugar', 'el héroe debe superar una serie de obstáculos (= aventuras)', 'el héroe libera a la princesa', 'el héroe contrae matrimonio con la princesa', 'ambos suben al trono' o la variante el héroe realiza una acción o no, con éxito o no, no son fenómenos temporales, sino posibiliades de combinaciones de segmentos accionales; formulado de otra forma: un análisis semejante pertenece al nivel de la historia y no al del 'D I'.

Finalmente, quisiéramos subrayar que en la respectiva selección y combinación de determinados procedimientos temporales radica el principio de la intencionalidad y funcionalidad de éstos. Cada selección de un número '*n*' de elementos implica que han sido elegidos con un fin determinado. Que todos los elementos incluidos en un objeto de arte sean relevantes, es otra forma de decir que tienen una intención y una función.

2.2 Formas de la organización temporal

Estamos conscientes de la problemática que implica el proponer un modelo para el análisis temporal de textos narrativos, que consiste en que el texto concreto con sus variadísimas y específicas formas, siempre es inevitablemente más complejo que su constructo ideal-típico. Por esto no se puede ni se debe esperar que un texto determinado contenga todos los procedimientos de un tipo particular de organización temporal y en la forma tan pura como se reúnen en un modelo, y al revés, no se debe pretender abarcar con el modelo todos los aspectos de un texto artístico. Nuestro instrumental es, como siempre en estos casos, una construcción heurística de ayuda que debe permitirnos analizar e interpretar con la precisión más alta posible el objeto a tratar.[33]

En un modelo para el análisis de la organización temporal se debe diferenciar entre un *tiempo externo* y uno *interno*.[34]

El '*tiempo externo*' - al cual no entraremos a discutir por no ser objeto de nuestra investigación - se refiere a aquél fuera del texto, el *tiempo histórico* del autor, del lector real y de aquél en que fue escrito el texto o al cual se refiere el texto.[35]

---

32 Vid. nota 25. En el estupendo trabajo de Lämmert no siempre se hace esta fundamental diferencia; cf. al respecto la crítica de Janik (1973: 10).

33 Cf. Müller ([2]1974: 300); Pfister (1977: 15-16); Titzmann (1977: 26-32, en especial 30).

34 Cf. Ducrot/Todorov (1972: 400).

35 No se debe confundir la referencia externa del tiempo, a la que nos referimos aquí, con la *función externa del tiempo*, con la cual denominamos el efecto de los procedimientos temporales en el recipiente, ni tampoco con las analepsis o prolepsis internas/externas de las cuales hablaremos más abajo. Nuestro término de 'tiempo externo' equivale a aquél de la terminología de H. Todorov (1968: 41-49) quien entiende por tiempo real el de las instancias involucradas en la comunicación real.

El '*tiempo interno*' es aquél del texto literario total, constituido por el '*tiempo de la acción*' ('*TA*') y por el '*tiempo textual*' ('*TT*').[36] El '*tiempo de la acción*', perteneciente al nivel de la historia, es aquél pluridimencional y cronológico que se puede medir en minutos, horas, días, años, etc., representando el pasado, el presente y el futuro. En el tiempo de la acción deben distinguirse el '*tiempo real*' y el '*ficticio*'.[37]

El tiempo real de la acción es aquél de los tratados históricos o de los periódicos, un tiempo con una referencia temporal externa muy definida. El texto histórico o periodístico está - como sabemos - determinado pragmáticamente y posee por una parte una isomorfía general entre su configuración, su transcurso accional y temporal y su descripción, y por otra parte con respecto a los procesos reales científicamente describibles.[38] Su determinación pragmática comienza con el encadenamiento de la producción literaria al tiempo real. La referencia temporal en este tipo de textos está determinada por la relación entre el acto de la escritura y el punto temporal de lo escrito. Por consiguiente, la deíxis del *hic et nunc* está relacionada con el tiempo empírico-cronométrico y al espacio fijado históricamente.

El tiempo de la acción real lo podemos definir como sigue:

'*Tiempo de la acción real*' = es un tiempo empírico-histórico externo y pragmáticamente definido.

El tiempo ficticio de la acción es aquél - como lo anuncia la formulación - de los textos artístico-literarios, de la novela, del cuento del drama/teatro, etc. El tiempo ficticio de la acción se fija, por el contrario del real, en el texto mismo y pertenece a la constitución de la situación texto-interna. No conoce un encadenamiento con la pragmática real o externa, es decir, no tiene una relación directa con el tiempo real ni tampoco posee una isomorfía en los campos correspondientes mencionados en el primer caso.[39] La deíxis del *hic et nunc* se refiere así misma, es decir, el texto artístico-literario construye el tiempo, y también el espacio, en forma inmanente:

---

36 Cf. H. Todorov (1968: 41-49) cuya categoría de *temps interne/simulé* corresponde en parte a la nuestra de 'tiempo interno', ya que éste no diferencia entre 'tiempo accional real' y 'ficticio'. Los términos '*tiempo textual*' y '*tiempo de la acción*' los tomamos en forma transformada de Weinrich ([2]1971: 56) y de Wunderlich (1970: 31). Ricardou (1967: 161-179) emplea los términos *temps de la narration* y *temps de la fiction* en nuestro sentido de '*tiempo textual*' y '*tiempo de la acción*'. Rossum-Guyon (1970: 215-227) emplea el concepto de *temps de l'écriture* en el sentido de *temps de la narration*, el cual usa como sinónimo, definiéndolo además como *temps de la lecture*; cf. también en forma similiar Ducrot/Todorov (1972: 400). El término de 'tiempo de la lectura' en el significado de 'tiempo de la narración', que se encontraba ya en Müller (1948/[2]1974: 269-286), es una categoría no solamente inservible, desde un punto de vista analítico por su variabilidad, subjetividad y porque es imposible de medir, sino, a la vez, porque nada aporta a la interpretación.

37 Cf. Mendilow (1952: 65) emplea el concepto de *fictional time*, Ricardou (1967: 161-1970) el de *temps de la fiction*, Rossum-Guyon (1970: 215-227) *temps narré/de l'action/de l'aventure/de la fiction*, Müller ([2]1974: 247ss.) *erzählte Zeit*.

38 Cf. Link (1974: 286-287).

39 (Ibid: 293-297).

'*Tiempo de la acción ficticia*' = es un tiempo con una referencia interna/inmanente e independiente de la pragmática real o externa.

En el caso de textos artístico-literarios se deberá consecuentemente hablar del pasado/presente/futuro ficticio.

El '*tiempo textual*' es un '*pseudo-tiempo*' ya que el discurso en sí carece de temporalidad.[40] Con este término queremos indicar *la posición en la cual aparece un segmento accional al nivel del 'D I'*. Como sabemos, se caracteriza el significante textual por su línealidad, los segmentos accionales pueden, por el contrario, tener una organización acronológica. La historia puede comenzar con un segmento accional que es el último y terminar con otro que es el primero en la cronología. Reconocemos que el término 'tiempo textual' no es satisfactorio como tal, pero no hemos encontrado otro que lo reemplace. Si a pesar de todo lo empleamos, lo hacemos para no recurrir a aquél de '*Erzählzeit*' de Müller que es definido en forma totalmente distinta a la nuestra y que se desprende de otra orientación científica.[41] El tiempo textual lo podemos definir de la forma siguiente:

'*Tiempo textual*' = es la posición de un segmento accional 'p' de una secuencia accional 'P' al nivel del 'discurso I'.

2.21 La 'manipulación del tiempo'[42]

La investigación del orden temporal de los segmentos al nivel de la historia y su disposición al nivel del 'D I' se reduce a la descripción de la relación entre el tiempo textual y el tiempo de la acción ficticia (en lo sucesivo hablaremos de tiempo de la acción) que puede ser concordante o discordante.

El caso más simple, el de la cronología (= 'narración de una sucesión temporal ordenada'), se da cuando la sucesión de los segmentos accionales es tendencialmente equivalente a aquélla al nivel del 'D I' y se da en textos narrativos y dramáticos. La concordancia se debe interpretar solamente como un valor aproximado y no como una medida exacta.[43] En la tradición occidental es el empleo de la concordancia menos usual que el de discordancia.[44]

---

40 Cf. Genette (1972: 77-78).

41 Vid. Müller ([2]1974: 225-246; 247-268; 299-314; 388-418; 556-570; 571-590). El término de Müller es meramente cuantificador, ya que lo entiende como la cantidad de texto escrito (páginas y líneas) que se emplea para narrar un determinado tiempo de la acción ('*erzählte Zeit*') y como el tiempo de la lectura. La problemática tratada en estos dos términos es aquélla que corresponde al fenómeno ya mencionado de la duración temporal y no al de la manipulación temporal como los nuestros de tiempo accional/textual.

42 A continuación seguimos a Genette (1972).

43 Cf. Genette (1972: 79).

44 Ya a partir de los *Syntagma tón peri Theagenén kai Charikleian Aithiopikón* (Historias etiópicas) de Heliodoro, pero incluso mucho antes, en la *Ilíada* de Homero, se encontraban organizaciones temporales complejas; cf. Kayser ([5]1971: 210); Nolting-Hauff (1974: 440ss.).

El fenómeno de la discordancia lo queremos definir a través del término de '*anacronía*', que es la suma de una estructura de diversos procedimientos discordantes y lo encontramos siempre cuando se produce una diferencia (no-equivalencia) entre, la sucesión de los segmentos accionales y a aquélla al nivel del 'D I'. La discordancia entre el tiempo textual y el tiempo de la acción en su forma tradicional de analepsis y prolepsis se da ya en Homero. El fenómeno de la anacronía permance como un objeto central en la investigación temporal, a pesar de su antigüedad, debido al desarrollo de nuevas formas con nuevas funciones.

2.211 Cronología

La reconstrucción del orden temporal de una secuencia accional está al servicio de constatar en qué medida ha sido distorcionada la cronología y qué transformaciones han sido necesarias para realizarla. Al abolir la cronología se manifiesta en forma evidente el carácter de los textos artísticos-literarios. La cronología la definimos de la forma siguiente:

'*Secuencia accional cronológica*'= disposición cronométrica, es decir, temporal ordenada de segmentos accionales de una o varias secuencias accionales,
de tal forma que existe una virtual equivalencia entre el tiempo textual y el de
la acción.

El esquema expuesto más abajo reproduce esta equivalencia. Los trazos de unión significan la transición temporal de un segmento accional a otro, sea ésta cronológica o no. Las letras mayúsculas reproducen los diversos segmentos accionales de una se-cuencia accional, que podría estar constituida por el siguiente ejemplo: A = 'el héroe abandona la casa/el lugar', B = 'el héroe libera a la princesa', C = 'el héroe contrae matrimonio con la princesa', D = 'ambos suben al trono'. Al nivel del tiempo de la ac-ción las cifras (grandes a la derecha) funcionan como indicadores temporales, ya que señalan la posición de los segmentos accionales en la cronología (nivel de la historia). Las letras mayúsculas corresponden, en este caso, con las cifras, es decir, en este sim-ple ejemplo tienen las letras una doble función: hacen las veces de índices segmenta-les y temporales. Pero, en estructuras más complejas - como veremos más adelante - no se produce una correspondencia tal. Fuera de eso, reservamos las letras exclusiva-mente para la definición de la función de los segmentos o de las secuencias ac-cionales.

Al nivel del tiempo textual las cifras indican, a la cabeza de las letras, la posición en la cual aparecen los segmentos accionales al nivel del 'D I'. Este sistema de indica-dores, que a primera vista resulta algo complicado, tiene la gran ventaja de ser capaz de reproducir con una gran exactitud la distorisión de la secuencia accional, tal como se manifiesta en la superficie del texto, es decir, tal como lee el recipiente. Además de la indicación del 'TT' y del 'TA' se debe agregar el tipo de narración II, cuando esta varía y determina el flujo y la forma temporal. En el esquema siguiente existe una equivalencia entre 'TA' y 'TT', y agregamos los tipos de narraciones posibles ('D II'), como, por ejemplo, sucede en *CV* de Vargas Llosa.

Nivel de la Historia: 'TA': A1 - B2 - C3 - D4
'D I':   'TT': A^11 - B^22 - C^33 - D^44
'D II': El-narrador
          Yo- narrador, etc.

2.212 Anacronía

Genette emplea el término 'anacronía' solamente en relación a las analepsis y prolepsis. Para el análisis temporal de la nueva novela latinoamericana, es imprescindible diferenciar diversos tipos de anacronía para realmente poder describir sus variadas formas.

2.2121 Anacronía explícita

La '*anacronía explícita*' es una modificación temporal que se produce como resultado de la intervención de una instancia mediadora (narrador o personaje) y la dividimos en cinco tipos: en la '*permutación temporal explícita*', la '*superposición temporal explícita*', el '*entrelazamiento temporal explícito*', la '*circularidad temporal*' y la '*sincronía temporal explícita*'.

Del empleo de las analepsis y prolepsis se desprende la necesidad, de además, distinguir dos niveles temporales fundamentales: un nivel temporal I (= 'NT I'), constituido por el presente en el cual es insertada la anacronía y un nivel temporal II (= 'NT II'), subordinado al 'NT I', constituido por la anacronía misma que puede referirse a un pasado/futuro inmediato o a un pasado/futuro lejano. Por esto hablaremos de 'NT II_1', 'NT II_2' para diferenciar su cercanía o lejanía.

Un ejemplo que ilustra lo expuesto lo encontramos en *Madame Bovary* de Flaubert.[45] La llegada de Charles y Emma a Tostes y su vida allí, constituyen el 'NT I'. La analepsis sobre la estadía de Emma en un internado de monjas forma el 'NT II'. Partiendo de estos dos niveles Genette diferencia dentro del 'NT II' la '*Extensión*' ('*amplitude*') y el '*alcance*' ('*portée*'). Bajo el primer término entiende la cantidad de tiempo que ocupa la anacronía (analepsis o prolepsis) en el 'NT II', bajo el segundo la distancia temporal entre el o los segmento(s) de la anacronía (analepsis o prolepsis), del 'NT II', y aquél o aquéllos del presente, del 'NT I'[46]:

---

45 Flaubert (1971: cap. VI, 36-41).
46 Genette (1972: 89-90).

'*Extensión temporal*' = extensión de un segmento accional 'p' perteneciente a un 'NT II' que es insertado en un 'NT I'.

'*Alcance temporal*' = distancia entre un segmento accional 'p' perteneciente a un 'NT II' y un segmento accional 'q' perteneciente a un 'NT I'.

Los recuerdos de Emma con respecto a su llegada al internado, su partida y retorno a la casa de sus padres, constituyen la analepsis cuya extensión son varios años. Los recuerdos sobre este segmento, que se refieren a la juventud de Emma, están distanciados por un buen número de años, hasta el momento en que ésta es la mujer de Charles, y cuya llegada a Toste suscita los recuerdos.[47]

La anacronía explícita la podemos definir de la forma siguiente:

'*Anacronía explícita*' = permutación, superposición, entrelazamiento y sincronía temporal de segmentos accionales y/o de secuencias accionales, como así también la organización circular de secuencias accionales que resultan de la intervención de una instancia mediadora texto-interna (de un narrador o personaje), constituyendo dos (o más) niveles temporales dependientes recíprocamente donde el 'NT II' está subordinado al 'NT I'.

En esta definición hemos considerado el *status* de los diversos NTs ya que las analepsis y prolepsis son siempre insertadas a partir de un 'NT I'. También se pueden dar los casos donde las analepsis son introducidas dentro de otras analepsis o prolepsis, o al revés, prolepsis dentro de prolepsis o analepsis. La combinación de ambos casos la podemos denominar '*anaprolepsis*' o '*proanalepsis*' según de donde parta la anacronía. Si se trata de una analepsis insertada en una prolepsis, hablaremos de anaprolepsis, y en el caso contrario de proanalepsis.[48]

2.21211 Permutación temporal explícita

Bajo '*permutación temporal explícita*' resumimos las categorías de Genette de prolepsis y analepsis y la definimos como[49]:

'*Permutación temporal explícita*' = transformación analéptica y/o proléptica de segmentos y/o secuencias accionales formando dos (o más) 'NTs' en dependencia recíproca donde el 'NT II' está siempre subordinado al 'NT I'.

---

47 El que Flaubert deje los datos temporales precisos fuera de la narración se debe a que todo se describe a través de una especie de monólogo interior de Emma, es decir, en el nivel de la conciencia, donde los datos empíricos no juegan ningún papel.

48 El término de 'anaprolepsis' es también empleado por Dällenbach (1977: 76, nota 1).

49 Genette (1972: 78-90), Lämmert ([5]1972: 100-194) que emplea los conceptos '*Rückwendung*' (= analepsis) y '*Vorausdeutung*' (= prolepsis).

2.212111 Analepsis

'*Analepsis*' = transposición temporal realizada por un narrador o personaje de un segmento accional 'p' de una secuencia accional 'P' del pasado al presente narrativo ficticio, formando dos (o más) 'NTs' en dependencia recíproca donde el 'NT II' está siempre subordinado al 'NT I'.

Según Genette se pueden distinguir tres tipos de analepsis[50]:

a) '*Las analepsis internas*' son aquéllas donde su total extensión permanece dentro del 'NT I', es decir, se desplazan solamente hasta poco después de haber comenzado la secuencia accional a la cual pertenecen.

Dentro de este tipo se pueden diferenciar otras tales como:

aa) Las '*analepsis heterodiegéticas*' que permanecen dentro del 'NT I' pero que sus segmentos accionales tienen otro contenido que aquél de la secuencia accional donde han sido insertadas[51];

ab) Las '*analepsis homodiegéticas*' que permanecen dentro del 'NT I' y cuyos segmentos accionales tienen el mismo contenido que la secuencia accional donde han sido incluidas. En este caso se pueden hacer otras dos clasificaciones:

aba) Tenemos las '*analepsis complementadoras*' ('*complétives*') que tienen una función »rellenadora«, es decir, cierran un vacío temporal producido por una '*elipsis*', donde se insertan segmentos aislados que hasta ese momento habían sido solamente aludidos y por esto no eran ubicables. Otro tipo de vacío se produce a través de la '*paralipsis*'. Aquí no salta el narrador, como en el caso de la elipsis, sino que dentro de una diégesis detallada nos narra algunos segmentos a los que más tarde retorna *en passant*. Consideramos este tipo de omisiones, en la cual no se afecta la cronología, más bien un caso de contenido que un caso temporal.

abb) La segunda categoría es aquélla de la '*analepsis reanudadoras o recurrentes*' ('*répétitives*') que definimos siguiendo a Lämmert, como aquéllas que están estrechamente unidas al 'NT I'. Las encontramos siempre cuando un segmento analéptico es narrado por adición o por comparación.[52] La analepsis confronta dos segmentos accionales interpretándose recíprocamente, de lo cual puede resultar que segmentos analépticos puedan ser

---

50 Genette (1972: 90ss.); Ducrot/Todorov (1972: 401) emplean el término 'inversion' para la permutación temporal sin distinguir entre explícitas e implícitas.

51 Para este tipo emplea Lämmert ([5]1972: 112) el término de '*Rückschritt*'.

52 Lämmert ([5]1972: 112) emplea el término de '*Rückgriff*'.

reinterpretados, adquieran un nuevo sentido o se les niegue el que se les ha atribuido.

Una forma particular es el *'enigma'* (*'énigme'*)[53]. El narrador alude a algo muy vago, que posteriormente recibirá su sentido. Este recurso, típico de la novela policial, puede ayudar o despistar al recipiente en la descodificación de la historia narrada. El enigma no está determinado temporalmente *a priori*, es un elemento de tensión y expectación que exige que el recipiente relacione los segmentos accionales aislados.

Podemos diferenciar dos tipos de enigmas: los explícitos y los implícitos. El primer tipo se da cuando el narrador explica las relaciones de lo aludido en el pasado, el segundo debe ser descifrado por el recipiente.

b) *'Las analepsis externas'* se caracterizan porque van hasta el límite o más allá del comienzo del 'NT I', es decir, aluden a sucesos que han ocurrido »antes« de que comience la historia. Estos pueden estar en relación con la secuencia accional de donde parte la analepsis externa o estar desvinculados de ésta[54], y podemos derivar dos tipos:

ba) Las *'analepsis incompletas'* (*'partielles'*) que introducen un segmento aislado del pasado alcanzando una extensión hasta poco antes del límite del 'NT I', es decir, del comienzo del texto o de la historia;

bb) Las *'analepsis completas'* son aquellas que se extienden hasta el límite mismo del 'NT I'.

c) *'Las analepsis mixtas'* son definidas por Genette como aquéllas que se extienden hasta más allá del comienzo del 'NT I'. Especialmente características son aquéllas cuya extensión permanece dentro del 'NT I' y su alcance va más allá del comienzo del 'NT I'.

2.212112 Prolepsis

Las prolepsis no se encuentran en textos narrativos con la misma frecuencia que las analepsis, y a partir de la segunda mitad del siglo XIX, constatamos una reducción de éstas como consecuencia de la poética de la *impassibilité* del narrador flaubertiano[55], lo cual no implica que éstas no sean empleadas por autores tales como M. Proust, Th. Mann o G. García Márquez entre otros.

---

53 Genette (1972: 97).
54 Genette (1972: 90-91).
55 Vid. Flaubert: *Correspondance* en: Bollème (1963: 95, 9 décembre 1852).

'Prolepsis' = transposición temporal realizada por un narrador o personaje de un segmento accional 'p' de una secuencia accional 'P' del futuro al presente narrativo ficticio, formando dos (o más) 'NTs' en dependencia recíproca donde el 'NT II' está siempre subordinado al 'NT I'.

Las prolepsis se pueden clasificar, según Genette, en forma similar a las analepsis, en internas, externas y mixtas[56]:

a) Las *'prolepsis internas'* se caracterizan porque su extensión permanece dentro del 'NT I', es decir, hasta antes que termine el texto o la historia.

   aa) Las *'prolepsis heterodiegéticas'* permanecen dentro del 'NT I', pero sus segmentos accionales tienen otro contenido que aquél de la secuencia accional donde han sido insertados;

   ab) Las *'prolepsis homodiegéticas'* permanecen dentro del 'NT I' y sus segmentos accionales tienen el mismo contenido que la secuencia accional donde han sido incluidas. En este caso se pueden hacer otras dos clasificaciones:

   aba) Las *'prolepsis complementadoras'* (*'complétives'*) que tienen una función »rellenadora«, es decir, cierran un vacío temporal que será producido por una *'elipsis'*[57];

   abb) Las *'prolepsis reanudadoras o recurrentes'* (*'répétitives'*) que anuncian en forma explícita sucesos futuros que posteriormente serán rellenados. La fórmula de semejantes anuncios son, por ejemplo, »como veremos más tarde«, »muchos años después habría de...«, etc.[58] Fuera de este tipo de prolepsis tenemos los *'indicios'* (*'amorces'*[59]) que son alusiones prolépticas que pueden ser *a posteriori* descifradas por el recipiente o en una segunda o tercera lectura del texto.

b) *'Las prolepsis externas'* se caracterizan porque van hasta el límite o más allá del fin del 'NT I', es decir, aluden a sucesos que han ocurrido »después« del término del texto o de la historia. Un ejemplo clásico es el final del cuento de hadas: »sino no estan muertos viven hoy aún muy felices«. Podemos derivar dos tipos:

   ba) Las *'prolepsis incompletas'* (*'partielles'*) que introducen un segmento aislado del pasado alcanzando una extensión hasta poco antes del límite del 'NT I', es decir, del final del texto o de la historia;

---

56 Vid. Genette (1972: 105ss.); Lämmert ([5]1972: 143ss.) emplea el término de *'Vorausdeutungen'*.
57 Vid. Genette (1972: 105ss.); Lämmert emplea el término de *'ergänzende-parallele Vorausdeutung'*.
58 Lämmert ([5]1972: 163ss.) emplea el concepto de *'Ausgangsvorausdeutung'*.
59 Vid. Genette (1972: 112).

bb) Las *'analepsis completas'* son aquellas que se extienden hasta el límite mismo del final del 'NT I'.[60]

c) Las *'prolepsis mixtas'* son definidas por Genette como aquéllas que se extienden hasta más allá del final del 'NT I'. Especialmente características son aquéllas donde su extensión permanece dentro del 'NT I' y su alcance va más allá del final del 'NT I'.

Finalmente, debemos indicar que tanto las analepsis como las prolepsis, deben ser diferenciadas partiendo del sistema comunicativo y de la perspectiva de donde parten. En especial, en textos con una narración omnisciente, puede ser una inserción del punto de vista del narrador analéptica, pero para el recipiente proléptica, cuando éste no ha sido informado antes por el narrador. Cuando el narrador anuncia: »En su lecho de muerte se acordará X de su infancia«, la primera parte de la enunciación es para el narrador una prolepsis y la segunda una analepsis, para el recipiente que lee por primera vez estas frases, es toda la enunciación proléptica. Fuera de eso, depende en este ejemplo, la prolepsis del narrador y la analepsis en parte del personaje.

Además, debemos diferenciar entre analepsis/prolepsis *'mencionadas'* y *'accionales'* (o puestas en acción). El narrador puede anunciar, por ejemplo: »X no sospechaba que la policía lo esperaba en Roma«. Si esta anunciación no se pone en práctica, es decir, si el narrador no realiza en *actu* lo anunciado, tenemos una mera mención de analepsis/prolepsis. Por el contrario, cuando el narrador llega a ese momento y narra cómo X es arrestado y por qué la policía lo esperaba, tenemos una analepsis/prolepsis accional.

2.21212 Superposición y entrelazamiento temporal explícito

De un masivo empleo de analepsis y prolepsis resulta la superposición y entrelazamiento temporal explícito.

El caso de la superposición explícita se da cuando un personaje fuera de realizar una acción dentro del 'NT I', introduce otro nivel ficticio, por ejemplo, a través de recuerdos que, o pertenecen al pasado ('NT II') o al nivel de la conciencia (como situaciones imaginadas), y en este último caso, carecen las situaciones de un tiempo cronológico. Ejemplos para este tipo se encuentran en *A la recherche du temps perdu* de Proust, *Ulysses* de Joyce, *Le Voyeur* de Robbe-Grillet o en *La muerte de Artemio Cruz* de Fuentes. La superposición temporal puede tener un carácter analéptico o proléptico, puede estar solamente relacionada con el 'NT I' o ser independiente de éste, puede ser compleja o simple según constituyan solamente dos o más 'NTs' o si se trata de dos o varias secuencias accionales.

---

60   Lämmert (⁵1972: 154-159) denomina estas prolepsis *'Vorausdeutung der Endsituation'* o del *'Endzustand'*.

El entrelazamiento temporal explícito lo encontramos cada vez que un narrador mezcla diversos segmentos accionales de diversas secuencias accionales en forma cronológica o acronológica de tal manera que se produce una especie de mosaico accional.[61] Ejemplos incipientes se encuentran en la tradición de la novela heroica-galante (como evolución de la novela helenística) y en la novelística más posterior como en *The Italian* de Radcliffe, o *Les mistères de Paris* de Sue. En todo caso, se trata de la sucesión temporal de los segmentos claramente ordenados por el narrador omnisciente, no alcanzando la complejidad típica de la novela contemporánea.

2.21213 Circularidad temporal

La circularidad se caracteriza por dos procedimientos que deben ser claramente distinguidos: por la '*circularidad temporal*' (perteneciente al nivel del 'D I') y por la '*circularidad accional*' (perteneciente al nivel de la historia).

La circularidad temporal se da cuando las analepsis y las prolepsis se emplean simultáneamente y de tal forma que un narrador, partiendo de un punto temporal 'X' (o claramente determinado), menciona un suceso futuro 'A', luego un suceso pasado 'B' y desde aquí puede narrar cronológicamente hasta llegar al suceso anunciado 'A', el cual es expuesto ampliamente[62]:

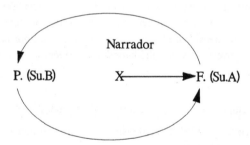

P. = pasado
F. = futuro
Su. = Suceso

La circularidad puede ser simple o compleja. La simple la encontramos cuando se produce sólo un círculo temporal, como en el ejemplo gráfico, la compleja cuando tenemos dos o más círculos temporales:

---

61 Nuestro término corresponde relavitamente al de Ducrot/Todorov (1972: 402) ya que el de *histoires enchâssés* describe solamente el entrelazamiento cronológico.

62 La circularidad, según nuestra definición, es una forma especial de anaprolepsis o proanalepsis. Con respecto a la circularidad, cf. también Vargas Llosa (1971: 545ss.); Segre (1973: 152-193).

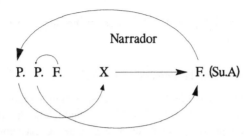

La circularidad accional es el resultado de una equivalencia entre el estado de una situación inicial (= ESI) y aquél del final (= ESF), sin que sea relevante el hecho de si se produce una situación intermedia diferente o no (= SI):

$$\text{ESI: A} \longrightarrow \text{(SI: B)} \longrightarrow \text{ESF: A (o A')}$$

Un ejemplo lo podemos tomar de *Bouvard et Pécuchet* de Flaubert, donde los dos personajes principales, al comienzo de la novela, son copistas en un negocio de importación y en la Marina parisina y al final terminan como copistas en la administración municipal de Chavignolles en la Bretaña (A/A').

2.21214 Sincronía explícita

Consideramos como sincrónicos dos sucesos que son transmitidos por un narrador o por un personaje paralelamente según la fórmula »mientras en 'A' sucede 'x', en 'B' sucede 'q', en 'C' 'p', etc. Segmentos o secuencias sincronizadas pueden, a menudo, tener también la misma estructura accional y/o semántica.

2.2122 Anacronía implícita

La anacronía implícita es una modificación temporal que no se produce como resultado de la intervención de una instancia mediadora (narrador o personaje) y la dividimos en cinco tipos: en la '*permutación temporal implícita*', la '*superposición temporal implícita*', el '*entrelazamiento temporal implícito*', y la '*sincronía temporal implícita*'. De estos procedimientos se desprende el *efecto* de la simultaneidad.

La anacronía implícita la podemos definir de la forma siguiente:

'*Anacronía implícita*' = permutación, superposición, entrelazamiento y sincronía temporal de segmentos accionales y/o de secuencias accionales que no resultan de la intervención de una instancia mediadora texto-interna, sino de una texto-externa, constituyendo dos (o más) niveles temporales independientes el uno del otro.

En este tipo de anacronía el recipiente es sorprendido por la distorsión temporal no esperada ni preparada, que proviene del autor mismo que no está inscrito deícticamente en el texto.

2.21221 Permutación y entrelazamiento temporal implícito

La '*permutación temporal implícita*' es una transposición acronológica y sorpresiva de un segmento accional 'p' de una secuencia accional 'P', de una posición temporal 't_x' a una posición temporal 't_y' dentro de la misma secuencia temporal 'P', y sin la intervención de una instancia mediadora texto-interna.

El '*entrelazamiento temporal implícito*' es una transposición cronológica o acronológica sorpresiva de un segmento accional 'p' de una secuencia accional 'P', de una posición temporal 'tx' a una posición temporal 't_y' de una secuencia temporal diversa, por ejemplo 'Q', y sin la intervención de una instancia mediadora texto-interna. Semejantes transposiciones pueden naturalmente tener un carácter analéptico o proléptico en relación a la totalidad de la historia narrada, pero estas anacronías deben ser diferenciadas de las analepsis y prolepsis en *sensu stricto*, ya que éstas se definen desde el punto temporal de su transposición, es decir, debe existir un eje temporal cronológicamente bien definido, y de la intervención de una instancia mediadora texto-interna. Fuera de eso son permutación y entrelazamiento, transposiciones y no omisiones, y por esto no deben ser confundidas con la elipsis.

Ejemplo para la permutación implícita: partimos de una secuencia accional con cuatro segmentos accionales, A, B, C, D, que están ordenadas de la forma siguiente:

Nivel de la Historia : 'TA': A1 - B2 - C3 - D4
'D I'   : 'TT': A^{1}2 - B^{2}3 - C^{3}4 - D41

La fórmula aplicada en nuestro ejemplo (p. 29-30, 33) no es suficientemente exacta cuando se trata de analizar dos o más secuencias accionales y mezcladas entre ellas. Por esta razón es necesario dejar una letra mayúscula para la definición de una secuencia accional (y no de un segmento accional) a la cual agregamos una cifra que define el contenido del segmento accional. La secuencia accional que hemos dado hasta el momento A-B-C-D la reemplazamos por $_1$A-$_2$A-$_3$A-$_4$A. Para representar el caso del entrelazamiento temporal podemos construir una segunda secuencia accional: un segundo héroe quiere liberar a la princesa $_1$B; lucha contra fuerzas demoníacas $_2$B; el héroe se pierde en el bosque, nuevas amenazas $_3$B; llegada tardía, la princesa está liberada $_4$B.

Podemos representar un entrelazamiento temporal '*simple*' (sucesión cronológica) y uno '*complejo*' (sucesión acronológica):

Simple:

'NH': 'TA' : $_1$A1 - $_1$B1 - $_2$A2 - $_2$B2 - $_3$A3 - $_3$B3 etc.
'D I': 'TT' : $_1$A^{1}1 - $_1$B^{1}1 - $_2$A^{2}2 - $_2$B^{2}2 - $_3$A^{3}3 - $_3$B^{3}3 etc.

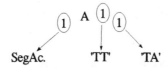

SegAc.   'TT'   'TA'

Compleja:

'NH': 'TA' : $_1$A1 - $_1$B1 - $_2$A2 - $_2$B2 - $_3$A3 - $_3$B3 etc.
'D I': 'TT' : $_2$A^{1}2 - $_3$A^{2}3 - $_3$B^{3}3 - $_2$B^{4}2 - $_1$A^{5}1 - $_1$B^{6}1 etc.

Un primer vistazo nos podría hacer creer que tenemos una repetición, una duplicación o triplicación de cifras, pero este no es el caso ya que éstas tienen un *status* diferente, porque definen siempre un aspecto distinto: una vez es el segmento accional, otra el 'TT' y otra el 'TA'.

2.21222 Superposición temporal implícita

Un tercer tipo de anacronía implícita es la '*superposición temporal implícita*' que resulta de la superposición de dos o más niveles temporales y sin una instancia mediadora texto-interna, distinguiendo también, en este caso, una '*simple*' y otra '*compleja*'. El caso de la superposición simple se da cuando dos segmentos accionales de una misma secuencia accional o dos segmentos de dos distintas secuencias accionales, constituyen dos 'NTs' diferentes (uno en el presente, el otro en el pasado o futuro), el de la compleja lo encontramos cuando por lo menos tres segmentos accionales de una misma secuencia accional o segmentos accionales de tres diferentes secuencias accionales, constituyen diversos 'NTs' (uno en el presente, otro en el pasado y otro en el futuro, o según la variante, uno en el presente, otro en un pasado/futuro inmendiato y otro en un pasado/futuro lejano; vid. p. 44).

2.21223 Sincronía implícita

La definimos como acciones paralelas cronológicas con una mediación texto-externa, pudiendo tener una estructura accional y semántica similar. La sincronía la consideramos como intencionada y con una función determinada, donde las diversas acciones se interpretan o completan mutuamente, y no son una mera representación de dos o más acciones paralelas. Encontramos ejemplos en las obras de Flaubert, *Ma-*

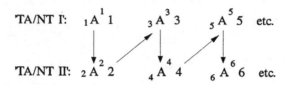

Simple/Segmentos de 'SegAc.' A:

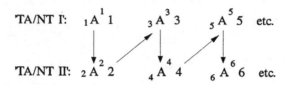

Simple/'SecuAc.' A y B:

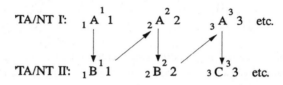

Compleja/Segmentos de 'SecuAc.' A:

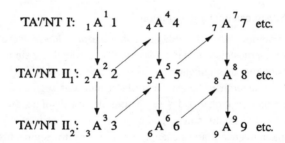

Compleja/'SecuAc.' A, B y C:

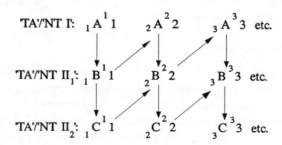

dame Bovary (en la escena de la feria agricola), en *L'Education sentimentale* (en la escena donde Frédéric rompe con Mme. Arnou, se convierte en amante de Rosanette y estalla la revolución) y en *Bouvard et Pécuchet* (en la escena de los amores entre Bouvard y Mme. Bordan y Pécuchet y Mélie).

2.21224 Simultaneidad

El discurso de un texto es siempre lineal, y por esto, si hablamos de simultaneidad, lo hacemos en el sentido de que a través de diversos procedimientos se pretende producir *la impresión* de la simultaneidad. Constatamos por lo menos tres procedimientos:

a) La simultaneidad es el resultado de los procedimientos temporales ('D I'), obtenido a través de anacronías implícitas. La organización acronológica del 'TA' de varias secuencias accionales o la constitución de diversos 'NTs' transmiten al recipiente la impresión de que lo narrado tiene lugar en un mismo momento;[63]

b) La simultaneidad se puede obtener por medio de la inserción de varios narradores o medios figurales cuyas perspectivas y discursos son conectados estrechamente hasta el punto de fundirse el uno con el otro. El *stream of consciuosness* y el discurso indirecto libre o elíptico contribuyen a reforzar el efecto de la simultaneidad, como lo veremos en la *CV* (pp. 9-22);[64]

c) Finalmente, recurriendo a la segmentación tipográfica se produce el efecto de simultaneidad, puesto que los segmentos accionales de una o más secuencias accionales son »atomizados«, es decir, divididos en unidades narrativo-temporales muy pequeñas.

A pesar de que los procedimientos de a) y b) no son temporales puros, al estar conectados con los procedimientos temporales, por ejemplo, con aquéllos del entrelazamiento y de la superposición, quedan al servicio de la simultaneidad.[65]

---

63 Ducrot/Todorov (1972: 403) define la simultaneidad como *dédoublement que le temps de l'écriture projette dans sa succession.* Algunas veces se entiende simultaneidad como el empleo simultáneo de analepsis y prolepsis lo cual no es exacto, ya que éstas, al pertenecer a las anacronías explícitas, son siempre transmitidas por un mediador texto-interno que marca claramente la dependencia de éstas desde un punto temporal determinado, y de este modo el recipiente no obtiene la impresión de 'NTs' independientes.

64 El *'stream of consciuosness'* se encuentra incipientemente ya en el discurso indirecto libre creado por Flaubert, se desarrolla con el *monologue intérieur* en la obra de Proust y llega a su cúlmine con *Ulysses* (1922) de J. Joyce y con *The Waves* (1931) de V. Woolf; con respecto al término vid. Humphrey ([8]1972).

65 Pfister (1977: 122ss.) considera, con respecto al teatro, el empleo de los diversos canales o códigos como un acto de simultaneidad. Al igual en un texto literario se pueden calificar sus diversos procedimientos (pespectiva, discurso, niveles temporales, etc.).

2.213 Acronía

Un segmento accional, *sans date et sans âge*, lo califica Genette como acronía.[66] Diferenciamos entre una acronía *'débil'* y otra *'fuerte'*:

a) La *'acronía débil'* resulta cuando el contenido de un segmento accional se puede fijar aproximadamente (a través de su contenido, personajes y espacio);

b) La *'acronía fuerte'* por el contrario, es el caso donde los segmentos quedan sin ubicación temporal.

Como veremos más adelante, encontraremos la acronía en textos que tienden a la carencia de una historia (en el sentido definido más arriba) o donde el texto carece de un eje espacio-temporal o donde predomina el *stream of consciousness*.

2.22 Duración

Hasta ahora solamente hemos analizado la relación 'TT' y 'TA' bajo el aspecto de la anacronía, es decir, del transcurso de la historia narrada ('TA') al nivel del 'D I' ('TT'). El análisis de la duración tiene como objetivo el investigar la relación 'TA' y el *'volumen textual'* (= 'VT'), es decir, qué cantidad de páginas se emplean para un determinado 'TA'. Al 'VT' no le adjudicamos ningún valor semántico *a priori*, sino que sirve de base empírica para la comparación de la duración temporal entre dos o más segmentos accionales.

Longitud o brevedad no representan un criterio absoluto: la duración de un segmento 'p' es largo o breve solamente en comparación con un segemento 'q' o 'r'.

La relación 'TA'/'VT' puede ser *'anisocrónica'*, es decir, divergente (un texto narra un episodio de un día empleando 100 p.) o *'isocrónica'*, es decir, cuando se produce una cierta equivalencia, una especie de ritmo estable entre el 'TA' y el 'VT' (cuando a un día se le dedica siempre una cantidad de páginas similares).[67]

En textos narrativos podemos constatar un cierto ritmo que se desarrolla entre dos polos radicalmente opuestos, entre la pausa y la elipsis, es decir, entre su ampliación temporal y su reducción a 0, distinguiendo tres tipos de anisocronías, la *'pausa'*, la *'aceleración temporal'* y la *'elipsis'* y un tipo de *'isocronía'*, la representación escénica o coincidencia temporal virtual.

2.221 Pausa

La *'pausa'* se da cuando el 'VT' es mayor que el 'TA' y la encontramos siempre donde la historia narrada llega a una casi total inmovilidad, cuando el narrador, a través de descripciones o comentarios, interrumpe el flujo del transcurso de la historia o a tra-

---

66 Genette (1972: 119).
67 Cf. Genette (1972: 122-123); Ricardou (1967: 164ss.); Weinrich ([2]1971: 57) y Lämmert ([5]1972: 84).

vés de amplias analepsis o prolepsis. En todo caso, no consideramos cualquier tipo de pausa automáticamente como una descripción, y no toda descripción implica necesariamente una pausa. Solamente cuando una descripción es realizada por un narrador (= descripción estática), se interrumpe directamente la acción, cuando ésta es realizada por un personaje en acción o por un narrador que emplea a un medio figural (= descripción dinámica) no es este el caso, ya que el flujo de los sucesos no es detenido sustancialmente. Las pausas pueden incluso darse en un monólogo, teniendo así un efecto retardador no menor a las digresiones de un narrador.

2.222 Aceleración temporal

La 'aceleración temporal' se puede definir como la predominancia del 'TA' frente al 'VT', y puede alcanzar una radicalidad al límite de la elipsis, conociendo varios tipos tales como la 'aceleración sucesiva' y la 'iterativa-durativa'[68]:

a) La 'aceleración temporal sucesiva' define la aceleración y síntesis temporal de acciones. Su fórmula más tradicional es: »*Luego* [...] *después* [...] *a continuación* [...] *y así* [...]«, y podemos distinguir dos tipos con respectivos subtipos:

   aa) La 'aceleración temporal abrupta' se da cuando el narrador salta según la fórmula de Cesar en el *De Bello Gallico*, *veni, vidi, vici*, existiendo dos subtipos:

      aaa) La 'aceleración temporal analéptica', ej.: »*Muchos años antes, había X retornado a* ...«, o

      aab) La 'aceleración proléptica', ej.: »*Mucho tiempo después se encontraría X en otra situación*«.

   ab) La 'aceleración temporal paulatina' tiene un ritmo estable produciendo el efecto de una isomorfía entre el 'TT' y el 'TA', habiendo también en este caso dos subtipos:

      aba) La 'aceleración temporal paulatina simple', ej.: »*El primer día* [...], *el segundo día* [...], *el tercer día*«, y

      abb) La 'aceleración temporal paulatina mixta', ej.: »*El primer día* [...], *dos semanas más tarde* [...], *un año después*«.

b) La 'aceleración temporal iterativa-durativa', resume un período temporal relativamente largo por medio de datos temporales de acciones individuales que se repiten con regularidad (= 'iteración'), o de acciones generales abarcando el período com-

---

68   Cf. Petsch (1978: 47), Müller ([2]1974: 259); Lämmert ([5]1972: 83-84). Nuestro término de 'aceleración' es solamente temporal, diferenciándolo así de la puramente espacial y temática, aun cuando esta distinción no siempre pueda ser hecha, como en los casos de la iterativa-durativa, donde se mezclan varios niveles como lo demuestra Lämmert ([5]1972: 85s.).

pleto (= 'duración'). Tanto la iteración como la duración se dan en forma muy entrelazada y por esta razón las presentamos juntas.[69] Su fórmula retórica es: »*Por esa época sucedió que* [...]«, »*Sucedió por ejemplo que* [...]«, »*Siempre por esa época* [...]«, »*Durante todo el tiempo* [...]«, etc.

2.223 Elipsis

Cuando el 'VT' es menor que el 'TA' hablamos de '*elipsis*', y distinguimos los siguientes tipos:

a) Las '*elipsis al nivel de la acción*', son aquéllas que dejan fuera una parte de la acción, conociendo tres subtipos[70]:

    aa) La '*elipsis explícita*' se caracteriza por su mención a través del narrador que rellena el vacío producido en un momento dado, denominando en forma exacta o vaga el período temporal no considerado;

    ab) La '*elipsis implícita*'. En este caso no se rellena el vacío producido durante la narración. El recipiente puede constatar, a través de una atenta lectura (más exactamente análisis) y *a priori*, un vacío en base a sucesos no aclarados;

    ac) La '*elipsis hipotética*' es de carácter acrónica, es decir, es vagamente ubicable, se puede solamente presuponer que en un período temporal 'r' se haya producido una elipsis. El recipiente puede solamente, a través de indicaciones indirectas, tales como personajes, espacio, diálogos, suponer un vacío tal.

    Un ejemplo clásico lo encontramos en *L'Education sentimentale* de Flaubert, donde Frédéric regresa de Nogent a París para luego emprender un largo viaje en la parte III, entre el cap. V y el VI:

> *Un hurlement d'horreur s'éleva de la foule. L'agent fit un cercle autour de lui avec son regard; et Frédéric, béant, reconnut Sénécal.*

> [Elipsis]

> *Il* [Frédéric] *voyagea. Il connut la mélancolie des paquebots ... Il revint. Il frequenta le monde* ...[71]

b) La '*elipsis tipográfica*' es aquélla que se produce intencionadamente en la transición de una parte, de un capítulo o párrafo a otro, como en el final de la parte I de *Le Voyeur* de Robbe-Grillet, donde se produce un vacío al nivel del 'D II' al 'NH';[72]

c) Por último, Ricardou distingue la '*elipsis al nivel del discurso II*', donde se inte-

---

69   Cf. Lämmert ([5]1972: 83-84).

70   Cf. Genette (1972: 139-141).

71   Flaubert (1964: cap. VI, pp. 418-419).

72   Robbe-Grillet (1955).

rrumpe el flujo narrativo, no el del segmento accional; ej. se da en el *L'Observatoire de Cannes* del mismo autor o en la *CV* en todos aquellos episodios donde el narrador desaparece dícticamente quedando sólo la conciencia del personaje.[73]

2.224 Representación escénica y coincidencia temporal virtual[74]

La *'representación escénica'* o la *'coincidencia temporal virtual'* se puede definir como la virtual isocronía entre el 'VT' y el 'TA' que es producida por un narrador o por un personaje, teniendo como condición que ninguno de los mediadores interrumpa o retarde el flujo de la acción. Aquellos textos en los cuales domina la representación escénica, tienden a la dramaticidad, ya que se disminuye considerablemente la actividad mediadora como en textos con una situación narrativa neutral, teniendo como finalidad el reproducir el efecto de la inmediaticidad, de experimentar lo narrado como vivencia propia.

A pesar que esta función de la representación escénica es un hecho, constatamos, por el contrario de Genette, que pasajes dialogizados, que son considerados por éste como el ejemplo más puro de la representación escénica y de la coincidencia temporal, pueden sin embargo adquirir un carácter disgresivo tal que impide la relación 'VT' = 'TA'.

Las cuatro categorías descritas las podemos resumir en el siguiente esquema:

Representación temporal   Aceleración temporal   Pausa   Elipsis

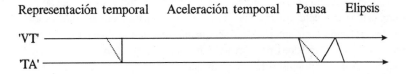

'VT'

'TA'

2.23 Frecuencia

2.231 Repetición del D II y recurrencia de la historia

En este último aspecto tratamos en forma general la relación 'D II' y el 'NH' con las restricciones aludidas más arriba.[75]

Acciones tales como »X comía todos los días a las 12 horas« o »X comía todos los días a las 12 horas«, »X comía todos los días a las 12 horas«, »X comía todos los días a las 12 horas« son reiteraciones en particular al nivel del 'D II' y al 'NH' y solamente en forma secundaria del 'D I' ya que son fenómenos quantificantes (no organizadores) del texto. Por esto podemos definir la frecuencia textual en sus dos niveles como

---

73 Ricardou (1961); vid. Vargas Llosa más abajo cap. II. 2.142ss.

74 Cf. Lämmert ([5]1972: 84); Stanzel ([6]1972: 43ss.) emplea el término de *'szenische Gestaltung'* y Todorov (1966: 146) partiendo de Lubbock ([3]1960) emplea los términos *'style panoramique'* y *'style scénique'*.

75 Cf. Genette (1972: 145-182).

aquélla de la reiteración del 'D II' (= 'RD II') y de la historia (= 'RH').

Aplicando a la teoría de la repetición de Lotman a la 'RD II' y de la 'RH' podemos distinguir dos funciones[76]:

a) dentro de la identidad o similitud indicar o acentuar las diferencias de los elementos;
b) dentro de la identidad o similitud reducir la relevancia semántica acentuando los procedimientos de organización.

Cuál de estas funciones está intencionalmente inscrita en un texto, es algo que no se puede postular en forma universal, sino solamente de texto en texto, de sintagma en sintagma, lo que dependerá de la intensidad de la frecuencia de la 'RD II' y/o de la 'RH'. Además, se debe considerar si la repetición es idéntica o similar.

La iteración de elementos lingüísticos equivalentes o de segmentos accionales, puede contribuir a presentar el mismo objeto tratado de diversas perspectivas, el cual puede experimentar con cada repetición una variación o transformación semántica. De esta forma, la iteración tiene una importancia para la constitución de la estructura de un mensaje y puede ser considerada como un elemento para la producción semántica y no ser degradada como »mero elemento formal«[77].

La iteración puede estar relacionada a través de diversas formas con la temporalidad, con respecto a las analepsis y prolepsis. Un narrador o un personaje puede repetir en forma asidua una determinada analepsis o prolepsis para recordar algo ya dicho a los actantes (relación texto-interna) o al recipiente (relación texto-externa) o con la intención de comparar acciones pasadas idénticas o similares con las presentes. La repetición, como procedimiento subrayador de acciones reiterativas idénticas o similares, se encuentra en estrecha relación con la circularidad temporal y con la accional. Con la circularidad temporal en cuanto un narrador parte de un punto temporal 't_1' y retorna al mismo 't_1', con la circularidad accional en cuanto se parte de una situación 'S_a' y vuelve a 'S_a' o 'S_a''.

2.232 Concretización temporal puntual y no-puntual

Un último problema que queda por discutir, es el de la concretización del transcurrir temporal en datos temporales.

La presencia o ausencia de datos temporales puede ser irrelevante o relevante según si ésta tiene un valor comunicativo o no, siendo de tipo '*puntual*' o '*no-puntual*'. Bajo el primer tipo entendemos la casi cronométrica determinación temporal de una acción, bajo la segunda su metaforización.

---

76   Lotman (1973: 139, 187-222).
77   Cf. Jakobson (1973: 219-233), que es, después de los formalistas rusos, el primer autor que elimina la ficticia división entre forma y contenido, declarando los famosos elementos formales como parte del contenido.

2.2321 Formas y funciones de la concretización temporal puntual

Algunas fórmulas de la temporalidad puntual rezan:

Después de tres semanas, el primer mes, desde hace dos noches, han trans-curido dos días, son las seis de la mañana.

Las funciones deben ser como la de la iteración determinadas en cada texto y en cada sintagma, y pueden ser las siguientes:

a) Función distanciadora/deformadora: en el texto tenemos datos temporales que se contradicen los unos a los otros confundiendo al recipiente;

b) Función de negación: los datos no están al servicio de la orientación temporal del recipiente, sino de negar el tiempo y, con esto, la acción transcurrida. Se alcanza semejante función dando datos que permanecen aislados y sin sentido, porque hasta ese momento se había prescindido de la constitución de un eje cronológico o anacrónico al cual se pudiera referir el dato;

c) Función aceleradora: la concretización puntual es una posibilidad de acortar un lapso temporal determinado;

d) Función orientadora;

e) Función elíptica;

f) Función relativizante: se parte de un dato temporal determinado, el cual es luego cuestionado por otros, sin decidir, al fin, cual es el verdadero;

g) Función mítica.

2.2322 Formas y funciones de la concretización temporal no- puntual

Se pueden distinguir dos formas de '*concretización no-puntual*', la '*implícita*' y la '*explícita*':

a) La '*concretización no-puntual implícita*' es la alusión metafórica de un momento temporal determinado:
  - para día o noche: »*el sol estaba alto*«, »*la luna ya se anunciaba*«;
  - para la edad de un personaje: »*X tenía un pelo negro lindo, ahora está canoso y desgreñado*«;
  - para el cambio visual de una ciudad, evolución técnica, vestidos de los personajes: »*antes*« se andaba en coche con caballos, »*ahora*« se viaja con el metro«;
  - para el transcurso del tiempo a través del cambio de vida de un personaje: »*X »era« muy pobre, »ahora« se viste espléndidamente y tiene un chofer*«;

b) La '*concretización no-puntual explícita*' da a conocer datos temporales del transcurso del tiempo en forma muy vaga, pero no metafórica:
  - »*Había pasado ya tanto tiempo*«, »*en el futuro habría de*«, »*después de muchos meses*«.

La concretización no-puntual se emplea por fin, en particular, en tipos narrativos iterativos y con una intención de simultaneidad o mítica, tratando de abolir los límites entre vida y muerte, ayer-hoy-mañana.

II.

ANALISIS: TRES TIPOS DE ESTRUCTURAS TEMPORALES EN LA NOVELA CONTEMPORANEA

1. *CIEN AÑOS DE SOLEDAD*: LINEARIDAD Y CIRCULARIDAD COMO SISTEMA IMPERANTE DE RELACIONES TEMPORALES O LA GENESIS DE UN MITO

»*Ya esto me lo sé de memoria*«*, gritaba Ursula.* »*Es como si el tiempo diera vueltas en redondo y hubiéramos vuelto al principio*«*.*
(*CAS*: p. 169)

Al comienzo del análisis de las tres novelas elegidas, a pesar de gozar éstas de una gran difusión, se les antepondrá una breve descripción y sistematización del nivel de la historia y de los personajes. En *CAS* es esta tarea imprescindible, especialmente porque las acciones presentan una gran similitud y son realizadas por una serie de personajes con nombres idénticos o similares, lo cual dificulta altamente la recepción, y la segmentación tipográfica no presta, en este caso, ninguna ayuda. El 'NH' de *CAS* lo analizaremos en base a la leyenda mitológica, familiar y heroica, de donde se desprenden las oposiciones que constituyen el conflicto, y en base a los mitos de la creación del mundo, del eterno retorno y del fin del mundo. Ambas estructuras narrativas, la de la leyenda mitológica y del mito propiamente tal, son determinantes para la estructura de *CAS*, y esta última se encuentra en estrecha relación con los procedimientos temporales, que tienen como fin la introducción y estabilización de un nuevo mito, aquél de Macondo y de la familía de los Buendía, tanto al interior del texto como en la conciencia del recipiente. El análisis del 'NH' debe finalmente mostrar la estrecha relación entre la iteración y la circularidad de la acción con los procedimiento de la permutación y circularidad temporal. El 'NH' no será tratado en este lugar en forma exhaustiva, sino solamente en función de la descripción de su estructura temporal, que constituye el análisis de la segunda y última parte de este capítulo.

1.1 El nivel de la historia: Leyenda y Mito

1.11 Configuración

Los parientes José Arcadio Buendía y su esposa, Ursula Iguarán, son los fundadores, y con esto, la primera generación del clan de los Buendía.

Mientras José Arcadio Buendía se caracteriza por una fantasía y energía, curiosidad e inquietud descomunal, Ursula se caracteriza, siendo también enérgica, especialmente por su equilibrio y paciencia que siempre está al servicio de asegurar e incrementar el bienestar de la familia. De este matrimonio se desarrollará una familia que alcanzará seis generaciones para luego desaparecer junto con Macondo.

A José Arcadio Buendía y Ursula le siguen, en la segunda generación, sus hijos José Arcadio, un personaje de corta imaginación que se destaca por su enorme fuerza física y su insaciable hambre sexual, luego Aureliano, que al comienzo se muestra tímido e introvertido pero que luego se transforma, en la guerra entre liberales y conservadores, en un héroe de dimensión mítica y, por último, Amaranta. A esta generación pertenece también Rebeca que es adoptada por la familia, pasando a ser una hermanastra de los otros Buendías.

De la relación amorosa entre Pilar Ternera y los hermanos José Arcadio y Aureliano resulta la tercera generación, formada por Arcadio, que se destaca por haberse transformado en un gobernador déspota y corrupto, y Aureliano José.

La cuarta generación la forman los hijos que nacen del matrimonio de Arcadio con Santa Sofía de la Piedad: Remedios la Bella, la cual, a pesar de su belleza y sensualidad, es incapaz de amar y un buen día se eleva hacia el cielo, los gemelos Aureliano Segundo y José Arcadio Segundo, cuyos nombres fueron, al parecer, erróneamente cambiados y por esto tiene Aureliano el carácter de la tradición de José Arcadio y Arcadio el de los Aurelianos. Mientras Aureliano Segundo vive la vida en forma sensual y voluptuosa, José Arcadio Segundo se ocupa de problemas políticos, llegando a ser un jefe de los trabajadores en el momento en que se desatan las luchas entre éstos y los patrones norteamericanos.

Del matrimonio entre Aureliano Segundo y Fernanda nacen los hijos de la quinta generación: José Arcadio, que quiere ser Papa, Meme cuya vida tiene un fin trágico, como consecuencia de su amor prohibido, y Amaranta Ursula, que es educada en Europa y luego, después de su retorno a Macondo, encuentra allí su muerte.

De la relación amorosa entre Maurico Babilonia y Meme nace la sexta y última generación, Aureliano Babilonia el cual tiene una relación con su tía Amaranta Ursula, naciendo de allí Aureliano cola de cerdo, el último Buendía que es devorado por las hormigas.

El clan de los Buendía está determinado en cada generación - como es el caso en las leyendas familiares - por un personaje bien definido, pero los personajes más fuer-

LOS BUENDIA

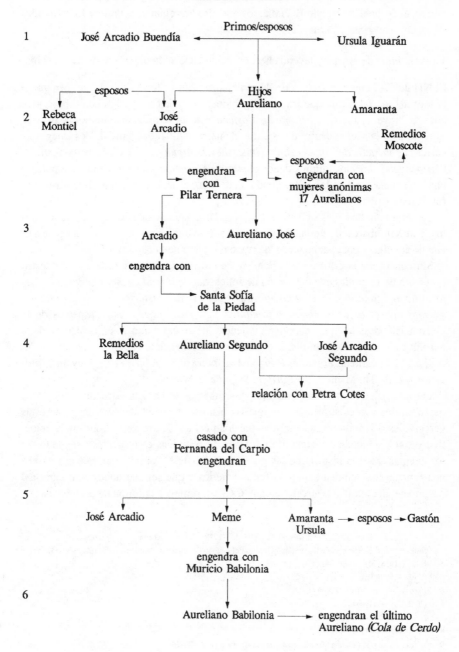

1 José Arcadio Buendía ◄———— Primos/esposos ————► Ursula Iguarán

2 Rebeca ——esposos—— José Hijos Amaranta
   Montiel   Arcadio Aureliano

   Remedios
   Moscote

   engendran esposos ◄——
   con   engendran con
   Pilar Ternera mujeres anónimas
                  17 Aurelianos

3 Arcadio   Aureliano José

   engendra con

   Santa Sofía
   de la Piedad

4 Remedios Aureliano Segundo José Arcadio
   la Bella   Segundo

   relación con Petra Cotes

   casado con
   Fernanda del Carpio
   engendran

5 José Arcadio Meme Amaranta ——► esposos ——► Gastón
                       Ursula

   engendra con
   Muricio Babilonia

6 Aureliano Babilonia ————► engendran el último
                             Aureliano *(Cola de Cerdo)*

tes son con seguridad los fundadores de la familia, Ursula y José Arcadio, el héroe mítico, el coronel Aureliano Buendía, los gemelos Aureliano Segundo y José Arcadio Segundo, Amaranta y Fernanda.[1]

1.12 Leyenda de estirpe y leyenda heroica como base de la organización de la acción

El NH de *CAS* comparte una serie de semejanzas con la 'forma simple' del género de la leyenda, de tal forma que las investigaciones de Jolles se prestan como base para nuestro breve análisis. En *Einfache Formen* éste desarrolla una tipología para la estructura de la acción dentro de este tipo de narración.[2] Jolles parte de dos categorías básicas de la '*actividad intelectual*' ('*Geistesbeschäftigung*')[3] y los '*gestos lingüísticos*' ('*Sprachgebärde*')[4], los últimos tienen el *status* de '*función*' en la teoría de Propp, la de una 'secuencia base' en la de Bremond o la de una 'secuencia accional' en la forma definida más arriba.[5]

La definición de Jolles se basa en las leyendas generacionales islandesas de los siglos X al XII, abarcando no la totalidad de esta tradición, sino solamente un tipo especial de aquélla, y por esta razón se le criticó por parte de la etnología.[6]

Sin considerar la crítica a su tipología - en algunos casos legítima - para nuestro propósito basta partir de la definición de Jolles, que *la leyenda generacional* es *la historia de una familia que tiene como transfondo eventos históricos o la reducción de sucesos históricos a un conflicto familiar*.[7] Son precisamente estos aspectos de la leyenda islandesa los que sobreviven y tienen une efecto duradero en la historia de la narrativa en las novelas familiares o generacionales del siglo XIX y de comienzos del XX, así en el ciclo de Zola, *Les Rougon-Macquart* o *Die Ahnen* de G. Freytags, *Buddenbrooks* de Th. Mann o *The Fortsyte Saga* de Galsworthy.[8]

Las semejanzas entre las estructuras descritas por Jolles y la estructura de *CAS* se basan en tres aspectos: primero, en que las historias o anécdotas narradas, sean éstas verosímiles o fantásticas, son creídas por los pueblos dentro de su conciencia colectiva y son - siguiendo a García Márquez - incluso vividas como reales[9]; segundo, en los eventos, aquí la historia de las guerras civiles de Colombia, que tienen a la vez una función metonímica para toda Latinoamérica y que son narradas como parte del destino de una familia; y tercero, en que *CAS* se asemeja a la forma de las leyendas de

---

1   Con respecto a la estructura de los personajes s. Oviedo (³1972: 89-105); Siebenmann (1973: 608-623).
2   Jolles (²1958). Con respecto a las ventajas y límites del método de Jolles vid. Nolting-Hauff (1978: 430-433).
3   Jolles (²1958: 35s.; 74s.; 238ss.).
4   (Ibid.: 45s.; 245s.).
5   Bremond (1966: 60ss.); (Propp (1972).
6   Cf. Bausinger (1968).
7   Jolles (²1958: 66-86, en especial 74).
8   Cf. Siebenmann (1973: 617).
9   Jolles (²1958: 65) y García Márquez en González Bermejo (1971: 23-26).

Reyes y familias.[10]

A continuación describimos algunos de estos elementos en común:

1. En *CAS* tenemos la historia del destino (Ascenso y Desaparición) de un clan que está inevitablemente entrelazada con la historia de Macondo, con sus guerras y vicisitudes que sacuden al pueblo y sus habitantes;[11]
2. Una familia, la de los Buendía, se encuentra en el punto medio de la atención del narrador, del cual son también objeto predilecto de su interés y en forma especial los conflictos y la vida familiar . Se narran las relaciones entre los diferentes miembros de la familia, así como de éstos con los otros habitantes de Macondo, acompañado de relatos sobrenaturales.[12] Algunas actividades de la familia, como por ejemplo la ampliación de la casa, se transforman en acciones con carácter de acontecimiento;
3. Hechos militares determinan momentos importantes de la historia privada y colectiva de la familia y de Macondo, que son reducidos, en particular, al personaje de Aureliano Buendía;
4. Al comienzo falta la forma de organización estatal para la regulación de los habitantes, ésta es patriarcal;
5. El clan está determinado por la consanguinidad y, cuando se incluyen extraños, éstos deben someterse al regimen del clan;[13]
6. De allí se desprende que el clan no conoce la conciencia de nación, sino la pertenencia familiar.[14] Por esta razón la familia de los Buendía presta una gran resistencia a un orden externo, por ejemplo, cuando el estado central les envía un cura (Iglesia) y un corregidor (Estado).

Pero no solamente la leyenda generacional y de reyes determinan la estructura de *CAS*, sino también una serie de episodios del *Antiguo Testamento*, a los cuales volveremos más tarde.

La historia de *CAS* la podemos resumir de la siguiente forma, considerando la segmentación que realizaremos más adelante:

La historia de los Buendía comienza con el matrimonio de los primos Ursula Iguarán y José Arcadio Buendía. Ursula se resiste casi un año a tener relaciones amorosas

---

10 Naturalmente que lo primordial de esta tradición no es su contendido, sino su estructura.

11 Con respecto a los aspectos históricos y autobiográficos en *CAS*, vid. Vargas Llosa ([2]1971: 13ss.).

12 Los gitanos que vuelan en alfombras o el ascenso de Remedios al cielo.

13 Vid. Jolles ([2]1958: 71-75) que analiza las leyes familiares para mantener el orden en el clan. Cf. Rank ([2]1974) que trata el problema bajo un punto de vista psicoanalítico, partiendo del motivo del incesto. Rank entiende las duras leyes familiares como un elemento de las culturas primitivas, donde el patriarca se asegura el monopolio del líbido. Marcuse (1971) interpreta este fenómeno en base a su crítica de Freud, no solamente como la evolución de la tribu hasta la nación, sino como la predominancia del principio de la realidad frente al del principio del deseo.

14 Jolles ([2]1958: 72).

con José Arcadio, porque una leyenda familiar predice que engendrados entre parientes nacen con una cola de cerdo. Este percance da lugar a rumores en la comunidad, lo cual conduce a que Prudencio Aguilar, habiendo sido vencido por José Arcadio en una pelea de gallos, le cuestiona por revancha su masculinidad. José Arcadio Buendía sientiéndose herido en su honor, mata a P. Aguilar. Como éste se les aparece en forma de espíritu, la pareja decide abandonar su pueblo natal. Después de algunos meses de excursión, José Arcadio sueña, en un momento de descanso, con un lugar al lado de un río, lleno de espejos, llamado Macondo. En ese lugar fundan el pueblo.

Macondo, al principio una aldea con veinte casas de barro, comienza a desarrollarse paulatinamente a través de diversas irrupciones de extraños en la aldea. Aquí, los gitanos tienen, conducidos por Melquíades, un papel central. El más influenciado de todos será el patriarca, José Arcadio, quien considera a los gitanos como los hombres más sabios sobre la tierra, lo cual lo motiva a buscar, en forma desesperada, un camino que conecte Macono con el mundo exterior, aquél de »las maravillas«.

Un buen día, su hijo, José Arcadio, se une a un grupo de gitanos y abandona Macondo. Ursula, luego de una búsqueda sin éxito, regresa meses después a Macondo con un grupo de pequeños comerciantes. A partir de este momento, Macondo desarrolla una vida dinámica y se crea un tránsito de comercio. La aldea se transforma en un pueblo. Poco después, el gobierno central envía un corregidor y un cura. La introducción de instituciones en Macondo tiene como consecuencia, que el pacífico lugar luego se politice y sea involucrado en guerras civiles. Las elecciones tienen lugar y son manipuladas por el corregidor conservador - suegro de Aureliano - así como también en otros lugares, lo que lleva a la guerra civil.

Aureliano se pone de parte de los liberales. La guerra deja sus huellas negativas. En Macondo, Arcadio quien ha sido encargado de mantener el orden en y de proteger el lugar, se transforma en un déspota despiadado. Luego Macondo es tomado en posesión por los conservadores y reconquistado por Aureliano Buendía, Arcadio es fusilado.

Aureliano, quien al comienzo de la guerra luchaba por »la causa liberal«, desilusionado de los políticos, que están dispuesto a olvidar su causa originaria por razones de poder, emprende su propia guerra, pasando a ser un revolucionario y un mito nacional. Después de haber sobrevivido las guerras, un pelotón de fusilamiento, varios atentados, y estando cansado de las eternas batallas, se propone terminarla con el mismo ímpetu con el que la inició. Política y militarmente se sella el triunfo de los conservadores con la capitulación de Neerlandia por parte de los liberales.

Después de la guerra Macondo se transforma en una pequeña ciudad con desventajas para los macondinos de origen, que se sienten desplazados por los nuevos habitantes. Una excepción es Aureliano Segundo, quien con su gran fortuna convierte a Macondo en un paraíso de entretenimiento. Si bien Macondo alcanza un punto cúlmine en su historia, se inicia a la vez, el descenso de sus costumbres.

Mientras Aureliano Segundo se dedica a la juerga perenne, José Arcadio Segundo trata - como ya lo había intentado su bisabuelo - de encontrar un camino que conecte Macondo con el resto del mundo, lo cual consigue en un viaje en una balsa. En vez de emplear el »descubrimiento« para el bienestar de Macondo, retorna con un equipo de prostitutas francesas al pueblo. Macondo será enteramente accesible en el momento en que uno de los hijos del coronel Aureliano Buendía trae el ferrocarril y la aldea se convierte en una gran ciudad, en una »ciudad de los espejos«, con sus vitrinas e iluminación urbana, con sus bazares y locales de diversión nocturna: aquí comienzan los tiempos modernos. El patriarca, José Arcadio Buendía, había soñado con este Macondo, pero partiendo de la contemplación del hielo que habían traído los gitanos. En todo caso, existe una sutil relación entre el sueño de José Arcadio Buendía y el hielo: es Aureliano Triste, el fabricante de helados, que trae el tren para ampliar su negocio.

Por esta época, los norteamericanos descubren el banano y determinan explotar la fruta comercial y sistemáticamente. Aquí, se inicia el fin de Macondo que se anuncia con el desvío del cauce del río, el cual dividirá Macondo en privilegiados y no privilegiados. Los americanos (»*gringos*«) construyen además una población para su gente, rodeada con una reja eléctrica (»*el gallinero eléctrico*«) que es impenetrable para los macondinos, salvo para Renata Amaranta.

La explotación de los trabajadores por los norteamericanos llega hasta tal extremo, que se produce un levantamiento obrero y se llama a una huelga general, que termina con una masacre de los trabajadores por parte de los militares del gobierno que protegen al capital extranjero. Inmediatamente después de esta acción, se desata el diluvio, que determina el éxodo de los norteamericanos y de todos aquéllos avenidos, quedando Macondo desvastado por los estragos de los años de lluvia.

Otro paso de la destrucción de los Buendía es la muerte de Ursula, con la cual la mansión de la familia cae en su más completa ruina, ya que Aureliano Segundo y su esposa Fernanda, Aureliano y su tía Amaranta Ursula, o no son capaces o no tienen interés en reconstruir la casa y Macondo. Poco después de la muerte de Ursula mueren Aureliano, Fernanda y José Arcadio Segundo. Como únicos sobrevivientes quedan los ya mencionados Aureliano y Amaranta Ursula que se enamoran, como sus tatarabuelos, y engendran al último Aureliano/cola de cerdo que es devorado por las hormigas. A consecuencia del parto muere Amaranta Ursula.

Aureliano, que ha logrado descifrar los manuscritos de Melquíades que contiene la historia de la familia y de Macondo, lee las últimas frases de su existencia que conducen a su destrucción total por un huracán.

1.13 Oposiciones bases y segmentación de la acción

La historia de Macondo y de los Buendía se puede reducir a la tríada 'Fundación-Ascenso-Destrucción' que están semánticamente marcados por tres campos: por la familia, la casa y Macondo.

En su primera etapa Macondo es *una aldea de veinte casas de barro y cañabrava* (*CAS*: 9), con características prehistóricas (*un lecho de piedras pulidas, blancas y enormes como huevos prehistóricos* (*CAS*: 9)) donde los objetos carecen aún de nombre (*El mundo era tan reciente, que muchas cosas carecían de nombre, y para mencionarlas había que señalarlas con el dedo* (*CAS*: 9)) y donde hasta la fecha nadie había muerto (*CAS*: 16)). La casa era modesta: *tenía una salita amplia, bien iluminada, un comedor [...], dos dormitorios [...], un huerto [...], pisos de tierra golpeada, los muros de barro sin encalar, los rústicos muebles de madera construidos por ellos mismos [...]* (*CAS*: 15). La familia, a cuya cabeza se encuentra José Arcadio Buendía un patriarca trabajador y justo, es pequeña (*CAS*: 15).

En la segunda etapa Macondo se encuentra en el incipiente ascenso con la llegada de Ursula con los pequeños comerciantes y la creación de la *ruta de comercio* (*CAS*: 38ss.), y se transforma en un pueblo:

> *Macondo estaba transformado. Las gentes que llegaron con Ursula divulgaron la buena calidad del suelo [...] de modo que la escueta aldea de otro tiempo se convirtió muy pronto en un pueblo muy activo, con tiendas y talleres de artesanía, y una ruta de comercio permanente [...]* (*CAS*: 39), la casa es ampliada: *la casa nueva, blanca* (*CAS*: 58), *tiene una sala formal para las visitas, otra más cómoda y fresca para el uso diario, un comedor para una mesa de doce puestos, nueve dormitorios [...] un jardín de rosas [...] con helechos [...] y begonias [...]* (¡y ya no más un huerto!) *un baño para las mujeres, uno grande para los hombres [...] caballeriza [...] establo* (*CAS*: 53-54).

La riqueza de los Buendía es tan grande que ya no se contentan con los muebles y utensilios caseros hechos por ellos mismos, sino que importan todo lo necesario: *una pianola, muebles vieneses, cristalería de Bohemia, la vajilla de la Compañía de Indias, los manteles de Holanda,* etc. (*CAS*: 58).

La familia se agranda con la llegada de Rebeca y por los hijos ilegítimos, adjuntándose algunos males: el insomnio del pueblo (*CAS*: 44ss.), la primera muerte de Melquíades (*CAS*: 69) y la pérdida de la razón por José Arcadio Buendía (*CAS*: 73-74). El primer punto cúlmine después de la guerra es descrito de la siguiente forma:

> *Macondo naufragaba en una prosperidad de milagro. Las casas de barro y cañabrava de los fundadores habían sido reemplazadas por construcciones de ladrillo, con persianas de madera y pisos de cemento.* [¡Y no más pisos de tierra golpeada!] (*CAS*: 168-169)

A partir de este momento comienzan también a decaer las costumbres:

En medio del alboroto de la familia, del escándalo de Ursula, del júbilo del pueblo que abarrotó la calle para presenciar la glorificación del despilfarro, Aureliano segundo terminó por empapelar desde la fachada hasta la cocina, inclusive los baños y dormitorios, y arrojó los billetes sobrantes al patio [...]. La antigua mansión pintada de blanco [...] adquirió el aspecto equívoco de una mesquita. (CAS: 168)

Los cambios profundos y negativos, la oposición entre el pasado y el presente, motivan a Ursula añorar el pasado, lo que se convierte en un *Leitmotiv* (*CAS*: 168). El apogeo absoluto de la riqueza y de la decadencia irrumpe con la llegada del ferrocarril y de los norteamericanos que atraen una muchedumbre a Macondo. Orden y moral parecen haber llegado a su fin:

[...] deslumbrada por tantas y maravillosas invenciones, la gente de Macondo no sabía por donde empezar: bombillas eléctricas [...] tren [...] teatros, cine, gramófonos [...] teléfono [...]. Fue una invasión tan tumultosa e intempestiva que en los primeros tiempos fue imposible caminar por la calle [...], y el escándalo de las parejas que colgaban sus hamacas entre los almendros y hacían el amor bajo los toldos, a pleno día y a vista de todo el mundo [...]. Tantos cambios ocurrieron que [...] los antiguos habitantes se levantaban a conocer a su propio pueblo. (CAS: 194-198)

Luego experimenta la casa una nueva ampliación para poder recibir y atender a todos los huéspedes que visitan a la familia.

Un conflicto fundamental en la historia de Macondo es la ya mencionada discriminación de sus habitantes originarios por los norteamericanos y la matanza de los obreros, ya que hasta ese momento existía el poder de la familia paralelo al incipiente poder estatal. Con la llegada de los norteamericanos se alienan ambos poderes:

José Arcadio Buendía había dispuesto de tal modo la posición de las casas, que desde todas podía llegarse al río y abastecerse de agua con igual esfuerzo, y trazó las calles con tan buen sentido que ninguna casa recibía más sol que otra a la hora del calor.

vs.

El sector estaba cercado por una malla metálica, como un gigantesco gallinero electrificado que en los frescos meses de verano amanecía negro de golondrinas achicharradas [...], modificaron el regimen de las lluvias, apresuraron el ciclo de las cosechas, y quitaron el río de donde siempre estuvo y lo pusieron con sus piedras blancas y sus corrientes heladas en el otro extremo de la población, detrás del cementerio. (CAS: 15; 197)

Las oposiciones bases de las acciones se pueden definir como sigue:

	→Modestia	⟶	vs.	Despilfarro
Clan	Buenas Costumbres	⟶	vs.	Decadencia
↑↓	Unidad	⟶	vs.	Abierto
Casa →̶	Justicia	⟶	vs.	Explotación
↑↓	Autodeterminación	⟶	vs.	Determinación extranjera
Macondo ↳	Igualdad	⟶	vs.	Discriminiación

⇄ : Interacción de los campos, determinación recíproca

⟶ : se transforma en

La tríada de la estructura general de la acción en *CAS* se inscribe en una secuencia accional, según el criterio de una transformación relevante que experimenta la familia de los Buendía y Macondo hasta su desaparición, pudiéndose segmentar de la forma siguiente:

Página

$_1$A - = Casamiento de José Arcadio Buendía y Ursula   (25)
Iguarán (Fundación de la familia)

$_2$a - = Infertilidad de José Arcadio Buendía y Ursula   (25)
Iguarán

$_3$a - = Deshonra (Prudencio Aguilar insulta a José   (26)
Arcadio Buendía)

$_4$a - = Restitución del honor: Duelo/Muerte de Pru-   (26)
dencio Aguilar

$_5$a - = Abandono de la ciudad natal por los Buendía   (27)
$_6$a - = Fundación de Macondo   (28)
$_7$a - = La Aldea de Macondo: Los gitanos (influencia   (9-23)
extranjera)
$_8$a - = Comienzo de la vida comercial: Ursula   (38)
$_9$B - = El Pueblo de Macondo: Iglesia y Estado   (39-57)
$_{10}$b - = Politización de Macondo: Elecciones   (88-89)
$_{11}$b - = Fraude electoral de los conservadores: Guerra   (89-93)
entre liberales y conservadores
$_{12}$b - = Tiranía y terror de Arcadio en Macondo   (94-95,103)
$_{13}$b - = Macondo y la guerra/derrota de los liberales/   (105-109)
prisión de Aureliano Buendía
$_{14}$b - = Liberación de Aureliano Buendía/reanudación   (115-125)

de la guerra

$_{15}$b - =	Final político de la guerra: rebelión de Aure- liano Buendía/continuación de la guerra	(128ss.)
$_{16}$b - =	La capitulación de Neerlandia/fin de la guerra	(154)
$_{17}$b - =	La gran ciudad de Macondo: Aureliano y José Arcadio Segundo	(159-193)
$_{18}$b - =	La riqueza de Aureliano Segundo	(167-168)
$_{19}$b - =	Intento de José Arcadio Segundo por establecer una vía marítima entre Macondo y el exterior	(169-179)
$_{20}$C- =	El ferrocarril: comienzo de los tiempos moder- nos/Macondo como república bananera	(192ss.)
$_{21}$c - =	Rebelión de los trabajadores	(252ss.)
$_{22}$c - =	Masacre de los trabajadores/comienzo de la des- trucción de Macondo	(258-259)
$_{23}$c - =	El diluvio	(262-280)
$_{24}$c - =	Incesto de los últimos Buendías: Aureliano y Amaranta Ursula/nacimiento de Aureliano cola de cerdo/muerte de Amaranta Ursula	(346-347)
$_{25}$c - =	Muerte de Aureliano cola de cerdo	(349)
$_{26}$c - =	Desciframiento de los manuscritos de Mel- quíades/Destrucción de Macondo por un huracán/Muerte de Aureliano	(350-351)

1.14 Excurso: La estructura mítica de *CAS*

Ya hemos indicado repetidamente la importancia central del mito en *CAS* y su relación con los procedimientos de la organización temporal. A continuación queremos hacer algunas observaciones sobre el mito en general y el de *CAS* en particular, tomando como base algunos aspectos de las investigaciones de Mircea Eliade que nos parecen adecuados para la finalidad de este excurso, como así también el trabajo de Bornscheuer sobre la organización tópica del discurso social.[15]

Las restricciones que hicimos con respecto a la descripción de la historia en *CAS* valen tanto más para el análisis del mito, ya que no pretendemos ofrecer un análisis completo del mito en *CAS*, sino tratar solamente aquellos aspectos que se encuentran en relación con la organización temporal.

---

15   Eliade (1963, 1969); Bornscheuer (1976).

1.141 El mito y sus funciones

Eliade define el mito como una tradición oral o escrita, en la cual se narra una historia que había tenido lugar en tiempos fabulosos, precisamente en el tiempo de la creación del mundo (*le temps primordial* [...] *fabuleux des commencements*[16]), donde el mito se puede referir a la totalidad del cosmos o a fragmentos de éste que conciernen al comportamiento humano y las instituciones. Los personajes poseen poderes sobrenaturales y sus acciones tienen validez general para el pueblo que cree en estos mitos.

El mito es considerado por los diversos pueblos como una historia verdadera y sacral (*histoire sacrée et* [...] *vraie*[17]) - siendo indiferente el hecho que las historias sean absolutamente fantásticas -, el mito tiene un carácter ejemplar y de modelo y regula todas las actividades humanas significativas, tanto religiosas como profanas, tales como el primer suministro de alimentos, matrimonios, trabajo, educación, etc. Las culturas primitivas se comportan siguiendo un modelo de conducta codificado que no cambia su sustancia aun cuando con el correr del tiempo cambien sus formas de manifestación, ya que el mito es atemporal, inalterable y tiene como finalidad la unidad y la continuidad.

Las investigaciones de Eliade se concentran en tres tipos de mitos en base a los cuales se manifiesta claramente la estructura mítica de *CAS*: a) en los mitos de la creación del mundo (*les mythes cosmogomiques*) o del origen (*les mythes d'origine*), b) en los mitos del eterno retorno (*le mythe du retour à l'origine du retour éternel*) y c) en los mitos del fin del mundo (*les mythes de la fin du monde/les mythes eschatologiques*[18]).

El mito de la creación del mundo es homólogo a aquél del origen. Mientras el primero narra sobre el nacimiento de la vida y funciona como modelo de la creación en sí, el mito del origen completa y amplía aquél de la creación en cuanto muestra como el mundo cambia, se enriquece o empobrece. En este mito se explica cómo se ha originado el mundo, narra acontecimientos sobrenaturales realizado por héroes, describe la primera pesca de los antepasados, etc.[19]

En el mito del eterno retorno se transmite la creencia que imitando las acciones y el comportamiento de los antepasados, a través de su actualización y representación, como a la vez a través del conocimiento sobre el origen del mundo, se puede regresar finalmente a/o recuperar su origen.[20]

El mito del fin del mundo se ocupa de las catástrofes naturales, tales como diluvios, huracanes, terremotos, etc., que destruyen el mundo. Eliade distingue los mitos apocalípticos judeo-cristianos que se caracterizan por su linearidad e irreversibilidad,

---

16   Eliade (1963: 14ss.).
17   (Ibid.: 15-16).
18   (Ibid.: 33-53; 71-94).
19   (Ibid.: 15-22).
20   (Ibid.: 22-32) y 1969.

y los mitos de otras culturas tales como las orientales, americanas o africanas que se caracterizan por su circularidad y reversibilidad. Mientras la apocalipsis judeo-cristiana es definitiva y luego viene una vida paradisíaca y atemporal, significa el fin del mundo en las otras culturas un fin radical del mundo actual en beneficio de la creación de un mundo nuevo. En la medida en que el mundo existente se lleva a su estado amorfo y caótico, se desprende la oportunidad del nacimiento de uno nuevo.[21]

El mito tiene, para las culturas primitivas, diversas funciónes.[22] Una de las más importantes es la ya mencionada de poner, a disposición de los pueblos, modelos ejemplares de conducta y de darles la posibilidad de explicar su mundo. También aquélla de actualizar a través de ritos en el mundo cronológico-causal y finito, el mundo mítico pasado. En este contexto es de fundamental importancia la iteración del mito, es decir, su actualización a través de los siglos. Por medio de iteraciones rituales del mito, en las fiestas, se realiza una vivencia directa del mito como algo presente, abandonando en ese momento el mundo cronológico-profano y pasando a un mundo constituido por un *temps fort*, *sacré*, donde impera la atemporalidad y la inmortalidad del origen. Aquí juegan la memoria y el recuerdo un papel central, ya que la '*anamnese*', la '*mémoire absolue*' le permite a los pueblos revivir ese mundo mítico ya pasado.[23]

Completando la teoría de Eliade, queremos agregar algunas breves observaciones que se refieren al aspecto semántico-pragmático del mito, que consideramos de fundamental importancia, especialmente cuando se trata de la introducción de un nuevo mito, como es el caso de Macondo y la familia de los Buendía en *CAS*.

Consideramos un mito primeramente como un sistema sígnico constituido por la lengua y el lenguaje,[24] por un aspecto estructural y por otro estático, es decir, por un tiempo reversible y otro irreversible. Teniendo presentes estos dos aspectos, podemos decir que el mito siempre se refiere al pasado, pero que teniendo a la vez una estructura perenne, incluye así el pasado, el presente y el futuro. Partiendo de un suceso pasado se puede interpretar la realidad en un momento contemporáneo y sacar conclusiones o desarrollar pronósticos para el futuro. El mito posee de esta forma una fuerza histórica y ahistórica.

El mito, perteneciendo a la vez al nivel de la lengua (donde se puede analizar como tal) y al del lenguaje (en que está formulado), constituye en el presente, donde es actualizado, un objeto absoluto. La sustancia del mito se basa en la historia que narra, pero de fundametal importancia para su introducción y reconocimiento es su retórica (nivel semántico) y su forma de organización o de articulación (nivel pragmático). Un mito, como una red de relaciones, no posee una sóla forma de manifestación, sino

---

21 (Ibid., 1963: 64-90).
22 Cf. (Ibid.: 30-32).
23 (Ibid.: 111-115).
24 Seguimos a Lévi-Strauss (1955: 428-444).

copias más o menos similares o deformadas y permanecerá como mito siempre y cuando sea reconocido como tal por una comunidad determinada.

Si particularizamos lo expuesto, podemos aseverar que una unidad vivencial pasa a ser 'un hecho literario'[25] cuando es elevada a esta dimensión por la conciencia colectiva de una época, es decir, que lo ve como un 'acontencimiento', entendiendo por este término la *transgresión de postulados dentro de un sistema determinado que tienen validez para toda una sociedad*.[26] El acontecimiento obtiene así las cualidades de un hecho particular frente a la cultura imperante, alcanzado una vasta generalización y abstracción.

Esta unidad o mito adquiere su propia vida que fluctúa entre su tradición (aspecto diacrónico), que pone a disposición una semántica, sintáctica y pragmática específica, y su inscripción en el momento de su actualización, obteniendo una reducción sintetizante de su historia (aspecto sincrónico). Por una parte, se conservan algunos de los rituales tradicionales y, por otra parte, los transforma y problematiza. Tenemos el choque de lo antiguo frente a lo nuevo como producto de su actualización.

En la actualización de un mito es fundamental su dimensión pragmática a la cual están subordinados los otros niveles, ya que de su elaboración semiótica dependerá su éxito o su fracaso. El conflicto entre la memoria de la tradición y una renovación, es lo que producirá las disociaciones entre intención y resultado de las acciones de sus personajes, de donde se desprenderá su carácter problematizador e interpretante, y con esto queremos decir, que el mito no es el reflejo de la realidad, sino una concientización de conflictos inscritos en ésta.

Para la descripción de la organización de un mito recurrimos al modelo que ha desarrollado Bornscheuer para la topicidad, que se presta también en forma casi ideal para la definicón de la miticidad en *CAS*. Bornscheuer entiende los '*topoi*' en su modelo de orientación sociopragmática como el resultado de la imaginación social (*der gesellschaftlichen Einbildungskraft*) o como expresión de la estructura profunda del sistema social burgués (*der Tiefenstruktur des bürgerlichen Gesellschaftssystems*).[27]

Los *topoi* tienen una característica fundamental en común con los mitos: su estructura combinatoria y, con esto, sus procedimientos de producción y organización, que de época en época, de un sistema cultural a otro varían:

> *Mientras mas »tópica« es una obra, más »combinatoria« es su estructura. La combinación es un método de transmitir, en forma innovativa, el material tópico. Mientras más combinatoriamente esté estructurada una obra, más fácil es identificar su material tópico. La combinación es a la vez un procedimiento que hace posible constatar un material tópico como tal.*

---

25 Tynjanov (1971: 393-431; 433-461); Lotman (1973: cap. 8).
26 Cf. Lotman (ibid.).
27 Bornscheuer (1976: 11-25, en especial 91-108).

Topicidad y combinación - o »cita y montaje« - son dos aspectos del mismo objeto, esto es, la relación con una experiencia social identificable con su sistema de cultura. La topicidad se puede considerar como la competencia consciente o inconsciente dentro de un saber social relevante y dominante. La topicidad es la sustancia de las »opiniones imperantes« [...].[28]

Los procedimientos en cuestión son: la 'Habitualidad', 'Potencialidad', 'Intencionalidad' y 'Simbolicidad'.

Bajo 'habitualidad' Bornscheuer entiende, partiendo de Panofsky y Bourdieu:

[...] *un estandard de la internalización respectiva de un hábito de la conciencia, del lenguaje y del comportamiento en una sociedad determinada, un elemento de una estructura socio-lingüística en una contextura comunicativa, es una determinante de una evidencia dominante y de sus tradiciones y convenciones de un sistema de la cultura siempre regenerativo dentro de una sociedad respectiva.*[29]

El término 'hábito' lo toma Panofsky de la escolástica, y denomina allí la interacción de tipos determinados asimilados *a priori*, en forma similar, *al sistema del 'ars inveniendi' en la música, donde* [...] *se produce una gran cantidad de esquemas, que se pueden aplicar a cada caso particular.*[30]

Según Bornscheuer el 'hábito' se puede definir - [siguiendo la terminología de la gramática generativa transformacional de Chomsky] -, *como un sistema de tipos interiorizados, que permiten producir todos aquellos pensamientos, percepciones y acciones de una cultura.*[31]

La cualidad básica de un hábito socio-cultural - asevera Bornscheuer - radica en su productividad, que tiene como finalidad crear todas las frases virtualmente existentes en los tipos fijados por la gramática generativa, y que no se desprenden de un programa determinado *a priori*.[32]

---

28 (Ibid.: 20-21): *Je »topischer« aber ein Werk ist, desto »kombinatorischer« ist auch seine Struktur. Kombinatorik ist die Methode einer innovativen Vermittlung topischen Materials. Je kombinatorischer ein Werk strukturiert ist, desto leichter läßt sich umgekehrt auch sein topisches Material identifizieren. Kombinatorik ist also zugleich ein Verfahren, topisches Material als solches sichtbar werden zu lassen. Topik und Kombinatorik - oder auch »Zitat und Montage« - sind zwei Aspekte derselben Sache, nämlich des Umgangs mit einem gesellschaftsgeschichtlich identifizierbaren Erfahrungs- und Bildungswissen. Topik ließe sich daher auch als die bewußte oder unbewußte Kompetenz innerhalb eines gesellschaftlich jeweils relevanten »Herrschaftswissens« bezeichnen. Topik ist die Substanz der »herrschenden Meinungen«* [...].

29 (Ibid: 96): *[...] ein[en] Standard des von einer Gesellschaft jeweils internalisierten Bewußtseins-, Sprach-und/oder Verhaltenshabitus, ein Strukturelement des sprachlich-sozialen Kommunikationsgefüges, eine Determinante des in einer Gesellschaft jeweils herrschenden Selbstverständnisses und des seine Traditionen und Konventionen regenerierenden Bildungssystems.* Cf. también Bourdieu (1970).

30 (Ibid: 96-97): *[...] eine Unzahl einzelner Schemata [hervorbringt], die sich ohne weiteres auf den Einzelfall anwenden lassen;* Cf. nota 33.

31 (Ibid.: 97): *[Der »Habitus« ließe sich] - [der Terminologie der generativen Transformationsgrammatik Chomskys folgend] - als ein System verinnerlichter Muster definieren, die es erlauben, alle typischen Gedanken, Wahrnehmungen und Handlungen einer Kultur zu erzeugen - und nur diese.*

32 (Ibid.: 97).

Si aplicamos lo expuesto a *CAS*, su estructura reproduce frases correspondientes a los mitos latinoamericanos que se rigen, en este caso, según un vasto, pero específico campo de argumentación que se encuentra en su historia socio-económica y política. La 'mitología' de *CAS* se inscribe luego en una constelación de personajes estereotipos y acciones estereotípicas que son variados durante la narración.

Como principio fundamental de la constitución del 'habito' tenemos la 'recurrencia' (de estructuras y términos), tanto al interior del texto, para la constitución semántica del mensaje, como fuera del texto, en relación al recipiente implícito. Con esto, es el 'hábito' la condición elemental con la cual debe cumplir una estructura, para que, en nuestro caso, pueda valer como mítica: solamente cuando ésta es conocida y reconocida en forma general, puede ser entendida y vivida como tal, constituyendo una *gramática* que es habitualizada a través de la recurrencia y de tal manera, que en el recipiente de la época se dibuja y concretiza un horizonte particularmente codificado.

Por 'potencialidad' entendemos, siguiendo a Bornscheuer, el aspecto de la invención productiva, original del mito, su estructura argumentativa abierta, sus amplias posibilidades de aplicación en diversos campos, de donde se desprende una necesidad fundamental de interpretación. Esta pluralidad e indeterminación puntual no aparece como un deficit, sino como una significación polivalente, que está en acuerdo con la complejidad del fenómeno tratado y que incita al debate sobre el objeto semiótico-cultural tratado.

El mito es polivalente, si se considera su teoría y práctica, mas no es siempre en principio indeterminado. Además, su polivalencia se expresa en sus explicaciones e implicaciones: el comportamiento de los personajes varía y se opone a otro tipo de comportamiento, aún partiendo de las mismas situaciones, lo cual influye en el desarrollo y el final de éstos, de tal modo que nos encontramos con una gran variedad dentro de la similitud. Frente al recipiente se abre un vastísimo campo de significados polivalentes.

La potencialidad del mito la interpretamos como un objeto socio-semiótico-cultural que tiene su aplicación y vivencia en diverso campos.

Con lo que respecta a la 'intencionalidad' se trata de la 'actualización' del mito, es decir, de la nueva determinación respectiva de sus significados, de su intención y de su efecto frente a la tradición y frente a los denotados imperantes en una época determinada. Se trata de su significativa y relevante contextualización y de su marcación semántica, pragmática y sintáctica. La intencionalidad impide que el mito degenere en un mero producto de la tradición y de las convenciones como resultado de occurrencias asociativas y/o como aplicación arbitraria. La intencionalidad permite que el mito, como objeto socio-semiótico del conocimiento de un momento determinado, abra diversas posibilidades de recepción y comprensión.

Las diversas posiciones y explicaciones son articuladas a través de la estructura de la acción o del discurso de los personajes en base a oposiciones binarias, a partir de las cuales se descubre lo nuevo frente a lo antiguo. En el caso que la actualización del mito fracase, porque, por ejemplo, su relevancia cultural haya disminuido o se haya perdido, no dando respuesta a las necesidades exigidas, este decae en un 'clisé', que no es otra cosa que una unidad habitualizada, gastada y que carece de potencialidad e intencionalidad.[33]

La 'simbolicidad' la podemos resumir como todos aquellos elementos semánticos, pragmáticos, sintáctico-estructurales, que forman la 'materialidad' del mito.

Todos estos elementos constituyen la 'marca' específica, el símbolo del mito que lo diferencia de otros objetos culturales, lo hacen aparecer como un signo particular, siempre reconocible y aplicable. De esta forma, se pasa de la mera vivencia de un hecho social a un signo mítico.

Frente a este panorama podemos constatar por qué los procedimientos de la repetición y de la circularidad de acciones, la repetición de nombres, la circularidad temporal son los principales en *CAS* para la introducción y estabilización de un nuevo mito, y por qué la estructura de la 'forma simple de la leyenda' es la más adecuada en *CAS*: ésta es la forma genérica *par excellence* donde se narra sobre los tiempos del origen y de la fundación de un lugar y de un clan, y el mito es el marco que regula este nuevo orden que debe ser transmitido a futuras generaciones.

1.142 La constitución mítica en *CAS*

La estructura mítica de *CAS* se basa, por una parte, en la transposición de los tres tipos de mitos descritos y, por otra, en la reducción de unidades socio-económicas e históricas (de Latinoamérica y Colombia) al nivel de lo natural y privado y en el empleo de la unidades mitológicas celtas, greco-romanas y judeo-cristianas. Algunos ejemplos son el abandono de la tierra natal por los Buendía, una acción que se refiere al abandono del paraíso y al éxodo del pueblo elegido de Israel,[34] o Macondo que recuerda a Sodoma y Gomorra durante la época de la compañía bananera. La eterna costura del paño mortuorio de Amaranta apunta al mito de Penélope, el coser y descoser los botones del paño, como así también el fundir monedas o pescaditos de oro para luego fabricar otros (por el coronel Aureliano Buendía) alude al mito de Sísifo, y las relaciones incestuosas al mito de Edipo, etc.

---

33 Bornscheuer (ibid.: 102).

34 Cf. Ortega ([3]1972: 74-75), González Bermejo (1971: 11-51); Vargas Llosa ([2]1971); Fernández-Braso (1972); Giacoman (1972); *Nuevos Asedios a García Márquez* ([3]1972); Arnau ([2]1975); Harss ([6]1975: 381-419); Strausfeld (1976: 233-260); Janik (1978: 330-360); Ramírez Molas (1978: 167-204). Este último trabajo se reduce a una serie de paráfrasis y repite interpretaciones ya conocidísimas en la investigación. Fuera de esto, no se sabe cual es la finalidad perseguida por el autor; cf. la competente crítica de Janik (1981: 114-115).

A) El inicio mitológico

La mitización de la leyenda de los Buendía y de Macondo comienza con el título de la obra, que alude en, *sensu stricto, a un siglo y en sentido simbólico a la combinación de cifras de la antigüedad: según Pitágoras de la multiplicación de sí misma de la cifra perfecta de 10, o tres veces (la trinidad) la »plenitudo sapientiae« cristiana, la cifra 33 + 1 (el principio estructural de la »Divina Commedia«) resulta 100. Ambas combinaciones representan al »ordo« en su temporal perfección.*[35]

Macondo representa no solamente el lugar donde la familia Buendía vivirá cien años, sino metonímicamente el universo cuyo inicio es interpretado en forma mítica. Esto se le transmite al recipiente a través del sueño de José Arcadio Buendía, el cual realiza lo que le manda una voz[36]:

> *José Arcadio Buendía soñó esa noche que en aquel lugar se levantaba una ciudad ruidosa con casas de paredes de espejo. Preguntó qué ciudad era aquella, y le contestaron con un nombre que nunca había oído, que no tenía significado alguno, pero que tuvo en el sueño una resonancia sobrenatural: Macondo (CAS: 28),*

y a través de las palabras del narrador que invierte el texto bíblico[37]:

> *Fue así como emprendieron la travesía de la sierra. Varios amigos de José Arcadio Buendía, jóvenes como él, embullados con la aventura, desmantelaron sus casas y cargaron con sus mujeres y sus hijos hacia la tierra que nadie les había prometido. (CAS: 27)*

La mitización de los personajes se realiza a través de la reducción o transferencia de acontecimientos sobrenaturales a los personajes del clan que se refieren a Macondo, o a fragmentos de éste, como a la educación de los hijos, al trabajo, etc.

El papel de los dioses o de figuras fabulosas lo efectúan José Arcadio Buendía, Ursula, su mujer, y sus hijos Aureliano y José Arcadio. El padre está provisto de una fantasía exuberante que lo lleva a realizar, dentro de su mundo, acciones deslumbrantes:

> *José Arcadio Buendía cuya desaforada fantasía iba siempre más lejos que el ingenio de la naturaleza, y aún más allá del milagro y la magia, pensó que era posible servirse de aquella invención inútil para desentrañar el oro de la tierra. (CAS: 9)*

---

35 Strausfeld (1976: 235).

36 Este sueño es una alusión al de Jacobo y la escalera al cielo, Liber Genesis 28, 12-13: *Viditque in somnis scalam stantem super terram, et cacumen illius tangens caelum; angelos quoque Dei ascendentes et descendentes per eam; et Dominium innixum scalae dicentem sibi: Ego sum Dominus Deus Abraham patris tui, et Deus Isaac; terram in qua dormis, tibi dabo et semini tuo [...].*

37 *Liber Genesis* 15, 7: *Ego Dominus qui eduxi te de Ur Chaladaeorum, ut darem tibi terram istam, et possideres eam.*

Su estado sobresaliente es subrayado por una alusión bíblica[38]:

Al principio, José Arcadio Buendía era una especie de patriarca juvenil, que daba instrucciones para la siembra y consejos para la crianza [...]. Puesto que su casa fue desde el primer momento la mejor de la aldea, las otras fueron arregladas a su imagen y semejanza. (*CAS*: 15)

La fantasía, el eterno deseo emprendedor, un gran sentido de la justicia y trabajo adquieren un carácter paradigmático para la familia, lo que se imprime en las actividades del arte de la herrería o del desciframiento de los manuscritos de Melquíades, que le deben abrir las puertas para el conocimiento del universo. Así actuarán el coronel Aureliano Buendía, Aureliano Segundo, José Arcadio Segundo o el último Aureliano.

Ursula es representada como un personaje enérgico y realista, que tiene el poder de determinar su muerte (así también Amaranta). Ella se encuentra presente en todo lugar y en todo momento, es incansable, pierde la vista, pero sigue »viendo«, es capaz de profetizar, es la transportadora de la vida y de la felicidad, alcanza una edad ya no numerable y se muere por deseo propio, concretizando de esta forma, su *status* mítico (cf. *CAS*: 211-212; 283-284; 291).

José Arcadio hijo representa el vigor masculino más primitivo, y es una especie de iconización del mito fálico[39]:

De pronto [...] alguien empujó la puerta de la calle a las dos de la tarde [...] y los horcones se estremecieron con tal fuerza en los cimientos, que Amaranta y sus amigas [...] tuvieron la impresión que un temblor de tierra estaba desquiciando la casa. Llegaba un hombre descomunal. Sus espaldas cuadradas apenas si cabían por las puertas [...] los brazos y el pecho completamente bordados por tatuajes crípticos [...]. Tenía un cinturón dos veces más grueso que la cincha de un caballo [...] su presencia daba la impresión de un sacudimiento sísmico [...]. Colgó la hamaca [...] y durmió tres días. Cuando despertó, y después de tomarse dieciseis huevos crudos, salió directamente hacia la tienda de Catarino, donde su corpulencia monumental provocó un pánico de curiosidad entre las mujeres [...]. Catarino apostó doce pesos a que no movía el mostrador. José Arcadio lo arrancó de su sitio, lo levantó en vilo sobre la cabeza y lo puso en la calle. Se necesitaron once hombres para meterlo. En el calor de la fiesta exhibió sobre el mostrador su masculinidad inverosímil [...]. (CAS: 82-83)

Es notable que en el matrimonio de un semejante personaje, casado luego con Rebeca, otra mujer de enorme energía y sensualidad, quede sin hijos. Lo mismo le ocurre a Aureliano Segundo con Petra Cotes. Tenemos la oposición 'potencia sexual

---

38 *Liber Genesis* 1, 26: *Et ait: Faciamus hominem ad imaginem et similitudinem nostram* [...].
39 Al respeco de este mito cf. Rank ([2]1974: 283ss.).

vs. infertilidad' la cual tiene sus raíces dentro de la temática de la soledad, contiene la semilla de la posterior destrucción de la familia, aludiendo así a una inversión mítica.

Aureliano encarna el héroe mítico típico: lleva a cabo hechos heroicos, sobrevive atentados, incluso un intento de suicidio, sobrevive todos los peligros de la guerra, libera a Macondo de la opresión y es el símbolo de la fertilidad: engendra diecisiete hijos con diversas mujeres cuyas madres las llevan al »dios« para »mejorar la raza«.

La estructura mítica de *CAS* se concretiza a través de una serie de sucesos sobrenaturales o cotidianos que también son considerados como tales, es decir, no se distingue entre acciones sobrenaturales y profanas, sino que todas se nivelan: acciones sobrenaturales no llaman la atención a nadie ($\approx$ cotidianas) y cotidianas deslumbran (= sobrenaturales).[40] Algunos de estas son las acciones siguientes:

a: Personajes muertos pueden resucitar o estar presentes en el mundo de los vivos:

a' Melquíades muere (*CAS*: 22), luego resucita (*CAS*: 49) para posteriormente morir definitivamente (*CAS*: 69), permaneciendo presente en la casita de los manuscritos (*CAS*: 70, 161, 301).

a" Prudencio Aguilar es asesinado por José Arcadio Buendía, pero visita al matrimonio todas las noches, hasta que los Buendía deciden dejar su tierra natal. Luego en Macondo, cuando José Arcadio Buendía pierde la razón, reaparece Prudencio Aguilar con el cual sostiene largas conversaciones (*CAS*: 26-27, 124-125).

a''' José Arcadio Buendía muere (*CAS*: 124-125), es enterrado, pero Ursula conversa con éste bajo el árbol donde lo tenían amarrado (*CAS*: 209).

b: Sucesos sobrenaturales son tratados como cotidianos:

b' Los gitanos vuelan sobre alfombras:

Esta vez [...] llevaban una estera voladora. Pero no la ofrecieron como un aporte especial al desarrollo del transporte, sino como un objeto de recreo [...]. Una tarde se entusiasmaron los muchachos con la estera voladora que pasó veloz al nivel de la venta del laboratorio llevando al gitano conductor y a varios niños de la aldea que hacían alegres saludos con la mano, y José Arcadio Buendía ni siquiera la miró. »Déjenlos que sueñen« dijo. »Nosotros volaremos mejor que ellos con recursos más científicos que ese miserable sobrecamas« (CAS: 33-34);

b" Un gitano bebe un líquido mágico y se disuelve:

[...] y encontró un armenio taciturno que anunciaba en castellano un jarabe para hacerse invisible. Se había tomado de un golpe una copa de la sustancia ambarina, cuando José Arcadio Buendía se abrió paso [...] y alcanzó a hacer la

---

40   Cf. Vargas Llosa ([2]1971: 577-585).

pregunta. El gitano lo envolvió en el clima atónito de su mirada, antes de convertirse en un charco de alquitrán pestilente y humeante sobre el cual quedó flotando la resonancia de su respuesta: »Melquíades Murió«. Aturdido por la noticia, José Arcadio Buendía permaneció inmóvil, tratando de sopreponerse a la aflicción (CAS: 22);

b'''Remedios se eleva hacia el cielo:

[...] en el instante en que Remedios, la bella, empezaba a elevarse. Ursula, ya casi ciega, fue la única que tuvo la serenidad para identificar la naturaleza de aquel viento irreparable, y dejó las sábanas a merced de la luz, viendo a Remedios, la bella, que le decía adiós con la mano, entre el deslumbrante aleteo de las sábanas que subían con ella [...]. Los forasteros, por supuesto, pensaron que Remedios, la bella, había sucumbido a su fin de abeja reina, y que su familia trataba de salvar la honra con la patraña de la levitación.
Fernanda mordida por la envidia terminó por aceptar el prodigio [...] (CAS: 205).

c: A objetos cotidianos se le atribuyen poderes mágicos:

c' El magneto:

Melquíades, hizo una truculenta demostración pública de lo que él mismo llamaba la octava maravilla de los sabios alquimistas de Macedonia. Fue de casa en casa arrastrando dos lingotes metálicos, y todo el mundo se espantó al ver que los calderos, las pailas, las tenazas y los anafes se caían de su sitio [...] (CAS: 9).

c'' La lupa:

»La ciencia ha eliminado las distancias« pregonaba Melquíades. »Dentro de poco, el hombre podrá ver lo que ocurre en cualquier lugar de la tierra, sin moverse de su casa«. Un mediodía ardiente hicieron una asombrosa demostración con la lupa gigantesca: pusieron un montón de hierba seca en la mitad de la calle y le prendieron fuego mediante la concentración de los rayos solares (CAS: 10).

c'''El hielo:

José Arcadio Buendía los pagó, y entonces puso la mano sobre el hielo, y la mantuvo puesta por varios minutos, mientras el corazón se le hinchaba de temor y júbilo al contacto del misterio. Sin saber que decir, pagó otros diez reales para que sus hijos vivieran la prodigiosa experiencia [...]. Pero su padre no le prestó atención. Embriagado por la evidencia del prodigio [...]. *Este es el gran invento de nuestro tiempo (CAS:* 23).

B) El fin mitológico

Una primera señal del fin de Macondo es el indicio proléptico del insomnio que lleva a los macondinos a la amnesia. Aquí entra en acción, como en los mitos antiguos, un personaje con poderes sobrenaturales que salva la situación, es decir, pone el universo en orden: Melquíades. Este posee un brebaje mágico con el cual pone término al insomnio. La función indicial de ese acontecimiento con caracteres de oráculo[41] es acentuada por el hecho que el insomnio comienza con la llegada de una forastera, de Rebeca, a Macondo, con una intromisión de afuera, que será la razón que llevará Macondo a su destrucción total.

Otro elemento es el diluvio que comienza con el nacimiento del hijo ilegítimo de Meme y con la matanza de los trabajadores. Aquí se marca, por primera vez, en forma concreta el comienzo de la destrucción de Macondo y de los Buendía:

Los acontecimientos que habían de darle el golpe mortal a Macondo empezaban a vislumbrarse cuando llevaron a la casa al hijo de Meme Buendía. La situación pública era entonces tan incierta [...]. *(CAS:* 249)

Aureliano Segundo había dormido en casa porque allí lo sorprendió la lluvia, y a las tres de la tarde todavía seguía esperando que escampara [...]. *(CAS:* 262)

Llovió cuatro años, once meses y dos días. (CAS: 267)

La destrucción mítica de Macondo se realiza de dos formas: primero, con la muerte violenta de Aureliano *cola de cerdo* con lo cual se retorna al comienzo de los Buendía en su tierra de origen *(CAS:* 25) y, segundo, a través del desciframiento de los manuscritos de Melquíades, donde está determinado que el último Buendía (Aureliano Babilonia, el padre de aquél con *cola de cerdo*) podrá descifrar los manuscitos donde leerá que un huracán arrasará Macondo:

Y entonces vió al niño. Era un pellejo hinchado y reseco, que todas las hormigas del mundo iban arrastrando [...]. *(CAS:* 349)

[...] y vió el epígrafe de los pergaminos [...]: »*El primero de la estirpe está amarrado en un árbol y al último se lo están comiendo las hormigas.*« *(CAS:* 349)

Entonces empezó el viento, tibio, incipiente, lleno de voces del pasado [...] *pues estaba previsto que la ciudad de los espejos* [...] *sería arrasada por el viento y desterrada de la memoria de los hombres* [...]. *(CAS:* 351)

---

41   Al respecto de la relación mito y oráculo cf. Jolles (²1958: 96-104).

En *CAS* no se insinúa un nuevo comienzo, sino que la destrucción es definitiva, ya que ⁻ como Ursula juzgaba - *la mala calidad del tiempo y de la raza* habían consumido al clan. Pero dentro del lapso de los cien años se evoca el mito del retorno al cual nos dedicamos a continuación.

1.143 Recurrencia como procedimiento para la actualización mítica en *CAS*

Lo expuesto podría parecer una contradicción: por una parte hablamos de la destrucción definitiva y, por otra, queremos referirnos al mito del retorno. La latente contradicción la podemos eliminar en cuanto consideramos que la historia en *CAS* es una metonimia del universo, de la creación (Génesis) y del fin del mundo (Apocalipsis), que los cien años representan simbólicamente la duración total del universo. De esta forma se encuentran los mitos del inicio, del fin del mundo y del retorno, dentro del micro-universo de *CAS* hasta el avenimiento de la apocalipsis.

La repetición de acciones, por medio de personajes con el mismo nombre, los transportan a un estado anterior que parecía superado, organizando el mundo en forma circular. Alguna de estas acciones son las siguientes[42]:

a: El coronel Aureliano Buendía y Arcadio se encuentran frente a un pelotón de fusilamiento. Este evento es anunciado reiteradamente por medio de una fórmula retórica similar (vid. más abajo);

b: Aureliano Buendía y su hermano José Arcadio tienen una relación amorosa con Pilar Ternera, con la cual engendran respectivamente un hijo. Arcadio, el hijo de Pilar Ternera y José Arcadio, trata de tener una relación con Pilar Ternera (no sabe que es su madre);

c: Así como Aureliano Buendía y su hermano José Arcadio amaban a la misma mujer, así aman Aureliano Segundo y José Arcadio Segundo, en un comienzo, a Petra Cotes paralelamente;

d: Así como Aureliano Buendía, enamorado de Remedios, busca consuelo en Pilar Ternera (una prostituta), también lo buscará Aureliano Babilonia (que ama a Renata Remedios), primero en Nigromanta (otra prostituta) y luego en la centenaria Pilar Ternera. Lo mismo vale para Aureliano José quien, enamorado de Amaranta, se consuela con las prostitutas del local de Catarino;

e: Así como el patriarca, José Arcadio Buendía, trata de buscar una ruta que conecte Macondo con el mundo exterior, así lo intentará posteriormente José Arcadio Segundo y, con pleno éxito, Aureliano Triste;

f: Un buen número de Buendías se ocupa de descifrar los manuscritos de Melquíades: el coronel Aureliano Buendía, Arcadio, Aureliano Segundo, José Arcadio Segundo y Aureliano Babilonia;

---

42 Con respecto a la función de la repetición en el mito; cf. Eliade (1963: 24-25; 30-31).

g: A la artesanía del metal se dedican el coronel Aureliano, Aureliano Segundo y Arcadio;

h: Así como al comienzo de la familia se encuentra un hijo con *cola de cerdo*, así será también el caso, al final, como resultado de relaciones incestuosas o pseudo-incestuosas;

i: Las acciones del coronel Aureliano Buendía son durante la guerra reiterativas según el esquema: partida a la guerra - batallas - regreso a Macondo, etc.;

j: Así como el patriarca, José Arcadio Buendía, era gallero, así lo serán también Arcadio y Arcadio Segundo;

k: Así como el coronel Aureliano Buendía se ocupa de la política, así lo hará José Arcadio Segundo (que en realidad es Aureliano Segundo).

l: Así como Amaranta pega y despega botones de su túnica mortuoria, así el coronel Aureliano Buendía funde monedas de oro para fabricar pescaditos para luego venderlos y funde, en una segunda etapa, los pescaditos para fabricar otros pescaditos sin vender ninguno.

Estas iteraciones, además de actualizar el mito, implican un cierto determinismo, un destino del cual los Buendía no pueden escapar, organizando el mundo en forma circular, ya que cada actualización es un retorno. El determinismo se inscribe especialmente en las acciones de Amaranta y del coronel en »l«, y en forma pesimista: tenemos un trabajo de Sísifo que muestra una especie de desesperanza, la cual se puede poner en relación con ciertas etapas de la historia de la humanidad y de Latinoamérica (Militarismo bismarckiano, nazismo, estalinismo, opresión, dictaduras, etc.).

1.2 El nivel del discurso I: La organización temporal

La organización temporal de *CAS* se caracteriza por una estructura cronológica-lineal y anacrónica-circular. Ambos procedimientos, igualmente dominantes, se encuentran en una relación de tensión, articulando el profano *hic et nunc* y la sacralidad cicular.[43]

---

43 Cf. Segre (1973: 152-193) en su trabajo, ve lo característico de la temporalidad en *CAS* en, the *overlapping of two dimensions; one, chronicle time, scans out the rhythm of events; the other is a series of extra-temporal drives which anticipate the future and prolong the past, making the wheel of time turn backward and forward to crucial moments of Macondo's century of life*, pero no conecta el tiempo lineal con lo profano, ni el circular con lo mítico. Segre (155-156) parte más bien de dos tipos de tiempo: de un *'mental time'*, que también llama el *'time of the solitude'*, y del *'calendar-time'*, que es el de las acciones presentes. Define el *'mental time of the solitude'*, como *a sort of introversion that passes from the founder of the family to his descendants* [...], una definición que es similar a la nuestra del 'tiempo mítico'. Las observaciones de Segre (1973: 169) ponen de manifiesto, que éste no distingue claramente entre circularidad de la acción y circularidad temporal. Nos parece impreciso aseverar, que el tiempo dominante en *CAS*, sea el del *'mental time'* de los personajes, ya que el narrador omnisciente se encuentra en el centro de la narración, y su discurso es circular. Los personajes no se recuerdan en forma directa, sino que el narrador omnisciente *dice* que los personajes se recuerdan, lo cual tiene un *status* narrativo completamente diferente. El *'mental time'* puede ser solamente considerado como primordial, si se le incluye como parte del tiempo circular mítico. Creemos además que no es exacto hablar, en el caso de *CAS*, de 'simultaneidad', como lo hace Carrillo (1971), ya que la perspectiva temporal parte siempre del orden impuesto por el narrador omnisciente, el cual con

En el campo de las anacronías describiremos aquellos procedimientos de organización temporal que hemos definido como 'anacronía explícita'. En *CAS* tienen los procedimientos temporales la función de crear una historia mítica y al nivel del 'D I', de producir el efecto de la atemporalidad por medio de la circularidad.

A continuación comenzaremos en el análisis con la descripción del nivel de la macro-estructura temporal, para luego pasar a la de la micro-estructura temporal.

1.21 La macro-estructura temporal

Como lo demuestra el diagrama temporal I (p. 82) la secuencia accional de *CAS* compuesta por 26 segmentos accionales comienza anacrónicamente, con una gran analepsis y luego se desarrolla en forma cronológica. La cronología no es destruida, a pesar de ser ésta interrumpida constantemente por las analepsis y prolepsis y por la circularidad.

Mientras al nivel de la historia es cronológicamente el segmento accional del matrimonio de José Arcadio Buendía y Úrsula Iguarán el primero ($_1$A1-), es el primero al nivel del 'D I' aquél de la descripción de Macondo como aldea, cuando llegan los gitanos por primera vez ($_7$a17-). A continuación, el narrador omnisciente inserta una analepsis externa completa que va de ($_1$A1) a ($_6$a6) donde se narra del origen de los Buendía, y una analepsis homodiegética complementadora para la narración de la fundación de Macondo con lo cual tenemos un típico inicio *in medias res*. Como el narrador ha informado, sin introducción ninguna, sobre varios personajes, debe luego volver restrospectivamente sobre aquel pasado mediato que hasta allí se había saltado. La amplia analepsis, que contiene segmentos accionales relevantes y, por esto, es la única unidad que hemos considerado en el análisis de la macro-estructura temporal. A pesar de ser introducida por el narrador, no deja de ser menos sorpresiva para el recipiente. Este descubrirá su motivación central algo más tarde. Cuando el narrador

---

sus intervenciones tanto prolépticas como analépticas impide la ilusión de la simultaneidad. Carrillo no deja en claro lo que entiende por simultaneidad, sino que, al parecer, considera como simultaneidad la paralelidad de un tiempo estático y otro dinámico. Lo mismo vale para su calificación de la miticidad de la temporalidad en *CAS* y que, tampoco en este caso, define lo que él interpreta como tiempo mítico. Kulin (1969) es un caso similar: habla de la *multiplicación de los planos temporales históricos*, entendiendo las diversas reminiscencias de la historia latinoamericana en *CAS*, es decir, un tiempo externo que nada tiene que ver con los procedimientos de organización temporal de la historia narrada. La interpretación de Janik (1978: 345) reitera alguna de las interpretaciones ya descritas; éste dice: *in der künstlerischen Spiegelung der spezifischen Form menschlichen Bewußtseins begründet, jener einzigartigen raum- und zeitlosen Instanz, wo sich Gleichzeitigkeit als Verlauf, Verlauf als Gleichzeitigkeit ereignet* [Traducción: *la temporalidad se basa en el reflejo artístico de la especificidad de la conciencia del ser humano, en aquélla instancia no-espacial y no-temporal, donde la simultaneidad se realiza como sucesión y la sucesión como simultaneidad*], y continúa con la afirmación que *CAS* es una: *erzählerische Entfaltung eines individuellen Bewußtseins, in einem existentiellen und geschichtlichen Sinn. Die lebenswichtige Kraft menschlichen Bewußtseins* [bestehe] *darin, daß es Vergangenheit und Zukunft zusammenzuschauen vermag, daß es von jeder Gegenwart und Vergangenheit aus möglich - zu gestaltende und zu meinende - Zukunft antizipierend zu umgreifen vermag* (348-349) [Traducción: *un desarrollo narrativo de una conciencia individual, en sentido existencial e histórico. La fuerza vital de la conciencia del ser humano radica en que éste es capaz de incorporar el pasado y el futuro, siendo además capaz, partiendo de un presente o pasado determinado, de crear, formular y anticipar el futuro en un todo*].

DIAGRAMA TEMPORAL I:

Analepsis

'NH': 'TA': $[_1A1-_2a2-_3a3-_4a4-_5a5-_6a6]-_7a7-_8a8-_9B9-_{10}b10-_{11}b11-_{12}b12-_{13}b13-_{14}b14-_{15}b15-_{16}b16-_{17}b17-_{18}b18-_{19}b19-_{20}C20-_{21}c21-_{22}c22-_{23}c23-_{24}c24-_{25}c25-_{26}c26$

'D I': 'TT': $_7a'7-A'21-_2a'2-_3a'3-_4a'4-_5a'5-_6a'6-_8a'8-_9B'9-_{10}b'10-_{11}b'11-_{12}b'12-_{13}b'13-_{14}b'14-_{15}b'15-_{16}b'16-_{17}b'17-_{18}b'18-_{19}b'19-_{20}C'19-_{21}c'21-_{22}c'22-_{23}c'23-_{24}c'24-_{25}c'25-_{26}c'26$

'D II': {narrador omnisciente}

Gráfico temporal de la circularidad:

Comienzo al nivel del 'D I'

$_1A31 \longrightarrow _6a'76 \quad _7a'7 \longrightarrow _8a'28 \quad _9B'89 \longrightarrow _{26}c'26$

($_7$a^{17}-) informa sobre los gitanos ('NT I') describe el asombro que produce el hielo en el patriarca José Arcadio Buendía (*CAS*: 22-23). En este momento, el cronista interrumpe bruscamente la cronología y narra el origen de la familia. Una vez que el recipiente se ha informado del pasado de los Buendía, anterior a Macondo y del sueño de José Arcadio Buendía ('NT II'), constata que la visita al hielo del patriarca y sus hijos ('NT I') es el punto que obliga al narrador a insertar la analepsis:

> *José Arcadio Buendía no logró descifrar el sueño de las casas con paredes de espejos hasta el día en que conoció el hielo. Entonces creyó entender su profundo significado.* (*CAS*: 28)

El narrador debe explicar de qué sueño se trata y para esto retornar al inicio, es decir, al momento del sueño, y debe además, para asegurar la coherencia narrativa, explicar por qué la familia se encuentra en ese lugar y por qué tuvo que salir de su tierra natal. Además, se explica con la analepsis la observación que el narrador hace cuando nace en la selva el primer hijo de José Arcadio Buendía y Ursula: [...] *y sus padres dieron gracias al cielo al comprobar que no tenía ningún organo animal* (*CAS*: 20), que se refiere - como sabemos - al origen mismo de la razón del abandono de la tierra natal. Es solamente a través de esta correlación de segmentos que el recipiente logra captar que lo narrado es una analepsis. La única señal que éste obtiene, fuera de la interrupción al 'NH' y del 'D I', es la segmentación tipográfica (en este caso el inicio de un nuevo capítulo; *CAS*: 24).

La función de la analepsis es tradicional: no contribuye a la anacronización o simultaneidad del flujo de la historia, sino a asegurar la coherencia comunicativa, de allí también su débil función externa, ya que al fin es el narrador el que orienta al lector. Este tiene las características de un oráculo.[44]

1.22 La micro-estructura temporal

1.221 Circularidad temporal como procedimiento de apoyo para la constitución de la estructura mítica en el texto y en la conciencia del lector

Dentro de la sucesión de acciones cronológicas, que está determinada por el narrador omnisciente, se constituyen círculos temporales que - como ya habíamos indicado - se caracterizan por el empleo de analepsis y prolepsis y, de tal forma, que un narrador, partiendo de un punto temporal X (o claramente determinado), menciona un suceso futuro A, luego un suceso pasado B y desde allí puede narrar cronológicamente hasta llegar al suceso anunciado A, el cual es ampliamente expuesto.

La circularidad temporal tiene la función texto interna de conducir a una estag-

---

44 Entendemos como un malentendido de Strausfeld (1976: 254-255) el aseverar que el narrador narra a través de la perspectiva de los personajes, un procedimiento típico de una narración neutral, lo cual se encuentra en contradicción a la constatación de la autora, unas líneas antes, que el narrador es omnisciente. El narrador es en *CAS* siempre omnisciente, con la única excepción de aquél monólogo en discurso indirecto libre de Fernanda, cuando comienza el diluvio (*CAS*: 274ss.); al respecto cf. también Vargas Llosa (1972: 538-545, especialmente 542-543).

nación pasajera del tiempo y a una mitización del tiempo y, texto externa, de producir el efecto de la atemporalidad que se obtiene a través del retorno del narrador al punto de partida, fundiendo el pasado y el futuro en un presente sin tiempo.[45]

Los círculos temporales no se encuentran en *CAS* aislados y en forma simple, sino que por lo general entrelazados con dos o más círculos.

Ejemplo (1): 'Aureliano Buendía frente al pelotón de fusilamiento y el hielo'

> *Muchos años después, frente al pelotón de fusilamiento* (= a) *el coronel Aureliano Buendía había de recordar aquella tarde remota en que su padre lo llevó a conocer el hielo* (= b). *Todos los años por el mes de marzo una familia de gitanos desarrapados plantaba su carpa cerca de la aldea* (= c). *En marzo volvieron los gitanos* (= d) [...]
> *Cuando llegó Melquíades a poner las cosas en su punto* (= e) [...]. *Cuando volvieron los gitanos* (= f) [...] *oyendo a la distancia los pífanos y tambores y sonajas de los gitanos que una vez más llegaban a la aldea* [...]. *Tanto insistieron, que José Arcadio Buendía pagó treinta reales y los condujo al centro de la carpa* [...] *el cofre dejó escapar un aliento glacial* [= b']. *Cuando el pelotón lo apuntó, la rabia se había materializado en una sustancia viscosa y amarga que le adormeció la lengua y lo obligó a cerrar los ojos* (= a').
> *Entonces desapareció el resplandor de aluminio del amanecer y volvió a verse a sí mismo, muy niño, con pantalones cortos y un lazo en el cuello, y vio a su padre en una tarde espléndida conduciéndolo al interior de la carpa, y vio el hielo* (= b'') (*CAS*: 9; 10; 12; 14; 21-23).

La mención del suceso (a) es una prolepsis interna heterodiegética ya que anuncia una acción que no es parte de lo narrado en ese momento. Por el contrario es (b), desde la perspectiva del recipiente una acción proléptica interna, heterodiegética ya que éste no conoce ni (a), ni (b); del punto de vista del narrador es una acción analéptica interna, homodiegética-reanudadora, ya que (b) tiene lugar antes que (a). El narrador no comienza de inmediato a narrar sobre el hielo, sino que por medio de una analepsis interna, homodiegética-complementadora retrocede aún más en el pasado hasta llegar a la primera vista de los gitanos (y a la primera de cualquier tipo de extraños después de la fundación de Macondo) (= c), y luego narra cronológicamente todas las otras visitas de los gitanos (= d, e), hasta la sexta (= f), en la cual traen el hielo, que los Buendía visitan, cerrándose el 'círculo del hielo' (= b'). El narrador informa a continuación sobre una serie de otros sucesos hasta el punto en que el coronel se encuentra frente al pelotón de fusilamiento (= a'), cerrando así también este círculo. Partiendo de (a') se menciona un último recuerdo de la visita del hielo (= b'').

---

45 Cf. Arnau (²1975: 56) y Vargas Llosa (²1971: 598-615).

El diagrama temporal II nos reproduce la circularidad descrita:

'Nh': 'TA': c1 - d2 -e3 - f4 - b5 (=b'5/b''5) - a6 (=a'6)

Prolepsis

'DI': 'TT': a ^{1} 6 [-b ^{2} 5-(c ^{3} 1-d ^{4} 2-e ^{5} 3-f ^{6} 4)-b' ^{7} 5] -a' ^{8} 6-<b'' ^{9} 5>

Pro.   An. $_1$ An. $_2$ Pre.   Pre.   An.

Analepsis

Los parentesis [], (), <> indican el *status* temporal o la dependencia temporal de los segmentos accionales: (b^{2}5) depende de la prolepsis (Pro.) (a^{1}6), el coronel se recuerda durante la acción (a) de la acción (b); los segmentos (c1), (d2), (e3) y (f4) dependen de (b5), el narrador, motivado por la acción en el segmento (b5), no narra de inmediato la sexta visita de los gitanos, es decir, la visita de los Buendía al hielo, sino que comienza por la primera (An.), para luego narrar cronológicamente hasta (b'5). (b'75) representa el presente narrativo (Pre.), allí los Buendía visitan realmente el hielo. Con (a'^{8}6) se llega a otra acción del presente que ya había sido anunciada en la p. 22-23, pero, como el segmento (a'^{8}6) se encuentra en la p. 115, el narrador debe insertar una vez más una analepsis, para indicarle al recipiente de qué tratan los recuerdos del coronel (b'75) frente al pelotón de fusilamiento. El fin de la secuencia al nivel del 'D I' (b'''95) se conecta con el principio (b^{2}5), como es también el caso de (a^{1}6) y de (a'^{8}6):

Comienzo   Final

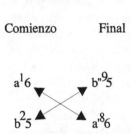

a^{1}6   b''^{9}5

b^{2}5   a'^{8}6

Dentro del círculo descrito se encuentra otro, el de Arcadio, sobrino del coronel e hijo de su hermano y de Pilar Ternera, que como su tío se encuentra frente a un pelotón de fusilamiento. El recipiente es intencionadamente confundido, ya que los anuncios sobre su destino se hacen con la misma fórmula retórica que aquéllos sobre el coronel.

Ejemplo (2): 'Arcadio frente al pelotón de fusilamiento'

> *Años después, frente al pelotón de fusilamiento* (= g), *Arcadio había de acordarse del temblor con que Melquíades le hizo escuchar varias páginas de su escritura impenetrable, que por supuesto no entendió, pero que al ser leídas parecían encíclicas cantadas. Luego sonrió por primera vez en mucho tiempo y dijo en castellano* [...] (= h)
> *- Ahí te dejamos a Macondo - fue cuanto le dijo a Arcadio antes de irse -. Te lo dejo bien, procura, que lo encontremos mejor* (= i). *Al amanecer, después de un consejo de guerra sumario, Arcadio fue fusilado contra el muro del cementerio* (= g') [...] (*CAS*: 68; 94; 106).

Diagrama temporal III:

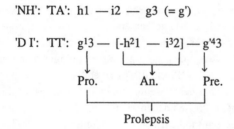

$$\text{'NH': 'TA':} \quad h1 - i2 - g3 \; (= g')$$

El narrador anuncia a través de una prolepsis interna heterodiegética el fusilamiento de Arcadio (g^13), retorna luego al pasado remoto, a una conversación entre Arcadio y Melquíades (h^21) por medio de una analepsis interna heterodiegética (para el recipiente aparece ésta como una prolepsis interna heterodiegética), sigue narrando en forma cronológica cómo a Arcadio se le nombra administrador de Macondo (i^32) y finalmente cierra el círculo con la descripción del fusilamiento ($g^{'4}3$).

Ambos círculos se pueden representar reunidos en el diagrama temporal IV (p. 85), donde hemos definido el *status* temporal de los segmentos a través de una indicación con respecto a la ubicación de éstos en el presente, si son analépticos o prolépticos, siendo el comienzo marcado por (a^19), luego sigue una analepsis sobre la visita al hielo (b^25) para continuar narrando cronológicamente hasta el final del círculo del hielo en ($b^{'7}5$). En (g^88) se inicia el próximo círculo, el de Arcadio frente al pelotón de fusilamiento, al cual le sigue el del coronel en la misma situación. Este acontecimiento ($b^{'13}5$) se une con aquél del hielo. En el 'NH' representa ($c1$) la primera visita

Diagrama temporal IV:

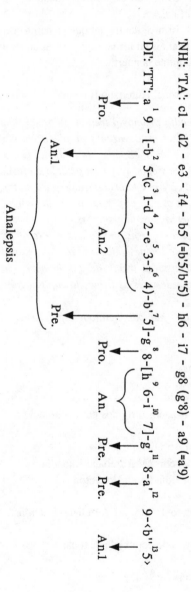

'NH': 'TA': c1 - d2 - e3 - f4 - b5 (=b'5/b''5) - h6 - i7 - g8 (g'8) - a9 (=a'9)

'DI': 'TT': a^1 9 - [-b^2 5-(c^3 1-d^4 2-e^5 3-f^6 4)-b^7 5]-g^8 8-[h^9 6-i^{10} 7]-g'^{11} 8-a'^{12} 9-<b''^{13} 5>

Pro.   An.1   An.2   Pre.   Pro.   An.   Pre.   Pre.   An.1

Analepsis

de los gitanos en Macondo el comienzo de la minisecuencia, y (a9) el coronel frente al pelotón de fusilamiento, el final.

Un tercer círculo, que se constituye dentro del que ya hemos descrito, pero que, por cerrarse fuera de éste, lo analizamos en forma separada, es aquél de las 'Aventuras del coronel Aureliano Buendía' durante la guerra.

Ejemplo (3): 'Aventuras del coronel Aureliano Buendía'

El coronel Aureliano Buendía promovió treinta y dos levantamientos armados y los perdió todos. Tuvo diecisiete hijos varones de diecisiete mujeres distintas, que fueron exterminados uno tras otro en una sola noche, antes de que el mayor cumpliera treinta y cinco años. Escapó [...] a un pelotón de fusilamiento. Sobrevivió una carga de estricnina en el café que habría bastado para matar un caballo. Recha-zó la Orden del Mérito que le otorgó el presidente de la república. Llegó a ser co-mandante general de las fuerzas revolucionarias [...] pero nunca permitió que le tomaran una fotografía. Declinó la pensión vitalicia que le ofrecieron después de la guerra y vivió hasta la vejéz de los pescaditos de oro que fabricaba en su taller de Macondo. Aunque peleó siempre al frente de sus hombres, la única herida que recibió se la produjo el mismo después de firmar la capitulación de Neerlandia [...]. Se disparó un tiro [...].

- Ahí te dejamos a Macondo - fue todo cuanto le dijo a Arcadio antes de irse - [...]. (*CAS*: 94)

Apertura del círculo (*CAS*: 94)

		Cierre del Círculo
a:	Los 32 levantamientos armados dirigidos por el coronel Aureliano Buendía	a' (p. 149)
b:	Los 17 hijos del coronel Aureliano Buendía	b' (pp.133-134)
c:	Asesinato de los hijos del coronel Aureliano Buendía	c' (p. 207ss.)
d:	El coronel Aureliano Buendía frente al pelotón de fusilamiento	d' (p. 115ss.)
e:	Intento de envenenamiento del coronel Aureliano Buendía	e' (p. 120)
f:	Rechazo de la Orden de Mérito	f' (p. 156)
g:	El coronel Aureliano Buendía como jefe de todas las milicias	g' (p. 146)
h:	Prohibición de sacarle una foto	h' (p. 154)
i:	Rechazo de la pensión	i' (p. 174)
j:	Fabricación de los pescaditos de oro	j' (p. 173)
k:	Intento de suicidio	k' (pp.155-156)
l:	Aureliano Buendía deja Macondo para irse a la guerra	(Analepsis *CAS*: 94)

Después de once prolepsis internas, homodiegéticas, reanudadoras, que resumen hechos fundamentales en la vida del coronel, el narrador retorna al pasado más lejano del punto de las anunciaciones donde describe la despediada del coronel de Macondo, y desde allí narra luego cronológicamente hasta cerrar cada círculo.

El diagrama temporal V (p. 90) nos muestra que en 'NH' el segmento (l1) es el primero en la cronología, por el contrario tiene éste el lugar 12 al nivel del 'D I'. El 'TT' indica que primero se insertan todas las prolepsis (a^16-b^22 ... $k^{11}10$), luego se introduce un segmento del pasado ($l^{12}1$) y a continuación se realizan todas las prolepsis en sucesión cronológica. En este pasaje el narrador actúa como oráculo anticipando el futuro sin la menor vacilación y demostrando que es él el creador de Macondo.

Un último círculo por analizar, y que representa el más complejo de la novela, es el que se refiere a la vida de Aureliano Segundo, iniciándose en *CAS*, pp. 159-182 y cerrándose en *CAS*, p. 300.

Puesto que en el ejemplo a tratar, cada cita textual ocuparía un espacio muy grande (se tendrían que citar 23 páginas), definiremos cada segmentos como aparecen en la superficie del texto.

Ejemplo (4): 'La vida de Aureliano Segundo'

Apertura del círculo	Cierre del Círculo
a: Mención proléptica de la muerte de Aureliano Buendía (p. 159)	a' (p. 300)
b: Nacimiento de José Arcadio (p. 159)	b' (p. 182)
c: Mención analéptica del matrimonio de Aureliano Segundo y Fernanda (p. 159)	c' (p. 176)
d: Mención analéptica de Aureliano Segundo y de José Arcadio Segundo (pp. 159-161)	-
e: Mención analéptica de la vida de Petra Cotes (p. 165)	-
f: Mención analéptica de la riqueza de Aureliano Segundo (p. 165)	f' (p. 167)
g: Mención analéptica de relación amorosa entre Aureliano Segundo y Petra Cotes (pp. 166-167)	g' (p. 146)
h: Mención proléptica del primer encuentro de Aureliano Segundo y Fernanda (p. 170)	h' (p. 175)
i: Nominación de Remedios como reina del carnaval (p. 170)	i' (p. 154)
j: Narración analéptica de la niñéz de Remedios	-
k: Llegada de Fernanda a Macondo como reina de Madagascar (p. 175)	-

Diagrama temporal V:

'NH': 'TA': ll(l')-b2(b')-d3(d')-e4(e')-g5(g')-a6(a')-h7(h')-f8(f')-c9(c')-k10(k')-i11(i')-j12(j')

'DI': 'TT': a^{1} 6-b^{2} 2-c^{3} 9-d^{4} 3-e^{5} 4-f^{6} 8-g^{7} 5-h^{8} 7-i^{9} 11-j^{10} 12-k^{11} 10-l^{12} 1-l'-d'-e'-b'-g'-a'-h'-k'-f'-j'-i'-c'

l: Aureliano segundo en busca de Fernanda   l' (p. 179)
           (p. 176)
m: Término del matrimonio de Aureliano Segundo y Fernanda   -
           (p. 177)
n: Mención analéptica de una retrato de Petra Cotes   n' (p. 182)
    como reina de Madagascar   (p. 177)
o: Narración analéptica de la niñéz de Fernanda   -
           (p. 180)

En el diagrama temporal VI (p. 92) el paréntesis [] indica al comienzo de la secuencia una prolepsis independiente. El narrador retorna luego al presente (b) y de allí se dirige al pasado (c), siendo (c) una analepsis dependiente de (b), así como (d), (e), (f), (d), y (f') están subordinadas a (c), ya que aquí es donde el narrador salta al pasado. Partiendo de (d) el narrador informa analépticamente sobre los segmentos (e), (f) y (g), y de (e) narra sobre (f) y (g); finalmente está (g) subordinada a (f). El segmento (f6) es el cierre del círculo (como es el caso de todas las letras con la comilla), es decir, del segmento (f6) es de donde el narrador da una mirada retrospectiva al pasado de Aureliano Segundo:

> En pocos años [...], había acumulado una de las más grandes fortunas de la ciénaga, gracias a la proliferación sobrenatural de sus animales [...] (CAS: 165-166),

para narrar en forma amplia sobre el origen de la fortuna, que está relacionado con Petra Cotes, cuya feminidad y sensualidad contagia a los animales en su deseo de procreación, hasta alcanzar el presente:

> Así empezaron las cosas. De la noche a la mañana, Aureliano Segundo se hizo dueño de tierras y ganados, y apenas si tenía tiempo de ensanchar las caballerizas y pocilgas desbordadas. Era una prosperidad de delirio que a él mismo le causaba risa [...]. (CAS: 167-168ss.)

El segmento (h) es una segunda prolepsis independiente en la cual se anuncia el encuentro entre Aureliano Segundo con Fernanda durante el carnaval, y la denominación de Remedios como reina del carnaval, (i), conectado con una analepsis sobre su niñez, (j), la que está subordinada a (i). El carnaval tiene lugar, Fernanda llega a Macondo, (k), Remedios es reina del carnaval (i') (cierre del círculo). Los segmentos (i), (j), (k) e (i') están subordinados a la prolepsis (h) ya que el narrador narra todo esto motivado por el anunciado encuentro de Aureliano Segundo y Fernanda. En (h') (cierre del círculo) se encuentran realmente los dos personajes y, después de haber terminado el carnaval, Aureliano Segundo se pone en busca de Fernanda, (l), para casarse con ella, (c'). Al poco tiempo de haberse realizado la boda, fracasa el matrimonio, (m), y Aureliano Segundo desilusionado por el tedio de su relación sexual con Fernanda, retorna donde su amante Petra Cotes, (m)/(n). Para ganar nuevamente su

Diagrama temporal VI:

'NH': 'TA': d1-02-j3-e4-g5-f6(f'6)-i7(i'7)-k8(k'8)-h9(h'9)-l10(l'10)-m11-c12(c'12)-n13(n'13)-b14(b'14)-a15(a15)

'DI': 'TT': [a^1 5]- { b^2 14-(c^3 12-{ d'^{4} 1-[e^5 4-(f'^{6} 6-[g^7 5])]-f'^{8} 6}) -[h^9 9]- { i'^{10} 7-(j^{11} 3)- k^{12} 8- i'^{13} 7 }

Pro ← Pre ← An ← An ← An ← An ← An ← An ← Pre ← Pro ← Pre ← An ← Pre ← Pre

'DI': Pre ← Pre ← Pre ← Pre ← An ← An ← Pre ← Pre ← Pre ← Pre

-h'^{14} 9-l^{15} 10- c'^{16} 12- m^{17} 11-[n^{18} 13-(o^{19} 2)-i'^{20} 10- n'^{21} 13- b'^{22} 14]- a'^{23} 15

amor, la hace fotografiar como reina de Madagascar, es decir, en el disfraz que llevaba Fernanda durante el carnaval, (n). El narrador, motivado por la actitud de Fernanda y sus consecuencias, y por la personalidad completamente opuesta de ambas mujeres, narra sobre la infancia de Fernanda, en la cual se describen las razones de su veleidad y arrogancia aristocrática, de su reprimida sexualidad y de sus prejucios. A continuación se cierran los círculos de (l'), (n'), (b') y (a') alcanzado el narrador con este último segmento el presente ficcional. La secuencia que va de (n) a (b') está subordinada a (m) porque - como ya lo hemos indicado - el narrador está motivado por el fracaso del matrimonio, y debe dar las razones de éste. Finalmente constatamos que los segmentos que van de (b) a (b') están subordinados a aquéllos que van de (a) hasta (a'), ya que es el recuerdo del agonizante Aureliano Segundo, anticipado por el narrador (*CAS*: 159), la causa de estos episodios, lo cual el recipiente descubre *a posteriori*.

Para términar, quisiéramos determinar el *status* específico de las anacronías. La prolepsis (a) es una homodiégetica completadora ya que reproduce el recuerdo de Aureliano Segundo que en el momento preciso de su muerte (*CAS*: 300) no es mencionado. La prolepsis (h) es una homodiégetica, anticipadora, ya que anticipa una acción a la cual el narrador se referirá más tarde ampliamente.

Todas las analepsis, con la excepción de (n) y (o) (que son reanudadoras), se pueden definir como complementadoras, ya que se agregan informaciones que durante la narración habían sido calladas. Las analepsis (n) y (o) agregan nuevas perspectivas a las acciones presentes: (d) sirve para comparar a las dos mujeres amadas por Aureliano Segundo, y da las razones de sus caracteres y de las actitudes de los personajes.

Todas las acciones mencionadas al comienzo del párrafo descrito tienen, eso sí, un *status* proléptico para el recipiente, ya que hasta ese momento el narrador no había hecho mención de estos segmentos, y de allí se desprenden las diversas analepsis, conectadas con otras prolepsis, que a su vez exigen su explicación, perforando la dimensión del presente.

Así como la repetición de acciones hace aparecer la vida de los Buendía como una perenne recurrencia del retorno símil o idéntico, del mismo modo los círculos temporales tienden a anular la linearidad y el flujo del tiempo que es virtualmente reemplazado por la atemporalidad. Así se supera la función tradicional de las analepsis y prolepsis en cuanto ya no solamente deben informar o anticipar, sino también neutralizar el tiempo, diluyendo el límite entre presente, pasado y futuro lo que es a su vez reforzado por la circularidad temporal.[46] La estereotipicidad de las fórmulas analépticas y prolépticas sirven, además, de soporte para la memoria del recipiente, contribuyendo también a la introducción, habitualización y actualización de un mito.

---

46   Al respecto de la función del futuro perfecto en *CAS*, vid. Gallo (1974/75: 115-135).

1.222 Permutación temporal explícita como procedimiento adicional para el reconocimiento y la actualización de estructuras míticas

El empleo de prolepsis, pero especialmente de analepsis, no es un mero azar ni tampoco la simple consecuencia de un narrador omnisciente, sino un fundamento de la
concepción mítica de la novela. No existe prácticamente una página en *CAS*, en que
no se emplee este tipo de anacronías. A continuación describiremos algunas de estas
anacronías bajo el aspecto de su función mítica.

Dos de las analepsis y prolepsis más empledas son aquéllas sobre el pelotón de fusilamiento y sobre el hielo:

> *Muchos años después, frente al pelotón de fusilamiento el coronel Aureliano*
> *Buendía había de recordar aquella tarde remota en que su padre lo llevó a*
> *conocer el hielo.* (*CAS*: 9)

> *Aquellas alucinantes sesiones quedaron de tal modo impresas en la memoria*
> *de los niños, que muchos años más tarde, un segundo antes de que el oficial*
> *de los ejercitos regulares diera orden de fuego al pelotón de fusilamiento, el*
> *coronel Aureliano Buendía volvió a vivir la tibia tarde de marzo en que su*
> *padre interrumpió la lección de física, y se quedó fascinado, con la mano en*
> *el aire y los ojos inmóviles, oyendo a la distancia los pífanos [...] de los*
> *gitanos [...].* (*CAS*: 21)

> *Tenía la misma languidez y la misma mirada clarividente que había de tener*
> *años más tarde frente al pelotón de fusilamiento [...].* (*CAS*: 50)

> *El mismo, frente al pelotón de fusilamiento, no había de entender muy bien*
> *cómo se fue encadenando la serie de sutiles pero irrevocables casualidades*
> *que lo llevaron hasta ese punto [...].* (*CAS*: 87)

> *Escapó a catorce atentados [...] y a un pelotón de fusilamiento [...].* (*CAS*:
> 95)

> *Nadie puso en duda el origen de ese niño sin nombre: era igual al coronel*
> *por los tiempos en que lo llevaron a conocer el hielo [...]* (*CAS*: 133).

> *Sus únicos instantes felices, desde la tarde remota en que su padre lo llevó a*
> *conocer el hielo [...].* (*CAS*: 149)

> *[...] y por primera vez desde su juventud pisó conscientemente una trampa de la*
> *nostalgia, y revivió la prodigiosa tarde de gitanos en que su padre lo llevó a co-*
> *nocer el hielo [...].* (*CAS*: 229)

Fuera de estas prolepsis y analepsis que se refieren al coronel, tenemos aquellas en
relación a Arcadio:

> *Años después, frente al pelotón de fusilamiento, Arcadio había de acordarse*

del temblor con que Melquíades le hizo escuchar varias páginas [...]. (*CAS*: 68)

Fue ella la última persona en que pensó Arcadio, pocos años después frente al pelotón de fusilamiento [...]. (*CAS*: 82)

La recurrencia de formas anacrónicas no es un mero fenómeno de la frecuencia textual, cuando se trata de *repeticiones analépticas y prolépticas* que llaman la atención por su número y persistencia, por lo demás única en la tradición novelística.

Siendo la función tradicional de las analepsis la de informar y la de las prolepsis la de, por ejemplo, producir tensión, en el caso de *CAS*, no lo es, ya que esta función habría perdido su efecto después de más de dos repeticiones, es decir, aquí se apunta otro tipo de empleo. Fuera de la función mítica, ya mencionada, contribuye la anacronía recurrente en *CAS* - como la circularidad - a confundir los límites espacio-temporales. La similitud de las anunciaciones del coronel y de Arcadio ponen en evidencia la igualdad en la diferencia, la anacronía es altamente cargada de energía semántica. El hecho es el mismo, los personajes y las causas son diversas. Mientras el coronel se encuentra frente a un pelóton de fusilamiento como consecuencia de la guerra, Arcadio lo hace como criminal. Fuera de eso, el coronel es liberado por su hermano y Arcadio es ejecutado, el héroe se salva, el criminal recibe su merecido castigo. Con la ejecución de Arcadio muere el primer Buendía en Macondo, teniendo así un efecto proléptico-indicial, ya que anuncia la decandencia y la destrucción futura de la familia.

En *CAS* la circularidad accional y temporal, la recurrencia de anacronías, de acciones y de nombres, no contribuyen a reducir la energía semántica de la historia acentuando los procedimientos narrativos, o a transformar la historia en un reflejo de los procedimientos textuales, sino en la creación de un nuevo mito literario, tanto al interior del texto como en la conciencia del recipiente.

El resultado de los procedimientos anacrónicos tiene además el efecto de ampliar y de extender el tiempo presente, un procedimiento al cual se le antepone la aceleración temporal para mantener el equilibrio de la narración.

1.223 Retardación y aceleración temporal como procedimientos adicionales para la constitución temporal mítica

A) Ampliación temporal

Una extensa analepsis constituye las acciones que se encuentran entre la p. 159 y 182 de la novela, que ya hemos analizado bajo el aspecto de la circularidad (vid. más arriba, p. 90-91), y que se presta en forma ejemplar para discutir el problema de la ampliación temporal del presente.

El pasaje comienza con el anuncio de la muerte de Aureliano Segundo, luego el narrador retorna al presente para contar el nacimiento de su primer hijo con Fernanda.

Desde este punto el narrador salta al pasado remoto donde se refiere al nacimento y juventud de los gemelos Aureliano Segundo y José Arcadio Segundo, al carnaval, al encuentro entre Aureliano Segundo y Fernanda, la búsqueda de Fernanda, el matrimonio, etc. El narrador finaliza la analepsis retornando al presente con la nueva mención del nacimiento del hijo de Aureliano Segundo (*CAS*: 182), que es el punto central del presente. Solamente en este momento percibe el recipiente que todo lo narrado no era algo inmediato, sino una gran analepsis que había »inflado« el presente, pero la vivencia de lo narrado durante este transcurso es presente.

Otro ejemplo, es aquél que ya tratamos en el análisis micro-estructural, donde se narra sobre el origen de los Buendía (*CAS*: 24-28). Especialmente en este caso, donde la anelepsis no está desde un comienzo conectada directamente, es decir, deícticamente, con el discurso del narrador, se obtiene la impresión de lo inmediato, la cual se destruye cuando el narrador retorna al presente.

B) Aceleración temporal

El discurso básico en *CAS* es la crónica omnisciente, los diálogos constituyen una excepción y son mediatizados por el narrador, siendo esta forma discursiva la dominante y por consecuencia la aceleración temporal como parte típica de la situación narrativa omnisciente.

La aceleración está también estrechamente ligada al mito:

> *Especialmente lo que es general, pero usualmente activo, es lo que el mito sintetiza a través de una narración veloz de acciones, con la irrupción súbita e irrefutable de un hecho: emana, emana. Y   a s í   s u c e d i ó, escuchamos en nuestro mito del génesis.*[47]

El ritmo narrativo en *CAS* se caracteriza en particular por tres tipos de aceleración temporal: por la sucesiva-abrupta con *status* proléptico (o sin éste), por la sucesiva paulatina y por la iterativa-durativa. Es decir, la narración fluctúa entre una equivalencia entre 'TT' y 'VT' y su divergencia, entre isocronía y anisocronía, predominando ésta última forma en *CAS*.

Ejemplo (1):

a)   *Muchos años después, frente al pelotón de fusilamiento el coronel Aureliano Buendía había de recordar* [...] (*CAS*: 9)
(= aceleración temporal abrupta-proléptica);
Durante varios años esperó la respuesta [...] (*CAS*: 11)
(= aceleración temporal abrupta-simple);
Llovió cuatro años, once meses y dos días [...] (*CAS*: 267)

---

47   Jolles (²1958: 113-114), Texto original: *Gerade das, was allgemein, aber im Vielfach tätig ist, faßt die Mythe mit einem eiligen Sich-Ereignen, mit einem plötzlich eintretenden, unabweisbaren Geschehen: es springt zutage, es entspringt. »U n d   s o   g e s c h a h   e s«, heißt es in unserem Genesismythos.*

(= aceleración temporal abrupta-simple);[48]
b)   [...] *pasó largos meses de lluvia; permaneció noches* [...] (*CAS*: 11)
      (= aceleración temporal iterativa-durativa);
      Los primeros días, al término de la primavera [...] (*CAS*: 267)
      (= aceleración temporal iterativa-durativa).

El tipo dominante de aceleración en *CAS* es la iterativa-durativa y aquél de la suce-siva-abrupta, muchas veces con un *status* proléptico. En minoría se encuentra la ace-leración paulatina.

Ejemplo (2) de aceleración iterativa-durativa (en relación con día, noche y mañana):

[...] *todas las tardes; todas las noches; por las tardes; por las noches; todos los días, todas las mañanas; los martes* (*CAS*: 11-13; 17; 25; 27-28; 47; 80; 95; 129; 146).

en relación a meses:
[...] *durante varios meses* (*CAS*: 10-11; 25; 27-28; 47; 80; 95; 129; 146).

en relación a años:
[...] *todos los años, durante varios años* (*CAS*: 10; 15; 18; 21; 82; 143; 161).

Estos procedimientos temporales contribuyen a producir el efecto en el recipiente que los hechos narrados »han tenido lugar hace mucho tiempo«, es decir, el recipien-te, luego de haber leído tan sólo algunas páginas de la novela, se siente imbuído en un texto donde tiene la impresión que ya han pasado muchas acciones, haciéndolo así sentirse »familiar« a la historia narrada.

Fuera de eso, estos procedimientos contribuyen a estabilizar la sucesión temporal, una consecuencia de las técnicas textuales sintagmáticas, ya que mientras mayor es la conexión sintagmática de los segmentos accionales, mayor es la predominancia de este tipo de aceleración. La radicalización de la aceleración iterativa-durativa con-duce a una aceleración abrupta simple:

Ejemplo (3):

Al decirlo, no imaginaba que era más fácil empezar una guerra que terminarla. Ne-cesitó casi un año de rigor sanguinario para forzar al gobierno [...] *y otro año para persuadir a sus partidarios.* (*CAS*: 149)

Durante varios años esperó la respuesta [...]. (*CAS*: 11)

Este tipo de aceleración le permite al narrador resumir acciones secundarias, que contienen informaciones necesarias para el recipiente, para luego pasar a acciones de carácter central. La aceleración abrupta se encuentra muchas veces en *CAS* acompa-ñada de una de tipo proléptico, que es una consecuencia de la circularidad temporal:

---

48   Esta fórmula es un imitación de la Biblia, *Génesis* 7.17: *Diluvió durante cuarenta días sobre la tierra* [...].

Ejemplo (4):

Muchos años más tarde; meses después (CAS: 21; 37; 38; 50; 56; 67; 77, 79; 81; 87; 096; 101; 103; 116; 117; 123; 137).

Este tipo de aceleración se acerca a la elipsis, es decir, a la producción de un vacío temporal (vid. cap. I, 2.223, pp. 48ss.), ya que el narrador anuncia o anticipa una acción sin ninguna preparación, saltando una cantidad considerable de tiempo en relación al presente narrativo.

Ejemplo (5):

a) Aceleración paulatina pura:

> *Esa misma tarde; pocos días después; por varios días; en las tardes; una tarde; al día siguiente; Media hora después; al principio; poco a poco* [...] *(CAS:* 57; 61; 66-67; 69; 80; 82; 89; 109; 112; 129; 124; 128; 132; 143; 146; 148; 152).

> *La única persona infeliz en aquella celebración estrepitosa que se prolongó hasta el amanecer del lunes, fue Rebeca Buendía* [...] *pero Pietro Crespi recibió el viernes una carta con el anuncio de la muerte inminente de su madre. La boda se aplazó. Pietro Crespi a la media noche del domingo* [...]. *(CAS:* 76)

> *La víspera de las elecciones el propio don Apolinar Mascote leyó un bando que prohibía desde la media noche del sábado, y por cuarenta y ocho horas, la venta de bebidas alcohólicas* [...]. *Desde las ocho de la mañana del domingo se instaló en la plaza la urna de madera* [...] *el propio Aureliano que estuvo casi todo el día con su suegro vigilando* [...]. *A las cuatro de la tarde, un repique de redoblante en la plaza anunció el término de la jornada* [...]. *Esa noche mientras jugaba dominó con Aureliano, le ordenó al sargento a romper la etiqueta para contar los votos. Luego volvieron a sellar la urna* [...] *y al día siguiente a primera hora se la llevaron para la capital de la provincia* [...]. *(CAS:* 88-89)

b) Aceleración paulatina mixta:

> *Cuando la respiración de Melquíades empezó a oler, Arcadio lo llevó a bañarse al río los jueves en la mañana. Pareció mejorar* [...]. *Así pasó mucho tiempo* [...] *salvo la noche que hizo un conmovedor esfuerzo por componer la pianola* [...]. *Un jueves, antes de que lo llamaran para ir al río, Aureliano lo oyó decir* [...]. *Ese día se metió en el agua por un mal camino y no lo encontraron hasta la mañana siguiente* [...]. *(CAS:* 68-69)

1.224 La experiencia temporal mítica en los personajes y en el lector implícito

La organización temporal de *CAS*, en servicio de la mitización del mundo narrado, se concretiza finalmente en la experiencia y percepción de los personajes, que en muchos casos reproduce la situación del recipiente. El tiempo mítico se transforma en los personajes en vivencia y en objeto de reflexión. Las observaciones de los personajes sobre el tiempo no tienen, como por ejemplo en el *nouveau roman*, un *status* 'meta-discursivo'. En *CAS* se trata de una interiorización del tiempo de la historia vivida, ya que los personajes experimentan el tiempo en correspondencia con el narrador.[49]

El patriarca José Aracadio Buendía es el primer personaje que se ocupa de la temporalidad:

Ejemplo (1):

a) *José Arcadio Buendía consiguió por fin lo que buscaba: conectó a una bailarina de cuerda el mecanismo del reloj, y el jugete bailó sin interrupción al compás de su propia música durante tres días. Aquel hallazgo lo excitó mucho más que cualquiera de sus empresas descabelladas. No volvió a comer. No volvió a dormir [...] se dejó arrastrar por su imaginación a un estado de delirio perpetuo del cual no se volvería a recuperar [...] .*
José Arcadio Buendía conversó con Prudencio Aguilar hasta el amanecer. Pocas horas después [...] entró al taller de Aureliano y le preguntó: ¿Qué día es hoy?«
Aureliano le contestó que era martes. »Eso mismo pensaba yo«, dijo José Arcadio Buendía. »Pero de pronto me he dado cuenta que sigue siendo lunes, como ayer. Mira el cielo, mira las paredes, mira las begonias. También hoy es lunes«. Acostumbrado a sus manías, Aureliano no le hizo caso. Al día siguiente, miércoles, José Arcadio Buendía volvió al taller. »Esto es un desastre - dijo -. Mira el aire, oye el zumbido del sol, igual que ayer y antier. También hoy es lunes«. [...] El jueves volvió a aparecer en el taller con un doloroso aspecto de tierra arrasada. ¡»La máquina del tiempo se ha descompuesto«! [...] Pasó seis horas examinando las cosas, tratando de encontrar una diferencia con el aspecto que tuvieron el día anterior, pendiente de descubrir en ellas algún cambio que revelara el transcurso del tiempo [...]. El viernes, antes de que se levantara nadie, volvió a vigilar la apariencia de la naturaleza, hasta que no tuvo la menor duda de que seguía siendo lunes [...] (CAS: 72-74);

b) *En el cuartito apartado, donde nunca llegó el viento árido, ni el polvo ni el calor, ambos recordaban* [José Arcadio Segundo y Aureliano Babilonia] *la visión atávi-*

---

49 A pesar de que no le atribuimos a las reflexiones temporales de los personajes un *status* meta-discursivo o de '*mise en abyme*', debemos indicar por otra parte, que la alta recurrencia de los procedimientos de la organización temporal acompañada por esta reflexión, dirigen la atención del recipiente a la organización textual en general, y en algunos casos particulares tenemos evidentes unidades meta-textuales que reflejan la posición del narrador y del recipiente.

ca de un anciano con sombrero de alas de cuervo que hablaba del mundo a espaldas de la ventana, muchos años antes de que ellos nacieran [...]. *Ambos descubrieron al mismo tiempo que allí siempre era marzo y siempre era lunes, y entonces comprendieron que José Arcadio Buendía no estaba tan loco como contaba la familia, sino que era el único que había dispuesto de bastante lucidez para vislumbrar de que también el tiempo sufría tropiezos y accidentes, y podía por tanto astillarse y dejar en un cuarto una fracción eternizada.* (*CAS*: 296)

En el primer ejemplo, José Arcadio Buendía no se ocupa del tiempo a raíz de la muñeca, sino que su actitud está particularmente determinada por la visita de Prudencio Aguilar, que no es otra cosa que la visita de la muerte, es decir, de un personaje que se encuentra en otra dimensión temporal. El tiempo es personificado con la constatación de que '*La máquina del tiempo se ha descompuesto*' y se confirma su detenimiento, que a su vez es la despedida del partiarca de la vida profana, de la vida terrenal cronométrica, y el paso al mundo mítico atemporal, aquél de Prudencio Aguilar y de Melquíades, un tiempo donde se funden el presente, el pasado y el futuro. De allí que de pronto José Arcadio Buendía se expresa en latín, que nadie, excepto por el sacerdote, es capaz de comprender, y conversa con muertos, a pesar de que hasta ese momento, el patriarca no ha dejado físicamente la vida terrenal, pero ésta ha perdido su significado.

En el segundo ejemplo, José Arcadio Segundo y Aureliano Babilonia tienen la misma experiencia al penetrar al taller, entran en un mundo extraterrenal, donde por medio del desciframiento de los manuscritos de Melquíades comprenden muy posteriormente las palabras del patriarca. De esta forma se descubre el ejemplo b) como una unidad textual que interpreta al ejemplo a).

Ursula Iguarán es otro personaje que se ocupa de la relación entre tiempo y vida:

c) [...] *sino algo que ella misma no lograba definir, pero que concebía confusamente como un progresivo desgaste del tiempo.* »*Los años de ahora ya no vienen como los de antes*«, *solía decir, sintiendo que la realidad cotidiana se le escapaba de las manos* [...] *la mala clase del tiempo la había obligado a dejar las cosas a medias.* (*CAS*: 211)

Nuevamente tenemos una personificación del tiempo, Ursula le atribuye a éste su propia incapacidad, determinada por su vejez, de realizar todo aquello que se ha propuesto. El desgaste del tiempo se encuentra en una relación metonímica con el desgaste de la familia:

d) *En la larga historia de la familia, la tenaz repetición de los nombres le había permitido sacar conclusiones que le parecían terminantes* (*CAS*: 159);

e) [...] *la historia de la familia era un engranaje de repeticiones irreparables, una rueda giratoria que hubiera seguido dando vueltas hasta la eternidad, de no ha-*

ber sido por el desgaste progresivo e irreparable del eje (CAS: 334);

f) *»Esto me lo sé de memoria«, gritaba Ursula. »Es como si el tiempo diera vueltas en redondo y hubiéramos vuelto al principio« (CAS: 169);*

g) *- Hay que traer el ferrocarril - dijo.*
Fue la primera vez que se oyó esa palabra en Macondo. Ante el dibujo que trazó Aureliano Triste en la mesa, y que era un descendiente directo de los esquemas con que José Arcadio Buendía ilustró el proyecto de la guerra solar, Ursula confirmó su impresión de que el tiempo estaba dando vueltas en redondo. (CAS: 192)

En estos cuatro ejemplos Ursula pone en relieve el fenómeno de la estructura circular iterativa y temporal de *CAS*. Sus observaciones no solamente ponen al descubierto los procedimientos productores del texto, sino que reproducen la situación receptiva del recipiente implícito que comparte la misma experiencia. Si se considera que la calidad de la familia ha decaido desde el nacimiento de Arcadio, pasando por Aureliano Segundo y teniendo en cuenta que al hijo de Fernanda y de Aureliano Segundo se le califica como atípico en la familia, podemos decir que el tiempo se emplea metonímicamente para juzgar la calidad de la vida; el desgaste del tiempo va de par en par con el desgaste de la raza.

1.225 Sincronías implícitas como procedimiento de interpretación y como mensaje del autor implícito al lector implícito

Un último procedimiento por describir es un tipo de sincronía que en *CAS* es una excepción, ya que es típica en textos con una situación narrativa neutral. Se trata de diferentes acciones sincrónicas que se interpretan recíprocamente sin ser unidas directamente por el narrador omnisciente, que - como en el caso ya indicado de Flaubert (cap. I) - prescinden de su comentario.

Tres son en *CAS* estas sincronías:

Sincronía I:

a) Retorno de Ursula a Macondo con los mercaderes (*CAS*: 38);
b) Nacimiento de Arcadio, el hijo ilegítimo de José Arcadio y P. Ternera (*CAS*: 39).

La sincronía tiene el *status* de una prolepsis implícita ya que se anuncia veladamente la destrucción de Macondo y de los Buendía.

Ninguno de los habitantes de Macondo había abandonado su pueblo hasta que José Arcadio parte con los gitanos. Hasta ese momento, Macondo no había sufrido ninguna amenaza desde el exterior - donde acecha el peligro - ya que los gitanos se descubren como inofensivos amigos de Macondo. Por el contrario, al retornar Ursula de la búsqueda de su hijo José Arcadio con los pequeños comerciantes, Macondo se transforma en un pueblo. Este desarrollo, que alcanza su cúlmine con Aureliano Triste (*CAS*: 192ss.) - como hemos ya indicando - trae el tren y una avasalladora cantidad de forasteros, transformándose Macondo una vez más, ahora en una ciudad (*CAS*: 194ss.), e iniciándose la decadencia moral. Luego llega Mr. Herbert y J. Brown que acarrean consigo la explotación industrial del banano. El final de este período está marcado por las huelgas y el diluvio.

Arcadio es el primer hijo natural y el primero con claras tendencias insestuosas, éste representa el comienzo del fin. A partir de este momento, cada Buendía, con algunas excepciones, heredará menos características de sus antecesores (cf. Remedios, Aureliano Segundo, José Arcadio (el que debe ser Papa), etc.), una evolución que terminará con el nacimiento de Aureliano *cola de cerdo*.

La sincronía insinúa que la llegada de los forasteros es negativa para Macondo, ya que en ese momento nace un bastardo con un carácter corrupto.

Sincronía II:

a) Disturbios políticos que llevan a Macondo a la catástrofe (*CAS*: 249ss.)
b) Entrega de Aureliano Babilonia, el hijo de Renata Remedios y de Mauricio Babilonia, a Fernanda: intento de asesinato (*CAS*: 249ss.).

> *Los acontecimientos que habían de darle el golpe mortal a Macondo empezaban a vislumbrarse cuando llevaron a la casa al hijo de Meme Buendía.* (*CAS*: 249)

'*Mortal*' no es aquí solamente la situación política, sino la existencia de otro hijo ilegítimo que a) engendrando el último barón de la estirpe (cuyo parto matará a su madre, que a su vez será devorado por las hormigas) y b) descifrando los manuscritos de Melquíades, llevará a Macondo a su término. Además, el intento de Fernanda de ahogar al niño, demuestra el estado de decadencia de la familia. Esta acción es también una reminiscencia bíblica del episodio de Moisés en la canasta, un acontecimiento que anuncia la pronta destrucción del *orbe*.

Sincronía III:

a) Masacre de los trabajadores y persecución de los sobrevivientes (*CAS*: 258-266);
b) El diluvio (*CAS*: 267-280ss.).

La huelga contra los patrones tiene lugar, los trabajadores son asesinados en masa y transportados en vagones para ganados y arrojados al mar. El único que se salva es su jefe, José Arcadio Segundo, que debe permanecer escondido en el taller (donde se convierte en invisible) para evitar la persecución. Inmediatamente después se desata el diluvio que puede ser interpretado como un juicio final en relación a la sanción de la matanza y como el regreso de Macondo al origen feliz y puro. El diluvio arrasa con las plantaciones del banano, los americanos y los forasteros emprenden la fuga con la misma ansiedad con que habían llegado. Macondo ha, con esto, pagado el precio del progreso:

> *Macondo estaba en ruinas. En los pantanos de la calle quedaban muebles despedazados, esqueletos de animales cubiertos de lirios colorados, últimos recuerdos de las hordas de advenedizos que se fugaron de Macondo tan atolondradamente como habían llegado. Las casas paradas con tanta urgencia durante la fiebre del banano, habían sido abandonadas. La compañía bananera desmanteló sus instalaciones. Las casas de madera [...] parecían arrasadas por una anticipación del viento profético que había de borrar a Macondo de la faz de la tierra. Los sobrevivientes de la catástrofe [...] parecían satisfechos de haber recuperado al pueblo en que nacieron. (CAS:* 280-281)

La catástrofe natural insertada en forma sincrónica implica la condenación y el castigo de Macondo sin un comentario del narrador omnisciente.

1.3 Resumen

El análisis de *CAS* debería haber demostrado, en qué relación se encuentran los procedimientos temporales ('D I'), con aquéllos de la organización de la acción ('NH') y de los narrativos ('D II') y cuales son sus consecuencias para al estructura general de la novela.

Todos los procedimientos, en sus diferentes niveles, tienen la función primordial de elaborar un mundo mítico.

En el nivel del 'D I' la temporalidad se caracteriza por una tensión entre linearidad y circularidad: la linearidad de los segmentos accionales acentúan el *hic et nunc* del mundo de los personajes, mientras que la circularidad contribuye a generar el mito de Macondo y de los Buendía como así también a llevar al lector constantemente al punto de origen de la narración.

La circularidad temporal, como procedimiento predominante en *CAS*, es acompañada por la permutación temporal explícita, especialmente por el empleo recurrente de analepsis y prolepsis, que se encuentra en correspondencia con la circularidad y recurrencia de la acción, con la reiteración de nombres y pesonajes y de fórmulas discursivas por parte de los personajes y del narrador ('D II'). La recurrencia en el 'NH' establece y actualiza el mito del origen, de la repetición y del fin del mundo tanto al interior del texto como en la conciencia del recipiente.

Todos estos procedimientos contribuyen a la creación de ese mundo mítico, en cuyo centro se encuentra un narrador que oscila entre cronista y oráculo, entre omnisciencia y divinidad, que encuentra su duplicación, o concretización, en Melquíades, que *de facto* es el narrador de *CAS*, ya que es él, el que antes de haber comenzado la historia, ha escrito la crónica de los Buendía y su vida en Macondo hasta su fin, con lo cual se produce una totalización entre narrador y lo narrado. Esta totalidad se proyecta finalmente a los personajes y al recipiente: así como Aureliano Babilonia descifra su propia historia y dictamina a través de la lectura la destrucción total, así también, paralelamente el recipiente implícito conluye su propia lectura, determinando el final de la novela. Tenemos una fusión de la totalidad del texto con la conciencia del recipiente, o formulado de otra forma, una *mise en abyme* del proceso de creación y de recepción. Se insinúa que la historia se desenlaza según avance el proceso interno del desciframiento, siendo así el personaje descodificador la proyección narradora de Melquíades, y por otra parte, el recipiente mismo, el motor y finalizador del texto. Tenemos la problematización de la productividad y recepción textual representada de una forma diametralmente distinta a aquélla que ya en los años 40 desarrollaba J.L. Borges y en los 50 los autores del *nouveau roman*.

Este final funde todos los niveles textuales y receptores en una propuesta mítica para el trato literario de la realidad latinoamericana.

2. *LA CASA VERDE*: SIMULTANEIDAD COMO SISTEMA DOMINANTE DE RELACIONES ANACRONICAS TEMPORALES

»Romper esa ley que se respetaba tanto en la novela, que es la ley de la causalidad, que obliga a explicar los hechos según su transcurrir cronológico y su distribución espacial. Al contrario: creo que muchos hechos, al ser abstraídos de su tiempo y de su espacio y fundidos en un tiempo y espacio puramente narrativos, se explican, se condicionan, se enriquecen uno a otro, descubren dimensiones, valores que, juzgados por separados, en su tiempo y espacio »reales«, no tendrían« (Vargas Llosa, en: González Bermejo (1971: 68)).

»[...] los acontecimientos más disímiles hallan su auténtico sentido cuando se barajan en el laberinto de las simultaneidades, conexiones y saltos cronológicos [...] poseen el valor relativo pero preciso que tienen las piezas de un rompe cabezas.« (J.M. Oviedo ([2]1977: 176))

2.1 El nivel de la historia

2.11 Oposiciones bases y segmentación de la acción

La historia de la *CV* de Vargas Llosa está constituida por una serie de acciones que tienen lugar en dos espacios principales, en Piura que linda con el desierto y en la Amazonia. Además de estos espacios, tenemos subespacios, tales como la casa verde de Anselmo en Piura que se encuentra en el desierto, a las afueras de la ciudad, y el barrio-suburbio de la Mangachería.

Los acontecimientos en Piura se concretizan en el conflicto que produce, por una parte, la construcción del burdel, llamado la casa verde por su pintura y, por otra, la primera protesta de los habitantes de Piura guiados por el fanático Padre García. La casa verde divide a los piuranos en dos grupos: en aquéllos que viven en la casa verde y la visitan y en los que siguen prestando resistencia porque ven en el burdel la decadencia moral de Piura. Tenemos un grupo al que se califica como amoral y otro que defiende las reglas de la moral.

Esta división semántico-normativa equivale a la estructura topográfica de Piura y sus alrededores. La casa verde está separada de la ciudad por una doble frontera: por una natural que es el límite de la ciudad y el comienzo del desierto y por un río (ahora seco) (*CV*: 95; 96; 99). Esta frontera era, hasta el momento en que aparece la casa verde, siempre permeable para los piuranos, lo cual se articula en el puente que une la ciudad con el desierto. Esta permeabilidad se restringe con la construcción del burdel: el puente es ahora sólo transitable por la noche (con la excepción de Anselmo), ya que conduce directamente al burdel, y los piuranos que quieren entregarse al deseo, deben buscar la protección de la noche para encubrir sus identidades. Con el transcurrir del tiempo se flexibiliza la frontera, de tal modo que los ciudadanos visitan impúdicamente la casa verde a cualquier hora (*CV*: 99-100). La frontera pierde su función divisoria y restringente hasta tal punto que incluso las prostitutas, llamadas las *habitantas*, visitan la ciudad durante el día, causando escándalo en la burguesía piurana. La total transgresión de la frontera se realiza con el descubrimiento del rapto de Antonia (una sordomuda) por Anselmo en el momento en que ésta trae al mundo a Chunga y muere desangrada a consecuencia del parto. El pueblo encabezado por el Padre Gracía quema la casa verde.

La construcción de la segunda casa verde dirigida por Chunga, la hija de Anselmo, no solamente restituye la antigua casa, sino que se construye en la ciudad misma, en el barrio de la Mangachería, eliminando completamente lo límites entre la ciudad y la casa verde.

El conflicto, escuetamente descrito, lo podemos reducir a las oposiciones siguientes:

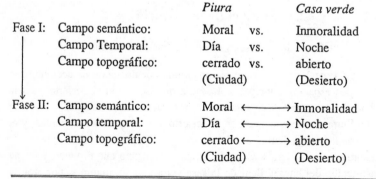

		Piura		*Casa verde*
Fase I:	Campo semántico:	Moral	vs.	Inmoralidad
	Campo Temporal:	Día	vs.	Noche
	Campo topográfico:	cerrado	vs.	abierto
		(Ciudad)		(Desierto)
Fase II:	Campo semántico:	Moral	⟷	Inmoralidad
	Campo temporal:	Día	⟷	Noche
	Campo topográfico:	cerrado	⟷	abierto
		(Ciudad)		(Desierto)

⟶
⟵ Interacción de los campos; dependencias recíprocas

Otros personajes que comparten las acciones en Piura son la Selvática, cuyo nombre verdadero es Bonifacia, y el Sargento Lituma con sus compañeros de barrio.

En el Amazonas se distribuyen los acontecimientos en tres espacios: primero, en Santa María de Nieva, donde se encuentra un cuartel de soldados y un internado dirigido por monjas que se dedican a la »civilización« y »cristianización« de las indias, segundo, en la isla del bandido Fushía que asalta a diversas tribus indígenas y por último Iquitos, un pueblo de comerciantes de caucho, que es regido por el terrateniente Reátegui.

En la historia de Santa María de Nieva se problematiza la bien intencionada tarea de las monjas que, en muchos casos, tienen consecuencias negativas para las indias, ya que caen del fuego a las brasas. El conflicto se sintetiza en la oposición 'pagano vs. cristiano', 'salvaje vs. civilizado' (vid. más abajo, p. 118 y 139ss.). Las acciones en torno a Fushía y Reátegui articulan la explotación de los indios y el crimen legalizado e ilegal, según sean los patrones o los indios los que lo comenten. Los primeros son protegidos por el estado, los segundos perseguidos.

Las diversas oposiciones que forman el conflicto se pueden resumir en la archioposición 'Civilización vs. Barbarie' formulada por Sarmiento, pero que Vargas Llosa la trata de tal manera que las clasificaciones culturales vigentes, que atribuían a los indios automáticamente a la barbarie y a los blancos a la civilización, son aquí descubiertas como caducas. Así, por ejemplo, muchas de las chicas indias, que son arrancadas de su medio con gran sufrimiento, terminan en Piura como prostitutas. El comportamiento de los blancos, en la selva o en la ciudad, dista mundos de uno cristiano y civilizado. Tanto en la selva como en la ciudad se encuentra la oposición 'civilización vs. barbarie'.

2.12 Recurrencia y circularidad accional como expresión de la determinación de los personajes

Al contrario de *CAS*, la recurrencia y circularidad accional tienen en la *CV* solamente una función subordinada y no se encuentran al servicio de la constitución mítica. Recurrencia y circularidad contribuyen a articular la predeterminación del personaje, de la cual no puede escapar. La vida de Fushía, por ejemplo, se caracteriza por una estereotipicidad que se mueve entre éxito/fracaso, ascenso/descenso, mejoramiento/empeoramiento. Sus acciones permanecen durante todo el trayecto paradigmáticamente iguales: sus reiterados intentos por hacerse rico terminan - con la excepción de un éxito pasajero - en el fracaso, y sus acciones son acompañadas, además por una semántica estereotípica: esperanza/entusiasmo/desilución/odio (*CV*: 28, 50, 52; 72; 132; 216). Su vida no es solamente estereotípica, sino además circular: Fushía inicia su vida adulta embuído en la pobreza y en prisión (= estado A) y termina en una forma similar, Fushía es internado en un lazareto para leprosos, el cual jamás abandonará y el cual paga con lo que le queda de su fortuna (= estado A'):

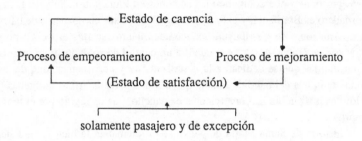

También el transcurso de la vida de Lalita, un personaje que reaparecerá en diversas secuencias, se caracteriza por su esquematismo inscrito en la tríada: encuentro con un hombre - unión al hombre - separación del hombre: se enamora de Fushía, huye con éste a la selva y engendra un hijo; se enamora de Nieves, el guía de la banda, huye con éste a Santa María de Nieva y engendra varios hijos; después que Nieves es hecho prisionero, se une a Pesado, un soldado del cuartel, y engendra, también con éste, varios hijos. Del mismo modo los destinos de Nieves, Bonifacia, del Sargento Lituma y de Anselmo son circulares: la historia de Nieves comienza con su reclutación forzada, es decir, con la pérdida de su libertad, y termina en prisión; Bonifacia es liberada, según las madres, de una vida incivilizada e inhumana, la de la selva, y pasa a otra similar, a la del burdel; Lituma comienza como matón y termina como tal y como chulo; mientras en Piura Anselmo construye la primera casa verde para luego raptar a Antonia, la hija adoptiva de Juana Baura, Chunga es raptada por Juana Baura y construye la segunda casa verde. A algunos de los personajes no se les pasa desapercibida semejante circularidad:

> [...] la Chunga estaba todo el día en la obra [...] »la están resucitando hermano«, »de tal palo tal astilla«, »quien lo hereda no lo hurta«. (CV: 289-290)

Detrás de todas estas acciones se esconde un determinado fatalismo, una predeterminación de los personajes, ya que éstos no logran escapar de su situación negativa, teniendo un *status* metonímico para la situación social de Latinamérica.

Prácticamente no se recurre al mito en la *CV*, con la relativa excepción de Fushía y Anselmo (en estrecha relación con la casa verde), que aparecen espóradicamente como personajes míticos. Las diversas tribus consideran a Fushía como una especie de ser sobrenatural a razón de su osadía, astucia, brutalidad y poder. Fushía logra siempre sorprender a sus enemigos y desaparecer sin que se le pueda atrapar. Sus asaltos se transforman en leyenda. Así Fushía pasa a representar el dios del mal.

El caso de Anselmo es otro. Este es el símbolo del deseo y de la voluptuosidad, la casa verde llega a ser un Estado en el Estado y es comparada con Sodoma y Gomorra.

Tanto las orgías en el burdel, como su destrucción, pasan a través de la transmisión oral a transformarse en algo fántastico, especialmente porque algunos episodios son tabuisados o han quedado en secreto y, de esta forma, rodeados de misterio. A Anselmo mismo se le considera un ser superior, partiendo de su origen desconocido y de su extraña llegada a Piura.

Vargas Llosa ha elegido otro camino para la interpretación de la realidad latinoamericana, que no es el realismo mágico de García Márquez, sino una concepción realista basada en la focalización y atomización del tejido real, con el fin de lograr una objetivación casí empírica de lo observado.[50]

2.13 La segmentación tipográfica

La *CV* está organizada tipográficamente por cuatro capítulos - *UNO, DOS, TRES, CUATRO* - y un *EPILOGO*. Cada capítulo comienza con un segmento aislado, que hemos denominado cero (0) y contiene un determinado número de partes (tres o cuatro). Cada parte ha sido marcada por el autor con cifras romanas y están constituidas por cuatro o cinco segmentos separados tipográficamente (con la excepción del epílogo) que pertenecen, por su contenido, a una secuencia accional determinada y que, por razones de tipo sistemáticas, hemos definido con las letras mayúsculas *A, B, C, D, E*. Estos segmentos tipográficos no tienen ni el *status* de segmentos accionales ni tampoco reproducen una sucesión temporal, sino que reproducen simplemente la segmentación tipográfica realizada por el autor. Cada secuencia accional, a las cuales volveremos más adelante, constituye una historia independiente. Reproducimos la sitematización en el esquema siguiente:[51]

UNO	DOS	TRES	CUATRO	EPILOGO
O^1 (A)	O^2 (A)	O^3 (A)	O^4 (B)	O^5 (A/D)
I : ABCDE	I : ABCDE	I : ABCE	I : ABCE	I : B
II : ABCDE	II : ABCDE	II : ABCE	II : ABCE	II : C
III : ABCDE	III : ABCDE	III : ABCE	III : ABCE	III : A
IV : ABCDE		IV : ABCE		IV : C/E

---

50 Cf. Vargas Llosa (1971a).
51 Con respecto a la constitución de los segmentos y secuencias accionales vid. cap. I., pp. 26, 33, 42.

El esquema nos indica que los capítulos *UNO, TRES* y el *EPILOGO* tienen cuatro partes y los capítulos *DOS* y *CUATRO* tres respectivamente. Además, vemos que mientras los capítulos *UNO* y *DOS* están constituidos por cinco segmentos, tienen los capítulos *TRES* y *CUATRO* y el *EPILOGO* solamente uno o dos segmentos. Los segmentos marcados con '0' pertenecen a una determinada secuencia accional, así 0^1, 0^2, 0^3, pertenecen a la secuencia 'A', 0^4 a 'B' y 0^5 a 'A' y 'D'.[52]

La secuencia accional A tiene 19 segmentos tipográficos, B y C 16, D 8 y E 15. La suma total es de 74. Esta segmentación, en la superficie del texto, tiene una consecuencia central: por un lado, corresponde a las cinco secuencias accionales y, en parte, a los segmentos accionales de determinadas secuencias. Las diversas interrupciones tipográficas contribuyen de cierta forma, aunque restringidamente, a la orientación del lector, a pesar de que los segmentos no tienen una fecha como en *L'Emploi du temps* de Butor o un número como en Rayuela de Cortázar. Las interrupciones son empleadas en la *CV* con diversas funciones, una de ellas, y la más evidente, es la de producir tensión narrativa (vid. más abajo).

2.14 Segmentación de las secuencias temporales

En el caso de la *CV*, la segmentación tipográfica nos presta una cierta ayuda para llevar a cabo la segmentación accional y segmentacional propiamente tal, como la hemos definido más arriba. A pesar de la evidencia de la constitución de cinco secuencias en la *CV*, éstas se han querido reducir a una o a tres[53]. El hecho que algunos personajes cambien de lugar (y con esto de secuencia) no basta para unir algunas de las secuencias, y especialmente, porque fuera de obtener una historia diferente, con otro eje espacio-temporal y personajes, los personajes que cambian de secuencia, cambian a la vez de identidad y tienen por esto otra función cuando cambian de lugar. En las secuencias A, C y E encontramos el mejor ejemplo. En A Bonifacia y el Sargento abandonan Santa María de Nieva con lo cual se termina prácticamente la secuencia

---

52 Kloepfer/Zimmermann (1978: 483), al parecer en base al trabajo de Boldori de Baldussi (1974: 120), sostienen erróneamente - como también ésta - que la parte *TRES* 0^3 no pertenece a D, sino a A: aquí llega un nuevo Teniente a Santa María de Nieva, es decir, a un lugar en el cual se desarrolla la secuencia accional A, como veremos. El hecho de que a la llegada del Teniente se inserte una superposición temporal implícita, en relación al conflicto con Jum, que se encuentra nuevamente en Santa María de Nieva para protestar contra el abuso de los patrones, no implica que se le deba atribuir a D, ya que este segmento es una anelpsis incrustada en el presente de A. Absolutamente incomprensible es la distribución de los segmentos en *CUATRO* I, donde los autores solamente constatan el segmento B excluyendo A, C y E. En el *EPILOGO* 0^5, los autores no consideran que A y D se juntan, constituyendo una sola acción, y así también el *EPILOGO* III no está formado por B, sino por A: Lalita abandona por un tiempo Santa María de Nieva para visitar a su hijo.

53 Cf. Rodríguez Monegal (1971a: 60). A pesar de que Pacheco (1972: 25) reconoce las cinco secuencias, las reduce a tres, ya que considera la secuencia D como parte de B y E como la continuación de A. Boldori de Baldussi (1974: 119) parte de una sola secuencia accional, así también Martín (1974: 177ss.) que la considera constituida por los personajes Bonifacia-Sargento/Selvática- Lituma, y acompañada por Fushía-Aquilino-Lalita; Anselmo-Antonia; los inconquistables; Jum-Reátegui. Esta división es altamente arbitraria, ya que la secuencia C tiene, desde un punto de vista cuantitativo y funcional, el mismo *status* que A. Qué las secuencias C y E se junten al final de la novela no las hace una. Una posición similar a la nuestra la encontramos en Castañeda (1971: 314); Colmenares (1971: 374-375); Oviedo (²1977: 137).

A. Luego viven ambos personajes en Piura, secuencia E. Aquí es Bonifacia una prostituta con el nombre de Selvática, el Sargento tiene el nombre de Lituma y retorna de la prisión en Lima. El recipiente no se da cuenta, sino hasta muy tarde, que se trata de los mismos personajes anteriores. Mientras A gira en torno al internado de monjas y al cuartel militar, E se ocupa de la venganza de Lituma, del reencuentro con su mujer y de su vida de allí en adelante. Así también se puede demostrar la independencia de C, en cuanto transcurre paralela a A, B, D y E.

De lo expuesto deducimos que la segmentación de las historias en segmentos y secuencias accionales, no solamente es legítimo, sino a la vez necesario.

Para una mejor comprensión de la descripción de la complejísima estructura temporal de la CV, es imprescindible que determinemos cada secuencia en forma particular - así como en CAS -, definiendo sus personajes, su lugar y contendio. Como criterio de segmentación partimos de la transgresión de una frontera semántica y/o topográfica que contribuye a una transformación, llevando la acción adelante. En cada caso será considerada, además, la segmentación tipográfica. Su tipo de mediación ('D II') lo incluiremos en el análisis temporal mismo.

2.141 Secuencia accional A

Seña: A: 'Civilización y cristianización de las niñas indígenas: Bonifacia.
Lugar: Santa María de Nieva y sus alrededores (Selva)
Personajes: a) *Madres*

>   Madre Superiora
>   Madre Angélica
>   Madre Patrocinio
>   Madre Griselda
>   Bonifacia (guarda de la misión)

   b) *Soldados*

>   Teniente
>   Sargento
>   Chiquito, Oscuro, Rubio y Huambachano, alias Pesado
>   Práctico (guía), Nieves y Lalita su esposa

   c) *Gobernación*

>   Gobernador I: Julio Reátegui
>   Gobernador II: Don Fabio
>   Alcalde: Miguel Aguila

d) *Comerciantes de caucho y Terratenientes*
Julio Reátegui
Escabino
Benzos

e) *Indios*
Jum (cacique)

La historia:

Reátegui, ex-gobernador de Santa María de Nieva llega de una expedición de la región de los indios Aguarunas donde ha ahogado violentamente la subversión de los indígenas. Trae prisionero a Jum, que es castigado pública y duramente, y con éste a una chica indígena (a la que luego se le llamará Bonifacia), que la entrega a las Madres.

Las Madres tienen como tarea el cristianizar y civilizar a las indígenas que van a buscar (o a raptar) a la selva (con riesgos de sus vidas), con la ayuda de los soldados. Se describe cómo las madres, luego de varios días de excursión, llegan a Chicais, donde se llevan por la fuerza a dos niñas.

Bonifacia, que entretanto se encuentra, hace ya cuatro años en el internado, teniendo a su responsabilidad la vigilancia de las alumnas, es impactada por el sufrimiento de las nuevas chicas y las deja escapar, oportunidad que es aprovechada, a la vez, por las otras chicas del colegio, emprendiendo así también la fuga.

Bonifacia es interrogada y luego expulsada contra su voluntad del colegio. Bonifacia se resiste a que las Madres la dejen como sirvienta de Reátegui - que se encuentra en ese momento nuevamente en Santa María de Nieva - y es recogida por Nieves, donde conoce al Sargento. Después de algunos días los soldados encuentran a las niñas, internándolas nuevamente en el colegio.

Un nuevo teniente llega a Santa María de Nieva con la misión de buscar y apresar a un grupo de bandidos, la tropa de Fushía, que desde hace mucho tiempo viene causando grandes estrasgos en la región. El sargento parte, muy a pesar suyo, puesto que quiere casarse con Bonifacia, con el teniente y los solados en busca de la banda. El teniente y los soldados descubren la isla de los bandidos ya abandonada. El único que ha quedado allí, es el drogadicto Patancha, quien confiesa que la tropa de bandidos hace mucho tiempo que no existe. El teniente se informa que Nieves, quien no ha querido acompañar a la expedición por temor a ser descubierto como el ex-guía de Fushía, era parte de los bandidos. A su regreso Nieves es hecho prisionero, el Sargento se casa con Bonifacia y ambos abandonan poco después Santa María de Nieva. A continuación se casa Lalita con Huambachano, alias Pesado y viajan a Iquitos.

Esta historia la definimos con el símbolo »A«. Los símbolos, por ejemplo, $_3A'$ o $_3A''$, etc., son segmentos tipográficos pertenecientes al segmento accional $_3A$, que ha

sido atomizado por el autor en varias unidades. El símbolo »0« indica el *status* acrónico de algunos segmentos:

$_1A$	- :	Ingreso de Bonifacia a la misión	(379 - 383)
$_2A_0$	- :	Búsqueda de las nuevas alumnas	(9 - 22)
$_3A$	- :	Bonifacia libera a las alumnas	(23 - 27)
$_3A'$	- :	Bonifacia libera a las alumnas	(43 - 48)
$_3A''$	- :	Bonifacia libera a las alumnas	(65 - 70)
$_3A'''$	- :	Bonifacia libera a las alumnas	(85 - 91)
$_4A$	- :	Expulsión de Bonifacia de la misión	(113 - 121)
$_5A$	- :	Búsqueda de las alumnas fugadas	(123 - 129)
$_6A$	- :	Bonifacia comienza una nueva vida: el Sargento	(145 - 151)
$_6A'$	- :	Bonifacia comienza una nueva vida: el Sargento	(171 - 176)
$_7A$	- :	Llegada del nuevo teniente	(195 - 205)
$_8A$	- :	Separación pasajera de Bonifacia y del Sargento	(207 - 214)
$_9A$	- :	Preparación del matrimonio de Bonifacia y del Sargento	(229 - 235)
$_{10}A$	- :	Búsqueda de los bandidos	(253 - 261)
$_{10}A'$	- :	Búsqueda de los bandidos	(279 - 284)
$_{11}A$	- :	Matrimonio de Bonifacia y del Sargento	(307 - 314)
$_{12}A$	- :	Arresto de Nieves	(331 - 337)
$_{13}A$	- :	Partida de Bonifacia y del Sargento de Santa María de Nieva	(355 - 359)
$_{14}A_0$	- :	Viaje de Lalita a Iquitos	(399 - 404)

A primera vista, los segmentos $_7A$, $_8A$, $_{10}A$ y $_{10}A'$ podrían pertenecer a la secuencia
B, mas esto no es exacto, ya que la expedición no tiene ninguna consecuencia para
los bandidos que han abandonado hace ya mucho tiempo la isla, sino para los
personajes de la secuencia A: la separación de Bonifacia y del Sargento y el arresto
de Nieves. $_{10}A$ es una especie de epílogo en la medida en que otro personaje principal
abandona, aunque pasajeramente, Santa María de Nieva.

2.142 Secuencia accional B

Seña: B: 'Las aventuras del bandido Fushía'
Lugar: Campo Grande, Santiago, Iquitos, Moyobamba, Isla, río Marañón y San
Pablo
Personajes: a) Fushía, Lalita su compañera
b) La tropa: Aquilino, Nieves, Patancha y la tribu de los Huambisas
c) Jum
d) Reátegui, Don Fabio, Dr. Portillo, la madre de Lalita
e) Compañeros de prisión de Fushía, Chango y Irícuo

La historia:

Fushía es una especie de contador en un negocio de Campo Grande. Un buen día el patrón lo culpa de fraude, al parecer, injustamente, y lo hace encarcelar. Poco después, Fushía y Chango consiguen emprender la fuga. Después de traicionar a su amigo, llega a Iquitos, aparentando ser un hombre de negocios, donde al comienzo trabaja para Don Fabio (que posteriormente es el sucesor de Reátegui como alcalde de Santa María de Nieva), que es el capatáz de un hotel de Reátegui. En la primera oportunidad que se le presenta, Fushía escapa con la caja fuerte del hotel. Se refugia en Moyobamba, donde conoce a Aquilino, un portador de agua, que luego será su cómplice. Aquí lleva a cabo nuevos negocios fraudulentos, de tal manera que nuevamente debe escapar, retornando por segunda vez a Iquitos y trabajando para Reátegui (el cual no sabe de quién se trata, ya que Don Fabio se encuentra en Santa María de Nieva) en el tráfico de caucho. El negocio ilegal es descubierto, y Fushía se ve obligado, por tercera vez, a huir, esta vez con Lalita, encontrando refugio donde Reátegui en Uchamala, a quién le vende a su compañera para obtener dinero y así poder continuar el viaje. Fushía rompe el contrato de venta y, protegido por la noche, huye con Lalita a Santiago, escondiéndose en la tribu de los Huambisas. Este los convence de formar una banda, teniendo como base una isla oculta en la selva que será patria y cuartel. De aquí partirán todas las operaciones de Fushía asaltando a otras tribus de la región. Lalita, quien ha tenido su primer hijo, se distancia de Fushía, el cual fuera de tener un harem de indias, que trae como trofeo de sus expediciones, es impotente a causa de la lepra. La mujer se enamora de Nieves y juntos emprenden la fuga. Poco después, la tribu abandona a Fushía, quedado solo, entregado a su destino. Aquilino lo rescata y lo interna, luego de un largo viaje por el río Marañón, en un asilo para leprosos en San Pablo, donde lo visita una vez al año.

$_1$B	- : Intento de Fushía de hacerse rico: Trabajo como contador/prisión	(28 - 29)
$_2$B	- : Fuga de Fushía	(29 - 31)
$_3$B	- : Intento de Fushía de hacerse rico: Estafa	(48 - 50)
$_4$B	- : Fuga de Fushía	(50 - 53)
$_5$B	- : Intento de Fushía de hacerse rico: Contrabando de caucho	(70 - 71)
$_6$B	- : Fuga de Fushía	(71 - 75)
$_7$B	- : Intento de Fushía de hacerse rico: Venta de Lalita a Reátegui	(91 - 95)
$_8$B	- : Fuga de Fushía y Lalita a la isla	(71 - 75)
$_9$B$_0$	- : Intento de Fushía de hacerse rico: Primer asalto con la banda	(91 - 95)
$_{10}$B	- : Intento de los patrones de capturar a Fushía	(129 - 135)

$_{11}$B - : Intento de Fushía de hacerse rico: Segundo
    asalto con la banda   (235 - 240)
$_{12}$B$_0$ - : Lalita se enamora de Nieves   (152 - 158)
$_{13}$B$_0$ - : Intento de Fushía de hacerse rico: Tercer
    asalto con la banda   (299 - 306)
$_{14}$B - : Relación amorosa entre Lalita y Nieves   (315 - 320)
$_{15}$B - : Fuga de Lalita y Nieves de la isla   (337 - 344)
$_{16}$B - : Aquilino rescata a Fushía de la isla   (360 - 366)
$_{17}$B - : Fuga de Fushía y Aquilino por el Marañón
    a San Pablo   (366)
$_{18}$B - : Internación de Fushía en el lazareto de
    San Pablo   (366)
$_{19}$B - : Aquilino visita a Fushía en San Pablo   (385 - 390)

2.143 Secuencia accional C

Seña: C: 'La historia de Anselmo y la casa verde'
Lugar: Piura, sus suburbios y el desierto
Personajes: Anselmo, Antonia, Juana Baura, Chunga, Padre García

La historia:

La historia comienza con una descripción de Piura por un narrador omnisciente, donde se anuncia la historia de un burdel llamado la casa verde. El narrador retorna al comienzo de la acción y narra cómo un buen día Anselmo llega a Piura, donde se establece, un personaje de desconocido origen, de gran riqueza y un famoso intérprete de harpa. Anselmo construye un burdel, que pinta de color verde, después de haber superado la adversidad de los temporales de arena del desierto.

Poco después, una tropa de bandidos asalta a Antonia y a sus padrastros. La jovencita sobrevive, pero los buitres le arrancan los ojos y la lengua. Juana Baura la toma bajo su tutela hasta que Anselmo la seduce y la rapta, escondiéndola en su torre en la casa verde. Antonia muere a consecuencia del parto de su hija Chunga y con su muerte desata la destrucción de la primera casa verde, que es incendiada a causa de la encarnizada persecución de Juana Baura y del Padre García. Juana Baura rapta a Chunga y se ocupa de ésta hasta que, ya mayor, construye la segunda casa verde y emplea a su padre con su orquesta para entretener a los clientes. Al final muere Anselmo, aclarando, en un extenso *stream of consciousness*, su relación con Antonia.

$_1$C$_0$ - : Llegada de Anselmo a Piura   (53 - 57)
$_2$C$_0$ - : Construcción de la casa verde   (75 - 79)
$_2$C'$_0$ - : Construcción de la casa verde   (95 - 103)

$_3C_0$ - : Asalto a Antonia		(135 - 137)
$_4C_0$ - : Seducción de Antonia		(320 - 324)
$_5C_0$ - : Rapto de Antonia		(344 - 349)
$_6C_0$ - : Juana Baura busca a Antonia		(159 - 161)
$_7C_0$ - : Embarazo de Antonia		(366 - 370)
$_8C_0$ - : Muerte de Antonia/Nacimiento de Chunga		(182 - 184)
$_9C_0$ - : Incendio de la casa verde/Salvación de Chunga		(320 - 324)
$_{10}C_0$ - : Juana Baura rapta a Chunga		(244 - 244)
$_{11}C_0$ - : Anselmo funda la orchesta		(320 - 324)
$_{12}C_0$ - : Chunga construye la segunda casa verde		(287 - 291)
$_{13}C$ - : Muerte de Anselmo		(287 - 291)

La secuencia accional C es la única que tiene un narrador omnisciente y tiene una construción triádica de ascenso-desarrollo-descenso al contrario de todas las otras secuencias.

2.144 Secuencia accional D

Seña: D: 'Subversión de los Aguarunas: Jum'
Lugar: Cuartel de Borja, Urakusa, Santa María de Nieva, Isla de Fushía
Personaje: a) *Militares*: Adrián Nieves, capitán Artemio Quiroga, jefe de grupo Roberto Delgado
           b) *Cacique*: Jum, la tribu de los aguarunas, niña india
           c) *Los patrones*: Reátegui, Don Fabio y otros

La historia

La carencia de soldados en el cuartel de Borja obliga al capitán Quiroga a reclutar, por la fuerza, a los hombres de la región. Uno de éstos es Nieves, que es elegido como escolta para el viaje del jefe de grupo Delgado. Por el camino asaltan la aldea de los Urakusa en ausencia de sus habitantes. Cuando los indios retornan a la mañana siguiente, atacan por sopresa a los invasores. Nieves emprende la fuga y se refugia en la isla de Fushía. Paralelamente a esta acción se produce el conflicto entre Jum y su tribu y los traficantes de caucho. A los indios le han explicado que el pago que reciben por su trabajo es sin valor y se resisten a entregar el caucho bajo las condiciones acostumbradas. Los patrones atacan a los indios y se llevan preso a Jum y, con él, a un niña india, que le ha llamado la atención a Reátegui por sus bellos ojos verdes. Reátegui hace torturar a Jum en Santa María de Nieva y le entrega la india a las Madres.

$_1$D	- : Reclutamiento de Nieves	(79)
$_2$D	- : Viaje de R. Delgado y Nieves	(79 - 80)
$_3$D	- : Asalto a los Aguarunas en Urakusa	(80 - 81)
$_4$D	- : Fuga de Nieves	(103 - 105)
$_5$D	- : Levantamiento de los indios	(57 - 60)
$_6$D	- : Arresto de Jum	(138 - 140)
$_6$D'	- : Arresto de Jum	(162 - 165)
$_6$D"	- : Arresto de Jum	(184 - 185)
$_7$D	- : Tortura de Jum/Ingreso de Bonifacia a la Misión	(379 - 383)

El segmento $_7$D se inserta, como único caso en la *CV*, con $_1$A y por esto deben considerarse como un segmento accional.

2.145 Secuencia accional E

Seña: E: 'Selvática y Lituma'
Lugar: Piura, la Mangachería y el desierto
Personajes: a) Lituma (ex-sargento y ex-presidiario), Josefino, José y Mono (= »los
                inconquistables«)
            b) Don Anselmo, Bolas, Joven , Chunga y la Selvática (»habitanta«)
            c) Seminario (terrateniente)
            d) Padre García y Dr. Zevallos
            e) A. Mercedes (dueña de un bar)

La historia:

Bonifacia y el Sargento Lituma se establecen en Piura, donde éste es un carabinero. Una noche, en la casa verde, se produce una disputa con Seminario, un terrateniente pendenciero, el cual muere a causa de la ruleta rusa y al Sargento, que lo había retado, lo castigan a prisión en Lima. Bonifacia, que deseaba una vida ordenada y cristiana, queda embarazada y sin recursos. Josefino, uno de los amigos de Lituma, la obliga a abortar y a ganarse el dinero como »habitanta« en la casa verde, obteniéndo el nombre de »Selvática« por sus ojos verdes y su origen indiano. Luego de haber cumplido la pena, Lituma regresa a Piura, donde es informado por Mono y José de la traición de Josefino y del destino de su mujer, del cual se venga violentamente. Lituma se resigna a aceptar el trabajo de su mujer y se convierte en su chulo.

$_1$E	- : Llegada de Bonifacia y Lituma a Piura	(324 - 329)
$_2$E	- : El duelo: Lituma y Seminario	(223 - 228)
$_2$E'	- : El duelo: Lituma y Seminario	(244 - 251)
$_2$E"	- : El duelo: Lituma y Seminario	(271 - 277)

$_2E'''$	- : El duelo: Lituma y Seminario	(291 - 296)
$_3E$	- : Arresto de Lituma	(349 - 353)
$_4E$	- : Bonifacia como habitanta	(370 - 376)
$_5E$	- : Regreso de Lituma de la prisión	(37 - 41)
$_6E$	- : Encuentro de Lituma con los inconquistables	(60 - 64)
$_6E'$	- : Encuentro de Lituma con los inconquistables	(82 - 84)
$_6E''$	- : Encuentro de Lituma con los inconquistables	(106 - 109)
$_7E$	- : Encuentro de Lituma con Bonifacia	(140 - 144)
$_7E'$	- : Encuentro de Lituma con Bonifacia	(165 - 170)
$_8E$	- : Castigo de Josefino	(188 - 192)
$_9E$	- : Lituma chulo	(419 - 430)

La secuencia accional E está enlazada con C pero es - como ya habíamos indicado - independiente, lo cual se ve claramente en que la llegada de Bonifacia y Lituma a Piura, como así también el duelo con Seminario y sus consecuencias, se transmiten a través de una analepsis explícita en las conversaciones entre la Selvática y los miembros de la orquesta de Anselmo. El presente de E está solamente constituido por la llegada de Lituma de la prisión y el encuentro con los inconquistables y su venganza frente a Josefino.

Las cinco secuencias constituyen una supersecuencia accional A-B-C-D-E que se basa en la archioposición 'Civilización vs. Barbarie' donde cada secuencia tiene su propia oposición:

CIVILIZACION	VS.	BARBARIE
A: Cristianismo	vs.	A: Paganismo
B: Crimen legalizado	vs.	B: Criminalidad
C: Moral	vs.	C: Amoralidad
D: Explotados	vs.	D: Explotadores
E: Vida religiosa-burguesa	vs.	E: Vida marginal

2.2 El nivel del discurso I: La organización temporal

2.21 Macro-estructura temporal: anacronía implícita como procedimiento realista y como productor de la simulación de la simultaneidad

Luego de haber segmentado las cinco secuencias que constituyen la *CV* las ordenaremos cronológicamente en una supersecuencia accional. De esta forma podremos constatar, en que medida el tiempo ha sido manipulado y distorcionado. En un segundo paso, compararemos su estado al 'NH' y al del 'D I', incluyendo los procedimientos del 'D II' (vid. diagrama temporal I, p. 122-126). La notación en este diagrama equivale a aquélla que hemos ya desarrollado y explicado en el cap. I, pp. 33-34 y 43. Anotamos la secuencia C no solamente con el símbolo »0« para indicar su acronía, sino también entre parentésis, para indicar su determinación temporal hipotética y su paralelismo a las otras secuencias.

$_1B1$	- : Intento de Fushía de hacerse rico: Trabajo como contador/prisión	(28 - 29)
$(_1C_01)$	- : Llegada de Anselmo a Piura	(53 - 57)
$_2B2$	- : Fuga de Fushía	(29 - 31)
$(_2C_02)$	- : Construcción de la casa verde	(75 - 79)
$(_2C'_02)$	- : Construcción de la casa verde	(95 - 103)
$_3B_3$	- : Intento de Fushía de hacerse rico: Estafa	(48 - 50)
$(_3C_03)$	- : Asalto a Antonia	(135 - 137)
$_4B4$	- : Fuga de Fushía	(50 - 53)
$(_4C_04)$	- : Seducción de Antonia	(320 - 324)
$(_5C_05)$	- : Rapto de Antonia	(344 - 349)
$_5B5$	- : Intento de Fushía de hacerse rico: Contrabando de caucho	(70 - 71)
$(_6C_06)$	- : Juana Baura busca a Antonia	(159 - 161)
$_6B6$	- : Fuga de Fushía	(71 - 75)
$(_7C_07)$	- : Embarazo de Antonia	(366 - 370)
$(_8C_08$	- : Muerte de Antonia/Nacimiento de Chunga	(182 - 184)
$_7B7$	- : Intento de Fushía de hacerse rico: Venta de Lalita a Reátegui	(91 - 95)
$_8B8$	- : Fuga de Fushía y Lalita a la isla	(71 - 75)
$(_9C_09)$	- : Incendio de la casa verde/Salvación de Chunga	(320 - 324)
$(_{10}C_010)$	- : Juana Baura rapta a Chunga	(244 - 244)
$(_{11}C_011)$	- : Anselmo funda la orquesta	(320 - 324)
$_1D9$	- : Reclutamiento de Nieves	(79)
$_2D10$	- : Viaje de R. Delgado y Nieves	(79 - 80)
$_3D11$	- : Asalto a los Aguarunas en Urakusa	(80 - 81)

$_4$D12	- : Fuga de Nieves	(103 - 105)
$(_{12}C_012)$	- : Chunga construye la segunda casa verde	(287 - 291)
$_5$D13	- : Levantamiento de los indios	(57 - 60)
$_6$D14	- : Arresto de Jum	(138 - 140)
$_6$D'14	- : Arresto de Jum	(162 - 165)
$_6$D"14	- : Arresto de Jum	(184 - 185)
$_7$D = $_1$A15	- : Tortura de Jum/Ingreso de Bonifacia a la Misión	(379 - 383)
$_9$B$_0$16	- : Intento de Fushía de hacerse rico: Primer asalto con la banda	(91 - 95)
$_{10}$B17	- : Intento de los patrones de capturar a Fushía	(129 - 135)
$_{11}$B18	- : Intento de Fushía de hacerse rico: Segundo asalto con la banda	(235 - 240)
$_{12}$B$_0$19	- : Lalita se enamora de Nieves	(152 - 158)
$_{13}$B$_0$20	- : Intento de Fushía de hacerse rico: Tercer asalto con la banda	(299 - 306)
$_{14}$B21	- : Relación amorosa entre Lalita y Nieves	(315 - 320)
$_{15}$B22	- : Fuga de Lalita y Nieves de la isla	(337 - 344)
$_{16}$B23	- : Aquilino rescata a Fushía de la isla	(360 - 366)
$_{17}$B24	- : Fuga de Fushía y Aquilino por el Marañón a San Pablo	(366)
$_{18}$B25	- : Internación de Fushía en el lazareto de San Pablo	(366)
$_{19}$B26	- : Aquilino visita a Fushía en San Pablo	(385 - 390)
$_2$A$_0$27	- : Búsqueda de las nuevas alumnas	(9 - 22)
$_3$A28	- : Bonifacia libera a las alumnas	(23 - 27)
$_3$A'28	- : Bonifacia libera a las alumnas	(43 - 48)
$_3$A"28	- : Bonifacia libera a las alumnas	(65 - 70)
$_3$A'''28	- : Bonifacia libera a las alumnas	(85 - 91)
$_4$A29	- : Expulsión de Bonifacia de la misión	(113 - 121)
$_5$A30	- : Búsqueda de las alumnas fugadas	(123 - 129)
$_6$A31	- : Bonifacia comienza una nueva vida: el Sargento	(145 - 151)
$_6$A'31	- : Bonifacia comienza una nueva vida: el Sargento	(171 - 176)
$_7$A32	- : Llegada del nuevo teniente	(195 - 205)
$_8$A33	- : Separación pasajera de Bonifacia y del Sargento	(207 - 214)
$_9$A34	- : Preparación del matrimonio de Bonifacia y del Sargento	(229 - 235)
$_{10}$A35	- : Búsqueda de los bandidos	(253 - 261)
$_{10}$A'35	- : Búsqueda de los bandidos	(279 - 284)
$_{11}$A36	- : Matrimonio de Bonifacia y del Sargento	(307 - 314)
$_{12}$A37	- : Arresto de Nieves	(331 - 337)
$_{13}$A38	- : Partida de Bonifacia y del Sargento	

D II

(Descripción de un narrador neutral, diálogos de las Madres y de los soldados)

(Descripción de un narrador neutral, diálogo analéptico entre la Madre superiora y Bonifacia sobre la fuga de las alumnas)
(Diálogo analéptico entre Fushía y Aquilino durante el viaje a San Pablo: la vida de Fushía)
(Diálogo analéptico entre Fushía y Aquilino durante el viaje a San Pablo: la vida de Fushía)
(Descripción de un narrador neutral, diálogo entre Josefino, Mono y José)
(Descripción de un narrador neutral, diálogo analéptico entre la Madre superiora y Bonifacia sobre la fuga de las alumnas)

(Diálogo analéptico entre Fushía y Aquilino [...]: diálogo entre Don Fabio, Fushía, Don Fabio y Reátegui)
(Diálogo analéptico entre Fushía y Aquilino [...]: diálogo entre Don Fabio, Fushía, Don Fabio y Reátegui)
(Narración omnisciente sobre Piura, Anselmo y la *casa verde*)

(Diálogo: Delgado, Nieves)

(Descripción de un narrador neutral, diálogo entre Josefino, Mono y José)

(Descripción de un narrador neutral, diálogo analéptico entre la Madre superiora y Bonifacia [...])

(Diálogo analéptico entre Fushía y Aquilino [...]; diálogo entre Dr. Portillo y la madre de Lalita)
(Diálogo analéptico entre Fushía y Aquilino [...]; diálogo entre Dr. Portillo y la madre de Lalita)
(Narración omnisciente sobre Piura [...])

(Narración neutral y diálogo entre Delgado y Nieves)

(Narración neutral y diálogo entre Delgado y Nieves)

(Narración neutral y diálogo entre Delgado y Nieves)

Diagrama temporal I:

'NH': 'TA':$_1$,B1-($_1$C$_0$1)-B2-($_2$C$_0$2)-($_2$C'$_0$2')-B3-($_3$C$_0$3)-$_4$B4-($_4$C$_0$4)-$_5$($_5$C$_0$5)-$_5$B5-($_6$C$_0$6)-$_6$B6-($_7$C$_0$7)-$_7$($_8$C$_0$8)-$_7$B7-$_8$B8-($_9$C$_0$9)-($_{10}$C$_0$10)-($_{11}$C$_0$11),D9-

'D I': 'TT':$_2$A^{1}027-$_3$A^{2}28-$_1$B^{3}1-$_2$B^{4}2-$_5$E^{5}43-$_3$A'^{6}28-$_3$B'^{7}3-$_4$B^{8}4-($_1$C^{9}1)-$_5$D^{10}13-$_6$E^{11}45-$_3$A''^{12}28-$_5$B^{13}5-$_6$B^{14}6-($_2$C$^{15}_0$2)-$_1$D^{16}9-$_2$D^{17}10-$_3$D^{18}11-

(Descripción de un narrador neutral, diálogo entre Josefino, Mono, José y Lituma)

(Descripción de un narrador neutral, diálogo analéptico entre la Madre superiora, Madre Angélica y Bonifacia [...])

(Diálogo analéptico entre Fushía y Aquilino [...]; diálogo entre Fushía, Lalita y Reátegui; descripción de un narrador neutral)

(Narración omnisciente sobre Piura [...])

(Narración neutral y monólogo de Nieves)

(Descripción de un narrador neutral diálogo entre Josefino, Mono, José y Lituma)

(Narración neutral y diálogos: Madres, Reátegui, Don Fabio y Bonifacia)

(Descripción de un narrador neutral y diálogo entre los soldados del cuartel de Santa maria de Nieva)

(Diálogo analéptico entre Fushía y Aquilino [...]; diálogo: Fushía, Dr. Portillo, Reátegui y Don Fabio)

(Narración omnisciente sobre Piura [...])

(Narración neutral y diálogo entre delgado y Nieves)

(Descripción de un narrador neutral, diálogo entre Chunga, Josefino, Mono, José y Lituma)

(Narración neutral y diálogos: Madres, Reátegui, Don Fabio y Bonifacia)

(Diálogo analéptico entre Fushía y Aquilino [...]; diálogo: Lalita y Nieves; descripción de un narrador neutral)

(Narración omnisciente sobre Piura [...])

(Narración neutral y diálogos: Reátegui, los patrones y Jum)

(Descripción de un narrador neutral, diálogo entre Selvática, Josefino, Mono, José y Lituma)

$_2D10 - {}_3D11 - {}_4D12 - ({}_{12}C_0 12) - {}_3D13$

$_6E''45 - {}_3A'''^{22}28 - {}_7B^{21}7 - ({}_3C^{22}02) - {}_4D^{23}12 - {}_7E''^{12}45 - {}_4A^{25}29 - {}_5A^{26}30 -$

$_6D14 - {}_6D''14 - {}_6D''14 - {}_7D/{}_1A15 - {}_9B_0 16 - {}_{10}B_0 17 - {}_{11}B18 - {}_{12}B_0 19 - {}_{13}B_0 20$

$_{10}B^{27}17 - ({}_3C^{28}_0 3) - {}_6D^{29}14 - {}_7E^{30}46 - {}_6A^{31}31 - {}_{12}B^{32}_0 19 - ({}_6C^{33}_0 6) - {}_6D^{34}14 - {}_7E''^{35}46$

(Descripción de un narrador neutral y diálogos: Sargento, Josefino, Lalita y Bonifacia)

(Narración neutral)

(Narración omnisciente sobre Piura [...])

(Narración neutral y diálogos: Reátegui, los patrones y Jum)

(Descripción de un narrador neutral, diálogo: Chunga, Josefino, Mono, José, Lituma y Selvática)
(Descripción de un narrador neutral, diálogo: Teniente Sargento y Jum; diálogo analéptico entre Jum y Reátegui)
(Descripción de un narrador neutral y diálogo)

(Narración neutral y diálogos: Fushía y Lalita)

(Narración omnisciente sobre Piura [...])

(Diálogo analéptico en la *casa verde*: Chunga, Anselmo, Bolas, Joven y Bonifacia)

(Narración neutral)

(Narración neutral)

(Narración omnisciente sobre Piura [...])

(Diálogo analéptico en la *casa verde* de Chunga [...])

(Descripción de un narrador neutral y diálogo)

(Narración omnisciente sobre Piura [...])

$- _{14}B21 - _{15}B22 - _{16}B23 - _{17}B24 - _{18}B25 - _{19}B26 - _2A_027 - _3A28 - _3A'28 - _3A''28 - _3A'''28 - _4A29 - _5A30 - _6A31 - _6A'31 - _7A$

$- _6A^{1}36 31 - _9B^{37}16 - (_8C^{38}8) - _6D^{1'13}914 - _8E^{40}47 - _7A^{41}32 - _8A^{42}33 - _8B^{43}8 - (_6C^{44}9) - _2E^{45}40 - _9A^{46}34 - _{11}B^{47}18 - (_{10}C^{48}10) - _2E^{'49}40 - _{10}A^{50}35 - (_1C^{51}011) -$

(Diálogo analéptico en la *casa verde* de Chunga [...])

(Narración neutral y diálogos)

(Narración omnisciente sobre Piura [...])

(Dialógo analéptico en la *case verde* de Chunga [...])

(Narración neutral y diálogos)

(Narración neutral y diálogos)

(Diálogo analéptico entre Fushía y Aquilino [...]; diálogo: Lalita y Nieves)

(*Stream of consciousness* analéptico o confesión de Anselmo)

(Narración neutral y diálogos)

(Narración neutral y diálogos)

(Diálogo analéptico entre Fushía y Aquilino [...])

(Diálogo analéptico entre Fushía y Aquilino [...])

(*Stream of consciousness* analéptico o confesión de Anselmo)

(Narración neutral y diálogos)

(Narración neutral y diálogos)

$$-_8A33-_9A34-_{10}A35-_{10}A'35-_{11}A36-_{12}A37-_{13}A38-_1E39-_2E40-_2E'40-_2E''40-_2E'''40-_3E41-_4A43-_5A43-_{14}A_044$$

$$_2E'''40-_{10}A'335-(_{12}C^{54}_012)-_2E'''^{55}40-_{13}B^{56}_020-_{11}A^{57}36-_{14}B^{58}21-(_0C^{59}_04)-_1E^{60}39-_{12}A^{61}37-_{15}B^{62}22-$$

$$_{17}B^{63}24-(_5C^{64}_05)-_3E^{65}41-_{13}A^{63}38-$$

(Diálogo analéptico entre Aquilino y Fushía [...])

(*Stream of consciousness* analéptico o confesión de Anselmo)

(Narración neutral y diálogos en la *case verde*)

(Narración neutral y diálogos)

(Narración neutral y diálogos)

(Narración neutral y diálogos)

(Narración neutral y diálogos)

(Narración neutral y diálogos)

$$_6E^{45}{-}_6E'^{45}{-}_6E''^{45}{-}_7E^{46}{-}_7E'^{46}{-}_8E^{47}{-}_{13}C^{48}{-}_9E49$$

$$_{18}B^{68}25{-}(_1C^{69}{}_0 7){-}_4E^{70}43{-}_7D_0/_1A^{71}15{-}_{19}B^{72}26{-}_{13}C^{73}48{-}_{14}A^{74}44{-}_9E^{75}49$$

El diagrama temporal I demuestra que el 'TA' y el 'TT' divergen en forma radical, al contrario de *CAS*, como consecuencia del empleo de procedimientos temporales tales como la permutación, el entrelazamiento y la superposición implícita.[54]

La reconstrucción cronológica nos muestra que el comienzo del 'TA' se da con ($_1$B1), con el primer trabajo de Fushía como contador. Luego siguen los segmentos ($_2$B2) hasta ($_8$B8). En este punto se entrelazan temporalmente las secuencias (B) y (D): después de la fuga de Fushía y Lalita a la isla ($_8$B8), enrolan a Nieves ($_1$D9), que parte de viaje con Delgado ($_2$D10), para luego emprender la fuga ($_3$B11) y refugiarse en la isla de Fushía ($_4$D12). A continuación tiene lugar el levantamiento de los indios ($_5$D13), siendo castigados por los patrones en ($_6$D14) y ($_7$D/$_1$A15). Luego siguen los asaltos de Fushía, que se pueden fijar en forma relativa, de ($_{14}$B21) hasta ($_{19}$B26), donde se inserta ($_2$A27), la búsqueda de las alumnas. En estos segmentos recibimos algunas informaciones sobre el transcurso temporal (*CV*: 120): en el momento en que Bonifacia deja escapar a las alumnas ($_3$A28) y el punto de su propia internación a través de Reátegui ($_1$D/$_1$A15), han trascurrido cuatro años. En ($_{10}$A35) Patancha confiesa al teniente, que la banda de Fushía no existe »desde hace ya mucho tiempo«. Luego de ($_{13}$BA38, Lituma y Bonifacia abandonan Santa María de Nieva) viene la secuencia (E), que se encuentra casi en el presente, mientras (B) y (C) en un pasado profundo. Después del retorno de Lituma de la cárcel ($_5$E43) Lalita y su marido emprenden el viaje a Iquitos ($_{14}$A$_0$44), ya que antes de que Bonifacia y Lituma abandonen la Misión, toman prisionero a Nieves, al marido de Lalita (A37). Poco después que Bonifacia y Lituma se han instalado en Piura, Lalita se casa con Pesado, y Lituma es arrestado (E41). Después de muchos años de prisión, Nieves (*CV*: 403) y Lituma (E43) son liberados. Es decir, entre (A38) y (A44), el viaje de Lalita a Iquitos, han transcurrido una serie de años, de tal forma que se puede presuponer que ambas acciones suceden con cierta cercanía. En Piura Lituma se venga de Josefino (E47), poco después muere Anselmo (C48) y Lituma se convierte en el chulo de Bonifacia (E49).

El diagrama temporal pone en evidencia que mientras las secuencias A-B-D-E se pueden correlacionar temporalmente, (C) transcurre en forma paralela e independiente desde (B1) hasta (D12). La razón de esta interpretación radica en que la juventud de los inconquistables, de Lituma y sus amigos, se realiza paralelamente a la construcción de la segunda casa verde (es decir, saben sólo de oídas de la casa verde de Anselmo) y antes de la estadía de Lituma como sargento en Santa María de Nieva, esto es, antes del comienzo de la secuencia. El tiempo que transcurre entre (C12) y (C48) es un tiempo elíptico en que Anselmo y su orquesta tocan en la casa verde de Chunga, sobre el cual el recipiente es parcialmente informado en (E40).

---

54 Boldori de Baldusi ignora, al parecer, estos procedimientos y califica la acción en la *CV* de lineal. Además confunde en forma evidente los segmentos tipográficos, con los accionales, una confusión muy difundida y que desgraciadamente se comete reiteradamente.

La cronología, que hemos reconstruido, no está presente en la conciencia del recipiente durante el acto de la lectura - ya que su complejidad lo hace prácticamente imposible. La segmentación tipográfica es una ayuda relativa para su orientación con respecto al contendio, pero no para la temporal. El recipiente percibe el transcurso de la historia como simulantáneo, ya que las diversas acciones se desarrollan entrelazadas y superpuestas las unas con las otras.

La historia comienza en el nivel del 'D I' con el segmento $(A^1{}_027)$, luego siguen (A^228), (B^31), (B^42), y (E^543), etc., transmitiendo, al principio, la impresión de un caos narrativo, cuyo grado entrópico puede estar en oposicón con la capacidad receptiva del recipiente.[55] Además, algunos de los personajes aparecen en varias secuencias accionales a la vez: Lalita en (A), (B), (D), Bonifacia en (A), (B), (D), (E), etc.

El tipo de organización temporal dominante en el nivel de la macro-estructura es el de la permutación y del entrelazamiento implícito, ya que no se produce a través de una instancia mediadora. Los cambios temporales, espaciales y de acción, como así también, el cambio de identidad de los personajes no está indicado en el texto, sino deben ser comprendidos en el transcurrir del acto de la lectura. De estos dos procedimientos se desprende la superposicón temporal concretizándose en el efecto de la simultaneidad. A ésta contribuyen también, fuera de la segmentación tipográfica, los procedimientos en el nivel del 'D II', es decir, a través de la pluralidad de los tipos de discursos narrativos, siendo dominantes la perspectiva del narrador neutral y los diálogos.

Un narrador omnisciente lo encontramos - como ya habíamos indicado - en la secuencia (C), con la excepción del *stream of consciousness* de Anselmo $(C^{59}{}_04$, $C^{64}{}_05$, $C^{69}{}_07)$, donde en forma acronológica se le informa al recipiente sobre la seducción, rapto y embarazo de Antonia por Anselmo que, hasta ese momento, había quedado en secreto (por medio de una elipsis anterior). En Vargas Llosa no es característica la construcción de este pasaje a través de una analepsis dependiente del narrador omnisciente, sino a través de la conciencia del personaje. No queda definitivamente claro, si el *stream of consciousness* de Anselmo tiene lugar en su momento de agonía, cuando se insinúa una confesión hecha por el Padre García $(C_{73}40$, *CV*: 391-397), o si tiene lugar anteriormente.

Las acciones de la secuencia (A) son narradas por un mediador neutral y por un diálogo entre las Madres y Bonifacia para enterarse de la razón por la cual ésta dejó escapar a las alumnas, cuyo contenido analéptico es representado *in actu*. La secuencia (B) se narra principalmente por un diálogo, también de contenido analéptico, entre Fushía y Aquilino durante el viaje por el río Marañón, los cuales son como en (A), transmitidos *in actu*, es decir, se desprenden de su marco dialogal en el presente.[56] En

---

55 Cf. Osorio Tejada (1971: 31) que indica que la *CV* alcanza un límite con respecto a la capacidad de recepción. Vargas Llosa (en González Bermejo, 1971: 66-68s.) explica la complejidad de estos procedimiento como resultado de una estética realista y de querer poner al lector en el centro de la narración; cf. también Castañeda (1971: 314).

56 Un procedimiento similar lo encontramos en las obras *El Acoso* de Carpentier, *Pedro Páramo* de Rulfo, *Le Voyeur*

la secuencia (D) se alternan los diálogos, monólogos interiores y el narrador neutral. En E, la última secuencia, domina el diálogo en el presente con la excepción de las conversaciones de contenido analéptico *in actu* entre Selvática, Chunga y los miembros de la orquesta.

Luego de haber descrito la macro-esctructura temporal, entramos en la descripción de la función de estos procedimientos.

Su función texto externa radica en una estrategia para la lectura, es decir, para manipular la recepción del recipiente y hacer de éste - según los fines perseguidos por Vargas Llosa - su personaje principal. Esto es, romper la pasividad del recipiente, cambiar su actitud de consumo e incitarlo a una participación e interpretación activa. Una forma de lograrlo son los diversos tipos de segmentación, la cual deja cada párrafo narrado inconcluso y con esto, en el caso ideal, despierta la espectativa del recipiente. La segmentación tiene un efecto distanciador, es decir, rompe con la identificación del recipiente con lo narrado y lo induce a reflexionar con respecto a los procedimientos y con respecto al conflicto tratado. En el segmento accional (*CV*: 23s., A^228) se informa al recipiente que Bonifacia es la guarda de las chicas, en (*CV*: 85-91, $A'''^{20}28$), se alude de paso a su origen, lo cual produce una enigma, especialmente de su comportamiento, interrogativa que es resuelta definitivamente en el segmento (*CV*: 379-383, $D/A^{17}15$), donde se aclara el trauma de su internación (vid. más abajo pp. 132ss.). El recipiente tendrá que esperar como doscientas páginas antes de poder interpretar el comportamiento de Bonifacia y de las Madres.

La función texto interna contribuye a que segmentos accionales que en principio están separados por la cronología ('TA'), sean reunidos estrechamente ('TT'), de tal manera que se interpreten recíprocamente y sin comentario del narrador o de un personaje.[57]

Como ejemplo podemos citar los siguientes segmentos accionales: ($E^{19}45$, *CV*: 82-84)/($A'''^{20}28$, *CV*: 85-91) y ($E^{7}42$, *CV*: 370-376)/($D/A^{71}15$, *CV*: 379-383). Ambos pares de segmentos reunen episodios, que se encuentran al comienzo y al final de la vida de Bonifacia ('TA'), en forma contrastiva en el nivel del 'TT'. En ($E^{19}45$, *CV*: 82-84) Lituma está recién llegado a Piura, y el recipiente recibe la noticia que Bonifacia es una prostituta. Lituma reacciona con silencio y a Mono le da un ataque de tos. Inmediatamente a continuación tenemos el interrogatorio a que someten las Madres a Bonifacia ($A'''^{20}28$, *CV*: 85-91), y cuyo comportamiento califican de incomprensible con la educación brindada. Mientras el segmento (E) acentúa la situación de Bonifacia como prostituta, el segmento (A) pone su educación religiosa en el centro de la atención del recipiente; más aún: en (A) se describe la transformación de Bonifacia como *salvaje* (= identificación con las indias recién traídas y fuga) que le permite ol-

---

y *La maison de rendez-vous* de Robbe-Grillet; cf. también *La muerte de Artemio Cruz* de Carlos Fuentes.
57   Cf. Vargas Llosa en González Bermejo (1971: 68, 80).

vidar toda su educación, el lugar en que se encuentra y que la motiva a dejar en libertad a las alumnas. Su comportamiento es calificado por las Madres de *demoníaco*, es decir, se emplean los mismo predicadores que emplea el Padre García para juzgar la casa verde. Tenemos lexemas símiles, Selvática/salvaje, los cuales, al comienzo de la lectura, confunden al recipiente, ya que entre ambos segmentos tenemos una gran elipsis, una posición cero, que el recipiente podrá rellenar sólo retrospectivamente.[58]

En (E[70]42) se informa sobre el comienzo del trabajo de Bonifacia en la casa verde, en (D/A[71]15) se informa sobre su ingreso a la Misión. El contraste entre ambas situaciones pone en tela de juicio la actividad de las Madres y los beneficios de lo que se estipula como »mundo civilizado y cristiano«. El narrador le niega al recipiente la solución, si hubiese sido más beneficioso dejar a Bonifacia en su medio ambiente original, para así ahorrarle el sufrimiento del cambio de cultura, la expulsión de la Misión y su final como prostituta. De esta forma, los procedimientos temporales tienen, además de su función organizadora, la tarea de constituir el mensaje textual, su aspecto semántico, renunciando al narrador omnisciente.[59]

Una última función de estos procedimientos, que debemos mencionar en este lugar, es su efecto de la simultaneidad. Como hemos visto en el diagrama temporal I, el recipiente experimenta la historia tal como está constituida en el nivel del 'D I', como un mosaico de segmentos accionales, que son el resultado de una concepción realista de Vargas Llosa: el presentar sus personajes de la forma más variada posible y así también las acciones, ya que en la realidad las acciones se dan simultáneas; en un día y hora determinada suceden en el globo una cantidad »*n*« de acciones, que o nada tienen que ver las unas con las otras, o algunas de éstas están, a pesar de su distancia espacial, conectadas entre sí. De esta forma, lo que sabemos o experimentamos son fragmentos de una totalidad, y el esfuerzo de representar estos fragmentos es, a la vez, la tentativa de representar la totalidad de la realidad. Por esta razón, Vargas Llosa y la crítica latinoamericana hablan de la '*realidad total*' o de la '*novela total*'.[60] La experiencia fragmentada es la razón de la anonimidad de los personajes, que se articula en su falta de nombres o en su compensación a través de seudónimos y en una vida que, por lo general, queda a oscuras.

Como vemos, los procedimientos temporales están al servicio de crear un nuevo tipo de la »ilusión de la realidad«, que no se basa en la identificación, sino en el tipo

---

58 El término lo empleamos según la definición semiótica de Barthes (1972: 54-57); Lotman (1973: cap. 3, p. 83); Titzmann (1977: 230ss.) que trata el significado de la pausa o de la elipsis, es decir, los 'vacíos de la narración': *Relación de un texto o de una posición sintagmática enfrente a un modelo/estandard (texto interno o externo) tal, que un número de características/términos/proposiciones que el modelo contiene, en relación al mismo término o a uno de la misma clase, no se encuentra en ese lugar sintagmático*. Transferido al tiempo formulamos: una posición vacía temporal se da cuando entre una secuencia 't$_1$' y 't$_3$' se comprueba a posteriori la existencia de 't$_2$' o se constata que 't$_2$' se ha dejado simplemente fuera, pero que por la existencia de 't$_1$' y de 't$_3$' debemos presuponer 't$_2$'.

59 Cf. Vargas Llosa en González Bermejo (1971: 66).

60 Cf. Vargas Llosa en González Bermejo (1971: 80s.); Castañeda (1971: 319); Osorio Tejada (1971: 25-29); Georgescu (1972: 67-81); Martín (1974: 181ss.); Oviedo ([2]1977: 176ss.).

de experiencia psíquica y perspectívica de los personajes, que se transmite al recipiente por medio de las distribución de las acciones en el nivel del 'D I'.

2.22 Micro-estructura temporal: anacronía explícita como procedimiento para la constitución de un 'mensaje oculto' del autor implícito al lector implícito

En los siguientes análisis nos concentraremos en dos tipos de procedimientos que tienen un *status* paradigmático en la *CV*, en el de la permutación explícita (considerando también la permutación implícita) y en el de la superposición explícita. Además, analizaremos formas particulares de analepsis y prolepsis y, a la vez, los enigmas e indicios. Al final de este capítulo, describiremos algunos segmentos accionales acrónicos, como así también, algunos tipos de duración.

2.221 Permutación temporal implícita y explícita y superposición temporal explícita como procedimientos adicionales para la simulación de la simultaneidad y manipulación de la recepción

Las unidades permutadas o superpuestas tienen, en muchos casos, un *status* analéptico. Su diferente empleo en *CAS* - como ya habíamos indicado - radica en que las analepsis o se producen a través de la perspectiva de los personajes, ya sea por medio de diálogos o de monólogos interiores, o éstas son representadas *in actu*, es decir, se independizan de su punto de transmisión, desprendiéndose así diversos niveles temporales que son productos de diferentes mediadores narrativos.

Comenzamos con el análisis *in extenso* de dos ejemplos de superposición temporal, otros ejemplos serán solamente mencionados.

Ejemplo (1): A28: 'Bonifacia deja escapar a las niñas indígenas'

El Segmento accional (A28) está constituido por cuatro segmentos tipográficos por A28, A'28, A''28 y A'''28 (*CV*: 23-27; 43-48; 65-70; 85-91) y es uno de los segmentos más complejos en esta novela, teniendo como marco general el interrogatorio a que es sometida Bonifacia donde se insertan otros diálogos. Si reconstruimos cronológicamente esta superposición tenemos, como primer segmento, un diálogo entre Bonifacia y la Madre Angélica, en un punto del pasado (que luego determinaremos), que trata la traumática experiencia de adaptación de Bonifacia en la Misión y la tortura de Jum, que posiblemente es su padre (A1, *CV*: 85-91). En la segunda secuencia se describe la reacción de Bonifacia al contacto con las dos nuevas indias que las Madres han traído de Chicais (B2, *CV*: 65-70ss.). La tercera secuencia muestra, cómo Bonifacia comienza a solidarizarse y a transformarse con las chicas. Impresionada por el terror que éstas experimentan, les da de comer con las manos, comienza a hablar en su lengua, se deja buscar piojos en su cabellera por las indiecitas, hasta dejarlas escapar (C3, *CV*: 68-70; 86; 90). La cuarta secuencia, la constituye la fuga de las otras alumnas indias internadas (D4, *CV*: 85-90). La quinta describe a Bonifacia que se refugia para rezar en la capilla de la Misión, después de la fuga de todas las alumnas (E5, *CV*: 91), y en la sexta secuencia las Madres buscan a Bonifacia encontrándola en la capilla (F6, *CV*: 91), la llevan delante de la Madre Superiora (G7, *CV*: 91; 23), donde debe justificarse (H8, *CV*: 23-91). Esta secuencia cronológica (A1-B2-C3-D4-E5-F6-G7-H8) es distribuida en el nivel del 'D I' en forma acronológica y simultánea, es transmitida por diversas formas de dicurso ('D II'), entrelazada en unidades casi inseparables por la sintaxis y es atomizada por diversos segmentos tipográficos, entre los cuales se insertan acciones de las secuencias B, C, D y E. La sucesión es: 'Interrogatorio de Bonifacia'-'Descripción del estado de las indias a través de la perspectiva de Bonifacia'-'Interrogatorio de Bonifacia'-'Descripción del estado de las indias a través de la perspectiva de Bonifacia/Acercamiento'-'Interrogatorio de Bonifacia'-'Descripción del estado de las indias a través de la perspectiva de Bonifacia/Descripción de la fuga'-'Conversación con la Madre Angélica'-'Interrogatorio de Bonifacia', etc.

El interrogatorio constituye el 'NT I', el presente narrativo. Partiendo de este nivel temporal se constituye el 'NT II_1', un pasado inmediato, que es la perspectiva de Bonifacia que abarca desde el encuentro de las dos nuevas indias, la fuga de las alumnas hasta la fuga de Bonifacia a la capilla donde es encontrada por las Madres. Estos dos 'NTs' se condicionan recíprocamente: mientras Bonifacia trata de recuperar el discurso de las Madres para justificar su actuar, el 'NT II' contradice este discurso, en cuanto revela los verdaderos sentimientos de Bonifacia, que al comienzo se los debe ocultar a las Madres, quienes son completamente ajenas a éstos. Ambos niveles se encuentran sintácticamente entrelazados de tal forma que en algunos casos es imposible separarlos, ya que una frase pertenece, por ejemplo, a dos niveles al mismo tiempo. De esta manera se anulan virtualmente los límites entre presente y pasado, entre aquí y allá.

La conversación entre Bonifacia y la Madre Angélica se encuentra en el punto más profundo del pasado, en un 'NT II_2', que tuvo lugar después de la tortura de Jum y una vez que Bonifacia se había adaptado a las costumbres »civilizadas de los blancos«. Esta conversación tiene como función el descubrir que la adaptación de Bonifacia es aparente y que la ruptura con su pasado aún está viva, como lo comprueba su reacción frente a las nuevas alumnas y la fuga de las otras alumnas que llevan más tiempo en la Misión. La conversación - como podemos constatar al final de la secuencia (H8, p. 91) - parte de los recuerdos de Bonifacia en la capilla - sin ninguna indicación ni narrativa ni tipográfica que giran en torno a la tortura de Jum, estos recuerdos actualizan esa conversación pasada con la Madre Angélica *in actu*. La conversación de Bonifacia con la Madre Angélica (aquí llamada Angela) está sintácticamente entrelazada con una frase del presente:

'NT II$_2$' (Pasado remoto): *Todo me lo dices con un tonito de burla y una mirada pícara que me dan ganas de azotarte - dijo la Madre Angélica -. ¿Quieres que te cuente otra historia?*

'NT II$_2$' (Presente): *- No Madre - dijo Bonifacia -. Aquí estoy rezando hace rato.- ¿Por qué no estás en el dormitorio? - dijo la Madre Angela -. ¿Con qué permiso has venido a la capilla a estas horas?* (*CV*: 91).

La enunciación, '*Todo me lo dices* [...]' hasta '[...] *otra historia* [...]' es parte de la conversación en el pasado remoto.

Cuando la Madre Angélica llega a la capilla, después que la Madre Leonor le ha informado donde se encuentra Bonifacia, ésta contesta a la pregunta de la Madre Angélica, hecha en el pasado remoto, '*¿Quieres que te cuente otra historia?*', en el presente, en relación a otra pregunta que la Madre Angélica le hace al llegar a la capilla, pero que no es reproducida, ya que Bonifacia está concentrada en sus rezos y recuerdos. La pregunta acústicamente percibida la hace retornar al presente: '*No, Madre*' es la respuesta a las preguntas de ambos niveles. Luego sigue aquella pregunta de por qué no está en el dormitorio, que es parte del presente y que es respondida por Bonifacia en éste.

La oración de Bonifacia se encuentra en una relación muy sutil con sus recuerdos: el trauma no superado - que la lleva a liberar a las alumnas - es la justificación de Bonifacia ante Dios, la base para obtener su perdón. La reacción de Bonifacia y de las otras alumnas es la toma de conciencia de su origen a través de la presencia de las nuevas indiecitas. Todas ellas llevan el trauma del desarraigo y de la adaptación forzada. Por otra parte, Bonifacia no quiere volver a su origen. En su caso se cristaliza la ambigüedad y la ambivalencia de los métodos civilizadores de las Madres.

La estructura temporal la podemos sistematizar de la forma siguiente:

'NH': 'TA':A1 - B2 - C3 - D4 - E5 - F6 - G7 - H8
'D I': 'TT':F^{1}1 - B^{2}2 - A^{3}3 - C^{4}4 - D^{5}5 - E^{6}6 - G^{7}7 - H^{8}8

y la distribuimos en los siguientes 'NTs':

'NT I'   : Presente = H8
'NT II$_1$' : Pasado inmediato = B2-C3-D4-E5-F6-G7
'NT II$_2$' : Pasado remoto = A1

A continuación, describiremos los procedimientos en el nivel del 'D II' considerando los niveles temporales analizados:

'D II' - Segmentación

- Interrogatorio de Bonifacia por la Madre Superiora = 'NT I' (abreviación = Int/'NT I');
- Narración de la fuga de las indias por medio de la perspectiva de Bonifacia (=Narr/Bo/'NT II₁') y conversación de Bonifacia con la Madre Angélica y Leonor en la capilla (= Con/Bo/An/Le/'NT II₁') donde se juntan el 'NT I' con el 'NT II';
- Conversación de Bonifacia con Madre Angélica en el pasado remoto (Con/Bo/An/'NT II₂').

1. Int/'NT I':	- *NO SIGAS HACIENDOTE la niña - dijo la Superiora -. Has tenido toda la noche para lloriquear a tu gusto. Bonifacia cogió el ruedo del hábito de la Superiora y lo besó: - Dime que la Madre Angélica no va a venir. Dime Madre, tú eres buena -. La Madre Angélica te riñe con razón - dijo la Superiora.- Has ofendido a Dios y has traicionado la confianza que te teníamos.- Para que no le dé rabia, Madre - dijo Bonifacia -. ¿No ves que siempre que le da rabia se enferma? Si no me importa que me riña?* (CV: 65, 1-12)[61]
2. Narr/Bo/'NT II₁':	*Bonifacia da una palmada y el cuchicheo de las pupilas disminuye pero no cesa, otra más fuerte y callan:* [...] *Enciende un mechero, coge un plato de latón lleno de plátanos fritos, descorre el pestillo de la despensa, entra y al fondo, en la oscuridad, hay como una carrera de ratones.* [...]. *Están detrás de los costales de maíz: un tobillo delgado, ceñido por un aro de piel, dos pies descalzos que se frotan y curvan* [...] *deben hallarse incrustadas una contra la otra, no se les siente llorar.* (CV: 65, 13-27; 66, 1-4)
3. Int/'NT I':	- *Puede ser que el demonio me entrara, Madre - dijo Bonifacia -. Te estoy diciendo la verdad. ¿Tú no las viste llorar? No viste cómo se abrazaban? Y tampoco comieron nada cuando la Madre Griselda las llevó a la cocina, ¿no viste? -No es culpa de ellas ponerse así - dijo la Superiora.* (CV: 66, 5-15)
4. Narr/Bo/'NT II₁':	*Bonifacia se arrodilla, ilumina los costales con el mechero y allí están: anudadas como dos anguilas* [...]. *Vastas, oscuras, hirviendo de polvo, de pajitas, sin du-*

---

61 La primera cifra se refiere a la página y las siguientes, después de la coma, a la líneas de la edición usada.

da de liendres, las cabelleras llueven sobre sus espal-
das y muslos desnudos, son diminutos basurales [...].
(CV: 66, 22-30)

5. Int/'NT I':

- Fue como de casualidad, Madre, sin pensarlo - dijo
Bonifacia -. [...]. *Me acuerdo y me asusto, me volví otra*
y yo creía que era por la pena, pero a lo mejor el di-
ablo me tentaría como dices, Madre -. Eso no es una
excusa - dijo la Superiora -, no te escudes tanto en el
diablo. Si te tentó fue porque te dejaste tentar. Qué
quiere decir eso que te volviste otra. (CV: 66, 34-38;
67, 5-10)

6. Narr/Bo/'NT II$_1$':

Bajo los matorrales de cabellos, los pequeños cuerpos
entreverados se han puesto a temblar, se contagian sus
estremecimientos y ese castañeo de dientes parece el de
los asustadizos maquisapas cuando los enjaulan. Boni-
facia [...] *comienza a gruñir* [...] *sigue graznando. (CV:*
67, 11-21)

7. Int/'NT I':

- Se habían puesto nerviosas desde que las vieron - dijo
Bonifacia -. [...] *Qué pasó en la despensa con esas cria-*
turas - dijo la Superiora -. Toda la noche he rezado pa-
ra que no me botes. ¿Qué haría yo solita Madre? Voy a
cambiar si me prometes. Y entonces te cuento todo [...].
(CV: 67, 22-38)

8. Narr/Bo/'NT II$_1$':

Bonifacia les acerca el plato de latón y ellas no tiem-
blan [...]. *Gruñe siempre* [...] *la cabecita se llergue, tras*
la cascada de cabellos surgen dos luces breves [...] *dos*
dedos sucios asen un plátano, lo sepultan bajo la
floresta. (CV: 68, 6-15)

9. Int/'NT I':

- Pero yo no soy como ellas, Madre - dijo Bonifacia -.
La Madre Angélica y tú me dicen siempre ya saliste de
la oscuridad, ya eres civilizada. Dónde voy a ir Madre,
no quiero ser otra vez pagana. La Virgen era buena
¿cierto? todo lo perdonaba ¿cierto? Ten compasión,
Madre, sé buena, tú para mí eres como la Virgen [...]. *-*
A mí no me compras con zalamerías, yo no soy la
Madre Angélica. (CV: 68, 16-23)

10. Narr/Bo/'NT II$_1$':

La chiquilla mastica sin apartar los dedos de la boca
[...]. *Ha apartado sus cabellos* [...]. *(CV: 68, 36-38)*

11. Int/'NT I':

- ¿Y por qué no viniste a avisarme? - dijo la Superiora.
Te escondiste en la capilla porque sabías que habías

hecho mal -. Tenía susto [...]. Díme que no me vas a botar, Madre -. Te has botado tú misma - dijo la Superiora -. [...]. (CV: 69, 10-18)

12. Narr/Bo/'NT II₁': *La que está tendida se resiste [...]. Y, de repente se abren: veloces, los dedos introducen en la boca abierta los restos casi disueltos del plátano [...]. (CV: 69, 29-35)*

13. Int/'NT I': *- Sus dientes les sonaban, Madre - dijo Bonifacia -, les hablé pagano para quitarles el miedo. Tú hubieras visto que parecían. - ¿Por qué nunca nos dijiste que hablabas aguaruna, Bonifacia? - dijo la Superiora. - ¿No ves cómo de todo las madres dicen ya te salió el salvaje? - dijo Bonifacia - ¿No ves cómo dicen estás comiendo con las manos, pagana? Me daba vergüenza, Madre. (CV: 85, 10-15)*

14. Narr/Bo/'NT II₁': *Las trae de la mano desde la despensa y, en el umbral de su angosta habitación, les indica que esperen. Ellas se juntan, se hacen un ovillo contra la pared. Bonifacia entra, enciende el mechero, abre el baúl, lo registra, saca el viejo manojo de llaves y sale. Vuelve a coger a las chiquillas de la mano. (CV: 85, 10-15)*

15. Con/Bo/An/'NT II₂': *¿Cierto que al pagano lo subieron a la capirona? - dijo Bonifacia -. ¿Que le cortaron el pelo y se quedó con la cabeza blanca? [...]. Pero ella sabía, mamita: lo trajeron los soldados en un bote, lo amarraron al árbol de la bandera, las pupilas se subían al techo de la Residencia para mirar [...]. ¿De veras le cortaron su pelo? ¿Cómo a las paganitas la Madre Griselda? - Se lo cortaron los soldados, tonta - dijo la Madre Angélica-. No se puede comparar. La Madre Griselda se los corta a las niñas para que ya no les pique. A él fue en castigo [...]. (CV: 85, 16-28; 86, 1-4)*

16. Narr/Bo/'NT II₁': *Bonifacia y las chiquillas salen en puntas de pie [...] la Residencia de las madres ha desaparecido en la noche (CV: 86, 9-15).*

17. Int/'NT I': *- Tienes una manera muy injusta de ver las cosas - dijo la Superiora -. A las madres les importa tu alma, no el color de tu piel ni el idioma que hablas. Eres ingrata, Bonifacia [...]. - Ya sé, Madre, por eso te pido que reces por mí - dijo Bonifacia -. Es que esa noche me volví*

salvaje, vas a ver que horrible [...]. Deja de llorar de una vez [...] ya sé que te volviste una salvaje. Yo quiero saber que hiciste. (*CV*: 86, 16-25)

18. Narr/Bo/'NT II₁': Las suelta, les indica silencio con un gesto [...]. Llegan juntas ante la puerta clausurada. Bonifacia [...] prueba las gruesas, enmoheciadas llaves del manojo, una tras otra. La cerradura chirria [...]. (*CV*: 86, 26-32)

19. Con/Bo/An/'NT II₂': - ¿Yo era muy chiquita entonces? - dijo Bonifacia -. [...] - Así de este tamaño - dijo la Madre Angélica -. Pero ya eras un demonio [...] y a Bonifacia la habían traído a Santa María de Nieva con el pagano ése [...]. (*CV*: 86, 35-38; 86; 87, 7-14)

20. Narr/Bo/'NT II₁': La tercera llave gira, la puerta cede [...]. (*CV*: 87, 15)

21. Int/'NT I': - Me volví como ellas, Madre - dijo Bonifacia -. La del aro en la nariz comió y a la fuerza la hizo comer a la otra paganita [...]. (*CV*: 87, 25-27)

22. Narr/Bo/'NT II₁': Y ella tiene los ojos como dos cocuyos, váyanse, verdes y asustados, vuelvan al dormitorio, da un paso hacia las pupilas, ¿con que permiso salieron? [...]. De nuevo les ordena que regresen al dormitorio pero ellas no responden. (*CV*: 88, 6-14)

23. Con/Bo/An/'NT II₂': - ¿El pagano ése era mi padre, mamita? - dijo Bonifacia -. No era tu padre [...]. Nacerías en Urakusa pero eras hija de otro, no de ese malvado [...]. (*CV*: 88, 15-18)

24. Narr/Bo/'NT II₁': Tampoco esta vez le obedecen, váyanse, vuelvan al dormitorio, y las dos chiquillas están a sus pies [...]. Las dos chiquillas están junto a ella pero no se deciden a cruzar el umbral [...]. (*CV*: 88, 28-36)

25. Int/'NT I': - Se los buscaban la una a la otra, Madre - dijo Bonifacia -, y se los sacaban y los mataban con los dientes. No por maldad, sino jugando, Madre y antes de morder se lo mostraba diciendo mira lo que te he sacado. Jugando y también por cariño, Madre -. Si ya tenían confianza en ti, podría haberlas aconsejado - dijo la Superiora -. Decirles que no hicieran esas suciedades. Pero ella sólo pensaba en el día siguiente, Madre: que no llegara mañana, que la Madre Griselda no les corte sus pelos, no ha de cortárselos, no ha de echarles desinfectante [...]. (*CV*: 88, 37-38; 89, 1-9)

26. Narr/Bo/'NT II₁': ¿Qué querían?, ¿por qué no le hacían caso? y unos segundos después, elevando la voz, ¿también irse?, ¿volverse paganas de nuevo?, y las pupilas han sumergido a las dos chiquillas, ante Bonifacia hay sólo una masa compacta de guardapolvos y ojos codiciosos [...]. (CV: 89, 26-31)

27. Con/Bo/An/'NT II₂': - Le cortaron el pelo para sacarle el diablo que tenía adentro - dijo la Madre Angélica -. [...]. Es que ella siempre se acordaba, mamita, de cómo sería cuando se lo cortaron y ¿el diablo era como los piojitos? ¿Qué cosa decía esta loca? A él para sacarle el diablo, a las paganas para sacarle los piojos. Quería decir que los dos se metían en el pelo, mamita [...]. (CV: 89, 33-38; 90, 1-3)

28. Narr/Bo/'NT II₁': Salen una tras otra [...] Dios las ayudaría, rezaría por ellas [...]. (CV: 90, 4-7)

29. Int/'NT I': - Y de repente se soltó de la otra y se vino donde mí - dijo Bonifacia -. La más chiquita, Madre, y creí que iba a abrazarme pero también comenzó a buscarme con sus deditos, y era para eso, Madre [...]. ¿Acaso estás hablando como una cristiana? [...].

Y ella también le buscaba en sus pelos y no le daba asco, Madre, ya a cada uno que encontraba lo mataba con sus dientes [...] y la paganita se hacía la que le encontraba y le mostraba su mano y rápido se lo metía a la boca como si fuera a matarlo. Y también la otra comenzó, Madre, y ella también a la otra.- No me hables en ese tono - dijo la Superiora -. [...]. Y ella que entraran las Madres y la vieran, la Madre Angélica, y también tú Madre, y hasta las hubiera insultado, qué furiosa estaba, qué odio tenía, Madre [...]. (CV: 13-25)

30. Narr/Bo/'NT II₁': [...] y las dos chiquillas ya no están: deben haber salido entre las primeras, gateando velozmente. Bonifacia cruza el patio, al pasar a la capilla se detiene. Entra, se sienta en una banca [...]. (CV: 90, 26-38; 9, 1-3)

31. Con/Bo/An/'NT II₂': - Y además eras una fierecilla - dijo la Madre Angélica -. [...]. No sabía lo que hacía - dijo Bonifacia -¿no ves que era paganita? [...].

- Todo me lo dices con un tonito de burla y una mirada pícara que me dan ganas de azotarte - dijo la Madre

	Angélica -. ¿Quieres que te cuente otra historia? (CV: 91, 7-15)
32. Con/Bo/An/Le/:	*- No Madre - dijo Bonifacia -. Aquí estoy rezando hace*
'NT II₁'=	*rato.- ¿Por qué no estás en* el dormitorio? *- dijo la Ma-*
Narr/Bo/'NT II₁'	*dre Angela -. ¿Con qué permiso has venido a la capilla*
	a estas horas? - La pupilas se han escapado - dijo la
	Madre Leonor -, la Madre Angélica te está buscando.
	Anda, corre, la Superiora quiere hablar contigo, Boni-
	facia. (CV: 91, 16-23)

Los ejemplos dados, y el gráfico temporal (p. 140) muestran que el marco presente está constituido por Int/'NT I' (D_1) de donde parten Narr/Bo/'NT II₁' (D_2), Con/Bo/An/Le/'NZ II₁' (D_3) y Con/Bo/An/'NT II₂' (D_4). Los tipos de modos narrativos van del simple diálogo hasta formas complejas del empleo del discurso indirecto libre, en forma casi inseparable de los diálogos y del narrador neutral que emplea a Bonifacia como medio figural.

Todas las acciones descritas en el 'NT II₁' representan una analepsis, interna, homodiegética y reanudadora, ya que nos entregan en el presente la información de cómo y por qué Bonifacia deja escapar a las alumnas. La extensión de la analepsis (Bonifacia es llevada al interrogatorio poco después de la fuga de las niñas) y su amplitud es pequeña, ya que se trata de algunas horas. Las acciones que se encuentran en el 'NT II₂' representan una analepsis interna, heterodiegética, ya que no están directamente relacionada con la fuga de las alumnas, sino con recuerdos de Bonifacia poco después de su llegada a Santa María de Nieva.

Como vemos, tenemos una síntesis de acciones que cronológicamente deberían estar separadas. Los procedimientos empleados, tanto del 'D II' como del 'D I', tienen la función de producir una interpretación de los conflictos tematizados por medio de la superposición temporal (Bonifacia es interrogada por las Madres, luego se inserta la perspectiva de Bonifacia y dentro de ésta la de su conversación con la Madre Angélica, etc.) y de los diversos modos de discursos narrativos empleados simultáneamente.

En el siguiente análisis queremos describir, como se ha planteado el conflicto mediatizado por los procedimientos analizados, que son dos:

a) El trabajo de las Madres, concretizado en la educación de las niñas indias que, al parecer, han podido ser cristianizadas y civilizadas, es cuestionado en base a la descripción de que las indias perciben esta labor como un gran sufrimiento, como una tortura y humillación. El fracaso de las Madres se articula con la fuga de las alumnas y con el retorno de Bonifacia a sus costumbres originarias, en un momento en que semejante acto no debería suceder.

Gráfico temporal I

'NT I':

'NT II$_1$':

'NT II$_2$':

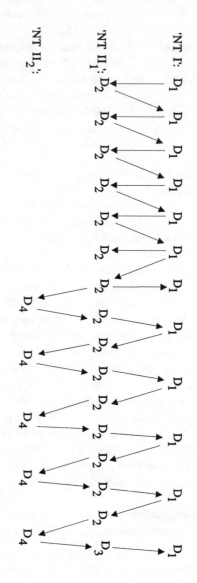

Explicación de las abreviaciones:

Int/NT I= Discurso 1 = D^1

Nar/Bo/NT III= Discurso 2 = D^2

Con/Bo/An/Le/NT III = Discurso 3 = D^3

Con/Bo/An/NT II2 = Discurso 4 = D^4

b) Las Madres, partiendo de su creencia cristiana, consideran la forma de la vida de las tribus como indignas, inhumanas y paganas, lo cual las motiva y justifica para raptarse a las chicas de sus tribus sin tener en cuenta los sentimientos de los indios.

El conflicto trata, partiendo de un eje sémico en común, la oposición 'cristiano/civilizado vs. pagano/salvaje', constituida por una consistente cadena isotópica[62] que se presuponen recíprocamente, pero, a la vez, trata de la distribución de estos términos en ambos campos sémicos de la 'civilización vs. barbarie'.

Los términos 'cristiano' y 'civilizado' son determinados por la perspectiva de las madres y de los blancos como equivalentes ( )[63]:

'NT I/NT II_1/NT II_2', Isotopías:

'cristiano' ≈ 'civilizado'
'Educación':   *túnica, vestido* (*CV*: 24,7; 44,36; 45, 25)
             educación (*CV*: 45, 25-26; 46, 16-17; 47, 1-20)
             pelo corto (*CV*: 85, 29).
             habla cristiana (*CV*: 47, 13).
'Religión':   *Dios* (*CV*: 25, 34; 27, 19; 45, 23)
             remordimiento (*CV*: 27, 20)
             vergüenza (*CV*: 85, 8)
             agradecimiento (*CV*: 43, 5)
             civilizada/cristiana (*CV*: 68, 18, 23-24)
'Patria':   *hogar, familia* (*CV*: 43, 13-22)

Los términos 'cristiano'/'civilizado' no solamente se presuponen, ser civilizado implica en este sistema ser cristiano y viciversa, sino que implican su contrario:

cristiano ↔ civilizado ≠ no-cristiano ↔ no-civilizado

Bonifacia y sus compañeras pueden ser solamente consideras cristianas si se comportan en forma civilizada.

Los términos 'pagano'/'salvaje' son por conclusión también equivalentes:

'pagano' ≈ 'salvaje'
             animal (*CV*: 25,10; 43, 3, 5; 45, 21; 66, 23)
             salvaje (*CV*: 46, 21)
             lombriz/gusano (*CV*: 44, 32)
             inmundicias (*CV*: 45, 2)

---

62 Entendemos como isotopía una cadena de términos que comparten elementos semánticos en común y divergentes; cf. Lewandowski (1975: 590-591).
63 Para otros ejemplos vid. (*CV*: 123-129).

142

    habla pagana/gruñen (CV: 47, 28; 68, 9; 85, 2)
    desnudez (CV: 44, 35, 46, 19; 66, 30)
    pelo largo (CV: 66, 29-30; 67, 11; 68, 11)
    malvada/ingrata (CV: 43, 3; 45, 26)
    demonio (CV: 25, 33; 43, 1; 45, 1; 46, 27; 66, 5; 67, 6, 9; 86, 38; 87, 5, 29)
    infierno (CV: 43, 12; 87, 10)
    perversas (CV: 43, 12)
    malos instintos (CV: 45, 1)
    bandida (CV: 45, 15)
    pagana (CV: 46, 18; 85, 8)
    perezosa (CV: 46, 27)
    loca/idiota (CV: 68, 31)

Los términos 'pagano'/'salvaje' también se presuponen e implican su contrario:

    pagano ↔ salvaje ≠ non-pagano ↔ non-salvaje

En el interrogatorio, al cual la Madre Superiora somete a Bonifacia, se articula todo aquello que las Madres hacen por las alumnas y la razón por la cual lo hacen ('NT I'). El 'N II' articula la angustia de las indias del efecto de esta tarea misionaria: cortadura de pelo, comer con cubierto, aprender español, vestirse, creer en un Dios, etc. Los soldados de la guarnición cuestionan abiertamente, la tarea de las Madres representando así, una posibilidad de interpretación.

La tarea de las Madres no solamente es relativizada por la fuga de las alumnas y el cambio en la personalidad de Bonifacia, sino también porque las Madres le niegan a Bonifacia el derecho de emplear argumentos cristianos, como el apelar a la piedad de Dios y la Virgen para ser perdonada, el derecho al arrepentimiento y a la oportunidad de corregirse, con lo cual le niegan la base religioso-moral que ellas mismas les han dado. Las Madres califican sus propios argumentos, ahora en boca de Bonifacia, como pretextos para justificar algo injustificable y castigar a Bonifacia. El que Bonifacia culpe al demonio de su trastorno, se encuentra en la lógica del catolicismo, pero en su caso, estas justificaciones pierde de pronto su valor, son un mero escudo, y la comparación que hace Bonifacia de la Superiora con la Virgen en cuanto a bondad, es calificado de »zalamería«. A través de estos procedimientos el autor implícito desacredita a las Madres, poniéndolas como individuos no convincentes, y de alguna manera hipócritas.

En 'NT II$_2$', no solamente se informa sobre la llegada de Bonifacia a la misión, sino que se explica su trauma. Este radica en su propia experiencia y en la tortura de Jum, a la cual ella, junto a las otras alumnas, es testigo. El primer castigo que se le da a Jum es raparlo, un acto de extrema humillación para los indios, especialmente para los hombres, ya que la melena es símbolo de su *status* y de su virilidad. Luego cuelgan a Jum de los pies. La Madres, en vez de condenar semejante acto por parte de los patrones, lo justifican describiendo a Jum como un demonio. El corte de los cabellos es para las indias, no un medio de desprenderse de los piojos, sino un elemento de tortura y humillación y finalmente un castigo.

Ejemplo (2): 'La historia de amor de Anselmo y Antonia'

La muerte de Anselmo hace recordar, meditar y comentar al Dr. Zevallos, comiendo con el Padre García, la relación especial que tenía el propietario de la casa verde con Antonia, recordando aquel día en que Anselmo lo viene a buscar para tratar de salvar a la agonizante Antonia. Los comentarios del Dr. Zevallos hacen aparecer esta relación en una luz positiva (= C). El Dr. Zevallos narra cómo Anselmo una noche lo va a buscar, rogándole en forma desesperada acompañarlo al burdel para salvar a su mujer. En el burdel, el Dr. Zevallos encuentra a la desaparecida Antonia, agonizante en un mar de sangre a causa del parto, con el cual trae al mundo a su hija Chunga (= A). Esta narración se encuentra temporalmente superpuesta a aquélla donde se narra el aborto de Bonifacia (= B), que parece no tener ninguna conexión con la acción en torno a Antonia, pero que se descubre como parte determinante para la constitución del mensaje.

La conversación entre el Dr. Zevallos y el Padre García, que contiene los juicios, comentarios y reacciones de éstos con respecto al suceso, constituye el 'NT I'. Los sucesos parten de la conversación - que tiene una función de marco comunicativo -, formando independiente de ésta su propio nivel temporal en un pasado muy remoto ('NT II_2'). El aborto de Bonifacia tiene lugar poco después de la internación de Lituma en la cárcel de Lima, pero muchos años después de la muerte de Antonia y muchos años antes de la muerte de Anselmo, constituyendo de esta forma un pasado lejano ('NT II_1'). Mientras que la superposición temporal entre la conversación del Dr. Zevallos y el Padre García y la muerte de Antonia se puede definir como 'explícita', es aquélla del aborto de Bonifacia, 'implícita' ya que no parte de una instancia mediadora, sino que la secuencia es sorpresivamente insertada. Las acciones constituyen, reconstruidas cronológicamente, la secuencia temporal en el 'NH' con A1 - B2 - C3 y en el nivel del 'D I' con C^13 - A^21 - B^32 y las podemos distribuir en los siguientes niveles temporales:

'NT I':   Presente C3
'NT II1':   Pasado lejano: B2
'NT II2':   Pasado remoto: A1

Las acciones en el 'NT II_2' son reproducidas por medio de una analepsis homodiegética, reanudadora, elíptica, cuya extensión temporal abarca pocas horas (el tiempo que permanece el Dr. Zevallos en el burdel) y su alcance temporal es de varios decenios: va de la muerte de Antonia hasta la muerte de Anselmo.

Las acciones en el 'NT II$_1$' son presentadas a través de una anlepsis heterodiegética, complementadora, ya que no pertenecen a la secuencia accional C, sino a E. El diálogo Dr. Zevallos/Pedre García, como así también la muerte de Antonia y el aborto de Bonifacia, están organizados por medio de una serie de segmentos discursivos alternativos ('D II'), como en el ejemplo (1), mediatizados por discursos de personajes y del narrador. El *status* de los diálogos es diverso: mientras los del Dr. Zevallos/Padre García constituyen el presente, los otros pertenecen al pasado, y mientras los diálogos en el 'NT II$_1$' son implícitos, los del 'NT II$_2$' son explícitos. Además, son los 'NT I' y 'NT II$_2$', en muchos casos, sintáctimante inseparables, por lo cual deberemos transcribirlos como tal en el nivel del 'D II'.

Segmentación en el nivel del 'D II':

- Conversación Dr. Zevallos/Padre García y descripción de un narrador = 'NT I' (Abreviación: Ze/Gar/Nar: 'NT I')
- Muerte de Antonia/Nacimiento de Chunga/Conversación Dr. Zevallos/Padre García y descripción de un narrador = 'NT II$_2$' (Abreviación: An/Ch/: 'NT II$_2$')
- Aborto de Bonifacia, Conversación entre Josefino y Doña Santos y descripción de un narrador = 'NT II$_1$' (Abreviación: Bon/Jo/Sa/Nar: 'NT II$_1$')

1. Ze/Gar/Nar:'NT I':   *Es una mujer rara, la Chunga. Yo creí que ella no sabía. Se vuelve al Padre García [...] que no sabía qué cosa. El Padre García mira al doctor Zevallos de través -. Que yo la trajera al mundo -. [...] lo de usted está clarogruñe el Padre García como si hablara con la mesa -. Este vio morir a mi madre, que vea morir a mi padre también. ¿Pero por qué tenía que llamarme a mí ese marimacho?* (CAS: 411, 13-32)

2. An/Ch/:'NT II$_2$':   *- ¿Qué significa esto? - dice el doctor Zevallos -. ¿Qué le pasa? - Venga conmigo doctor [...]. Ahorita, tal como está doctor, no hay tiempo [...].*
- ¿Crée que no le reconozco? - dice el doctor Zeva llos -. Salga de ahí, Anselmo. ¿Por qué se esconde? - Venga, doctor, rápido - una voz quebrada en la oscuridad del zaguán que el eco repite, en lo alto -. Se me muere, doctor Zevallos venga [...]. - ¿Su mujer? - dice el doctor Zevallos, atónito - ¿Su mujer, Anselmo? (CAS: 411, 33-387, 412, 1-12)

3. Ze/Gar/Nar:'NT I':   *Pueden estar muertos los dos, pero yo no lo acepto - el Padre García da un golpe en la mesa [...]. No puedo aceptar esa infamia. Dentro de cien años también me*

	parecería infame. (CAS: 412, 13-16)
4. An/Ch/:'NT II₂':	*La puerta del vestíbulo se ha abierto y el hombre retro-cede como si viera un fantasma* [...]. *Espéreme en el malecón - susurra -. Voy a sacar mi maletín. (CAS:* 412, 17-25)
5. Ze/Gar/Nar:'NT I:	*- Vayan tomando el caldito - Angélica Mercedes pone dos calabazas humeantes sobre la mesa -. Ya tienen sal y en un ratito más les traigo el piqueo* [...]. *El doctor Zevallos remueve el caldo pensativamente, el Padre García alza la calabaza con cuatro dedos, la acerca a la nariz y aspira el aroma caliente -. Yo tampoco lo entendí nunca y en ese tiempo creo que también me pareció infame - dice el doctor Zevallos -. Si usted hubiera sido testigo esa noche, no lo habría odiado tanto al pobre Anselmo, Padre García, se lo juro. (CV:* 412, 26-38, 413, 1-2)
6. An/Ch/:'NT II₂':	*- Se lo pagará Dios, doctor - lloriquea el hombre mientras corre dándose encontrones contra los árboles* [...]. *Yo haré lo que me pida, le daré toda mi plata, doctor, toda mi vida, doctor. (CV:* 413, 3-6)
7. Ze/Gar/Nar:'NT I':	*- ¿Quiere conmoverme? - gruñe el Padre García, mirando al doctor Zevallos, parapetado tras la calabaza que sigue olfateando -.* [...]. *El Padre García toma la temperatura del caldo con la punta de la lengua, sopla, bebe un tragito, eructa, gruñe una disculpa y sigue bebiendo a sorbitos y soplando. Poco después vuelve Angélica Mercedes con una fuente de piqueo y jugos de lúcuma* [...]. *Un poquito caliente apenas se enfriara se la tomaba* [...]. *Ahora les calentaban el café* [...]. *El doctor Zevallos acuña la calabaza con un dedo, examina meticulosamente la turbia y redonda superficie que oscila y el Padre García ha comenzado a trinchar pedacitos de carne y a masticar con empeño. Pero de repente se interrumpe ¿se habían enterado todos?, y queda con la boca abierta: ¿las perdidas y los perdidos estaban ahí? (CV:* 413, 7-30)
8. Ze/Gar/Nar: 'NT I': = An/Ch/:'NT II₂'	*Al entrar vi en la cabecera una gorda pelirroja a la que llamaban la Luciérnaga y no me pareció enferma y yo iba a hacer una broma y ahí vi el bulto y la sangre* [...] *en las sábanas, en el suelo, todo el cuarto una pura*

mancha. Perecía que hubieran degollado a alguien (CV: 414, 24-29).

9. Ze/Gar/Nar: 'NT I':
= An/Ch/:'NT II$_2$'

El Padre García no trincha, tritura ferozmente los trozos de carne, los ensarta en el tenedor, los retuerce contra la fuente. El trozo chorreante no sube hasta su boca, ¿se desangraba la criatura? queda temblando en el aire, como su mano y el cubierto, ¿sangre por todas partes? y una brusca ronquera lo ahoga, su barbilla, imbécil, que la soltara, no era de besos la estaba ahogando, había que hacerla gritar, imbécil: más bien que la cacheteara. (CV: 414, 30-38)

10. An/Ch/: 'NT II$_1$':

Pero Josefino se lleva un dedo a la boca: nada de gritos, ¿no veía que había tantos vecinos? ¿no los oían conversando? Como si no lo oyera, la Selvática chilla con más fuerza y Josefino saca su pañuelo, se inclina sobre su camastro y le tapa la boca. Sin inmutarse, doña Santos sigue hurgando, manipulando diestramente los dos muslos morenos. (CV: 415, 7-14)

11. Ze/Gar/Nar: 'NT I':
= An/Ch/: 'NT II$_2$'

Y ahí le había visto la cara, Padre Garcia, y le comenzaron a temblar las piernas [...] era la Antonia, Dios mío. Don Anselmo ya no la besaba, derrumbado a los pies de su cama le ofrecía de nuevo su plata doctor, Zevallos, su vida ¡sálvemela! (CV: 415, 7-14)

12. An/Ch/: 'NT II$_1$':

[...] y Josefino se asustó, doña Santos, ¿no se había muerto? No fuera a matarla, no fuera a matarla, doña Santos, y ella chist: se había desmayado, no más. Era mejor, no haría bulla y acabaría más rápido, que le mojara la frentecita con el trapo. (CV: 415, 13- 17)

13. An/Ch/: 'NT II$_2$':

El doctor Zevallos le entregó el lavatorio con violencia, que hirviera más agua imbécil, lloriqueando en vez de ayudar [...], doctor, que no se le muriera [...] era su vida [...]. (CV: 415, 17-23)

14. An/Ch/: 'NT II$_1$':

- Pásame la bolsa - dice doña Santos - Y ahora le doy un matecito y se despierta. Llévate eso, y entierralo bien, y que no te vea nadie. (CV: 415, 27-29)

15. Ze/Gar/Nar:'NT I'=:

- ¿Había alguna esperanza? - gruñe el Padre García martirizando los trozos de carne, punzándolos y arrastrándolos de un lado a otro -. ¿Era imposible salvarla a la niña? [...] nació cuando la madre estaba muerta. (CV: 415, 30-38; cf. también 416)

La superposición temporal tiene aquí la función, fuera de la organización silmultá-
nea de las acciones y de producir suspenso, también de comentar, a través del contraste de situaciones similares, la relación particular entre Antonia y Anselmo, sin in-
fluenciar al lector a tomar partido en pro o contra del comportamiento de Anselmo.
Para esto, Vargas Llosa se sirve, no solamente del juicio contrastivo del Dr. Zevallos
y del Padre García, sino a la vez del comportamiento radicalmente opuesto entre Anselmo y Josefino. El mensaje perseguido, se puede conseguir a través de un análisis
semántico de las acciones superpuestas temporalmente que acabamos de citar. En el
'NT I' obtenemos las siguientes isotopías:

'NT I': Isotopías:

'Líquido':	*caldito, agua* (*CV*: 412, 26, 32; 415,18)
	café (*CV*: 413, 23)
	jugo de lúcuma (*CV*: 413, 19)
	hilillo de baba (*CV*: 414, 32, 35-36)
'Carne':	*carne* (*CV*: 413, 27; 414, 30-31, 33; 415, 31; 416, 17)
'Instrumentos':	*tenedor* (*CV*: 414, 31, 34; 416, 17)
	fuente (*CV*: 414, 32)
	calabaza (*CV*: 412, 27; 413, 25; 413, 33)
'Mano'/Dedos':	*dedos, mano* (*CV*: 412, 33; 413, 25; 413, 33)
'Calor':	*humeante, caliente* (*CV*: 412, 27, 34; 413, 21)
'Orificio':	*boca* (*CV*: 413, 29; 414, 32; 416, 17)
'Violencia':	*masticar* (*CV*: 413, 28)
	triturar (*CV*: 414, 30)
	trinchar (*CV*: 414, 30)
	ensartar (*CV*: 414, 31)
	retuerce (*CV*: 414, 31)
	martirizar (*CV*: 415, 31)
	punzándolos (*CV*: 415, 31)
	arrastrándolos (*CV*: 415, 31-32)

'NT II$_1$: Isotopías:

'Líquido':	*moja* (*CV*: 415, 17)
	mate (*CV*: 415, 28)
'Carne':	*eso* (Feto) (*CV*: 415, 28)
'Trabajo':	*hurgando* (*CV*: 415, 5)
	manipulando (*CV*: 415, 6)
'Grito':	*nada de gritos* (*CV*: 415)

Gráfico temporal II

'NT I': D_1 D_1 D_1 D_1

'NT II$_1$':

'NT II$_2$': D_2 D_2 D_2

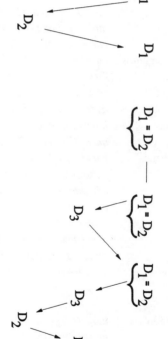

Explicación de las abreviaciones:

Ze/Gar/Nar: 'NT'   = D_1

An/Chi/: 'NT II'^{2} 1   = D_2

Bon/Jo/Sa/Nar: 'NT II '   = D_3

'Instrumentos':   *trapo (CV*: 415, 17)
                bolsa (CV: 415, 27)
                dedo (CV: 415, 1)
'Orificio':   *entre los dos muslos morenos* (= *vagina*) (*CV*: 415, 6)
'Calor':   *que le mojara la frentecita* (*CV*: 415, 17)

'NT II$_2$': Isotopías:

  'Líquido':   *sangre (CV*: 414, 26)
                  agua (CV: 415, 18)
  'Gritar':   *hacerla gritar (CV*: 413, 3)
  'Llorar':   *lloriquea (CV*: 414, 38)
  'Calor':   *hirvieran (CV*: 415, 18)
  'Instrumentos': *lavatorio (CV*: 415, 21)
                  bolsa (CV: 415, 27)
  'Trabajo':   *operarla (CV*: 415, 35)
  'Amor':   *besos (CV*: 414, 37)
                  darle la vida (CV: 413, 6; 415, 23)

Constatamos que las isotopías 'líquido' y 'carne' unen los tres 'NTs'. El líquido se manifiesta ya sea en la sangre de Antonia en la saliva del Padre García, en la sopa que éste come, en el agua que el Dr. Zevallos necesita para la operación y en el agua con la cual Josefino refresca el rostro a Bónifacia durante el aborto. La carne aparece como alimento, que come el Padre García, como el cuerpo de la recién nacida, Chunga, y como el feto del aborto de Bonifacia.[64]

El odio que el Padre García siente por Anselmo, lo expresa en la forma en que come: éste tritura con violencia la carne, tanto con el tenedor como con los dientes, y mientras más escucha sobre Antonia y Anselmo, más aumenta su agresión y violencia chorreándole la sopa y la saliva. De esta forma, se unen 'NT I' y 'II$_2$' a través de los términos 'sangre'/'saliva'/'sopa' y de 'carne'/'feto'/'recien nacido'. La boca del Padre García se encuentra en una relación metonímica con la vagina de Antonia y Bonifacia: la violencia que ejercitan sus dientes se relaciona con la violencia de las manos de la matrona que le arranca a Bonifacia el feto de las entrañas y con el nacimiento de Chunga que destroza a Antonia. Los elementos '*plato*', '*calabaza*' y '*lavatorio*' unen a su vez los diversos NTs.

Partiendo de las isotopías descritas, podemos construir la siguiente homología:

Matanza : Despertar : : Nacimiento : Muerte

---

64 George Bataille emplea en su *Histoire de l'oeil* (1967) un procedimiento narrativo similar con los elementos 'redondo' y 'líquido'.

Mientras el niño de Bonifacia muere y es enterrado, nace Chunga; Bonifacia sobre-vive la intervención, Antonia muere.

La superposición temporal nos muestra que los sentimientos de Anselmo, el cual está dispuesto a dar su vida por salvar a Antonia, se encuentran en radical oposición a los de Josefino, quien llevado por sentimientos bajos y egoistas, obliga a Bonifacia a abortar, para luego meterla en el burdel de la Chunga.

Por otra parte, el Padre García no puede o no quiere comprender los sentimientos de Anselmo y lo condena. El Dr. Zevallos, al contrario, que ha presenciado la escena frente a la muriente Antonia, puede perdonar y comprender el comportamiento de Anselmo quien está condicionado por su infinito amor. Por esto, no es un azar que la isotopía 'Amor' se encuentre en el 'NT II$_2$' para subrayar la pureza de los sentimientos de Anselmo, al contrario del 'NT II$_1$' donde se articula la bajeza de Josefino.

La función texto-interna de la superposición temporal consiste aquí - como en el ejemplo (1) - en contribuir a la interpretación recíproca de diversas acciones en diver-sos puntos temporales, sin la mediación de un narrador omnisciente, donde se desprende una tendencia sutil en favor de Anselmo, ya que el hecho de haber raptado una niña sordomuda pierde su aparente inmoralidad frente al motivo del amor, lo que es acentuado por la comparación con Josefino.

La función texto-externa exige del recipiente implícito descubrir la estrategia del autor implícito, que consiste en relacionar las similitudes y las diferencias de los ele-mentos contituyentes de los diversos 'NTs' (para así llegar a la denominación del mensaje insinuado) que son disimulados por una semántica estereotípica y por los entrelazamientos sintácticos.

Esperamos que los dos ejemplos analizados basten como una clara ilustración de lo que hemos definido como superposición temporal y de sus respectivas funciones.

A continuación, queremos mencionar por lo menos los otros tipos de super-posiciones temporales que se encuentran en las secuencias accionales A, B, C y D.

A32: 'Llegada de un nuevo teniente a Santa María de Nieva' (*CV*: 195-205):

Inmediatamente después de la llegada del nuevo teniente a Santa María de Nieva, se dirige Jum a éste para exigir la compensación del daño que le han producido los pa-trones. El 'NT I', el presente, está constituido por el diálogo entre el teniente, Jum y el Sargento, en el cual se reproduce *in actu* un conflicto del pasado entre Jum y Reáte-gui. La superposición temporal es simple, ya que tiene solamente dos 'NTs', e implí-cita ya que no está subordinada a la perspectiva de ningún medidador. El 'NT II$_1$' es una analepsis heterodiegética, ya que no es parte directa de la secuencia accional A, teniendo la función de introducir a Jum y su problema.

A36: 'Bodas de Bonifacia y el Sargento' (*CV*: 307-314):

Las bodas de Bonifacia y el Sargento se realizan en la capilla de la misión con la participación de las madres (= 'NT I'). Esta acción es, en el primer momento, sorpresiva para el recipiente, ya que hasta ese momento sólo estaba informado sobre la expulsión de Bonifacia de la misión, pero no de su reconciliación con las madres. Durante el transcurso de la celebración de la boda se intercala un diálogo entre Lalita y la Madre Angélica, en el cual se relata como Lalita se ofrece de intermediaria entre Bonifacia y las Madres, para obtener el concentimiento de éstas para una boda religiosa (= 'NT II'). La superposición temporal es simple e implícita, las posiciones informacionales cero son rellenadas por una analepsis externa, homodiegética, complementadora y elíptica.

B: 'Las aventuras de Fushía' (*CV*: 28-31 ... 366; 385-390):

En esta secuencia accional la conversación entre Fushía y Aquilino durante la huída de la isla al lazareto de leprosos de San Pablo ('NT I') constituye el marco de la comunicación general. Desde esta perspectiva se narra el total de la acción de las aventuras de Fushía (= 'NT II'). Los 'NTs' no son siempre separables con claridad, debido a su fuerte entrelazamiento sintáctico. En muchos casos desaparece el marco dialogal de la comuniación y el recipiente experimenta lo narrado como inmediato, como es el caso en los segmentos accionales $B^4 38$, $B^{47} 18$ y $B_0/^{56} 20$, donde un narrador neutral reemplaza el diálogo, narrando las aventuras de Fushía como si tuviesen lugar en el presente:

Diagrama temporal IV:

'NT I' : Presente: Diálogo durante la huída: - B24 - B25 - B26

'NT II': Aventuras: B1 . . . . B23

(Superposición temporal interna, simple)

En B24 se encuentran los dos personajes huyendo, durante este lapso se le informa al recipiente sobre la vida de Fushía (de B1 a B23), sobre su salvación con la ayuda de Aquilino. Luego continúa la acción con B24, llegando al presente, y en B25 se interna Fushía en el lazareto de San Pablo. B26 tiene lugar un año más tarde, cuando Aquilino visita a Fushía.

Las acciones ubicadas al 'NT II' constituyen una analepsis mixta, ya que lo narrado tiene lugar antes del viaje a San Pablo; la anelpsis se extiende hasta el presente, es decir, hasta el momento en que Aquilino se lleva a Fushía de la isla. La función de esta analepsis es la de transmitir con detalles la vida de Fushía. La diferencia entre un comienzo tradicional *in medias res* y el procedimiento empleado en la *CV* radica en que, en el primer caso, un narrador o personaje narra *in extenso* o en forma abreviada la prehistoria del personaje, de tal manera que después de algunas pocas páginas se alcanza el presente narrativo y se puede continuar, en el caso de interrupción, o comenzar con la historia principal. En la *CV*, al contrario, se encuentra el presente siempre superpuesto al pasado, perdiendo el presente su importancia y diluyéndose en lo acontecido, hasta converger al final de la secuencia accional. Fuera de eso, es el diálogo y la pespectiva de los personajes el modo de mediación predominante.

D 13: 'Levantamiento de los indios' (*CV*: 57-60):

Una superposición simple, que oscila entre el tipo de la implícita y la explícita, se encuentra en el segmento accional D 13, donde el 'NT I' está constituido por el diálogo entre Reátegui y sus amigos que informa sobre la resistencia de los indios de seguir vendiendo caucho bajo las condiciones pasadas. El 'NT II' contiene el diálogo de Jum, el cacique de la tribu, con Bonino Pérez y Teófilo Cañas, dos hombres, que informan a los indios sobre sus derechos y le hacen ver que son explotados. Para esto les recomiendan reunirse en cooperativas para poder legalmente defender sus derechos. Esta analepsis homodiegética, reanudadora tiene la función de explicar *en passant* las alusiones hechas en el 'NT I'.

E40: 'El duelo: Lituma y Seminario' (*CV*: 223-228; 244-251; 271-277; 291-296):

Finalmente, tenemos una superposición temporal explícita y simple en el segmento accional E40, donde el 'NT I' se compone de los diálogos entre Selvática, Chunga y los miembros de la orquesta de Anselmo en la casa verde. En estos segmentos se nos narra la causa de la condena a prisión de Lituma. El 'NT II' expone el duelo entre Lituma y Seminario. Esta analepsis homodiegética, complementadora y elíptica recupera acciones aludidas, mas hasta ese momento excluidas.

2.222 Procedimientos del Discurso II para la producción de la ilusión de la simultaneidad

En el análisis realizado hasta este lugar hemos indicado siempre que algunos procedimientos temporales tienen la función de crear la ilusión de la simultaneidad como resultado de una determinada concepción de la realidad.

Fuera de los procedimientos temporales tales como permutación, entrelazamiento y superposición, especialmente en su forma implícita, encontramos determinados procedimientos no-temporales, tales como los de la segmentación tipográfica y los narrativos pertenecientes al nivel del 'D II', a los cuales nos referimos a continuación.

Para comenzar, queremos hacer algunas indicaciones imprescindibles. Los procedimientos de la segmentación tipográfica tienen la función de organizar el texto, y no el tiempo de la acción. Naturalmente, que en el caso de la *CV*, estos tienen una finalidad dentro de la estrategia narrativa. Similarmente lo dicho vale para los procedimientos en el nivel del 'D II' que están a cargo de la mediación de lo narrado a través de instancias narrativas (personajes/narrador) y no de la organización temporal. Frente a lo expuesto, debemos considerar que, en una serie de casos, los procedimientos tipográficos y los del 'D II' están para acentuar la percepción de la simultaneidad temporal. A continuación los siguientes ejemplos.

1. Entrelazamiento sintáctico de dos 'NTs' por medio de una frase que pertenece a dos 'NTs' diferentes:

Ejemplo (1):

'NT I':   - *Pero esto ya me lo contaste al salir de la isla, Fushía - dijo Aquilino.-*
               Yo quiero que me digas cómo fue que te espcapaste.

'NT II':   - *Con esta ganzúa - dijo Chango -. La hizo Iricuo con el alambre del catre.*
               La probamos y abre la puerta sin hacer ruido. ¿Quieres ver, japonesito?

'NT I':   - *¿Y resultó tal cual, Fushía - dijo Aquilino?. - Tal cual - dijo Iricuo -. ¿No*
               ven que en Año Nuevo todos se mandan a mudar? (*CV*: 29, 1-6, 12, 14)

Las palabras, '*con esta ganzúa*' y '*tal cual*', son por una parte, las respuestas a las preguntas de Aquilino en el presente: '*cómo fue que te escapaste*' y '*¿ resultó tal cual, Fushía?*' y por otra, a la de los diálogos de los prisioneros en un pasado remoto. Las respuestas provienen en ambos 'NTs' de Chango e Iricuo y no de Fushía.

En forma semejante está construido el pasaje siguiente, el cual no entramos a analizar por haberlo ya hecho en la pág. 132-133:

Ejemplo (2):

'NT II$_2$'(pasado remoto):   *Todo me lo dices con un tonito de burla y una mirada*
                                 pícara que me dan ganas de azotarte - dijo la Madre
                                 Angélica -. ¿Quieres que te cuente otra historia?

'NT II$_2$' y Presente: *- No Madre - dijo Bonifacia -. Aquí estoy rezando hace*
                                 rato.- ¿Por qué no estás en el dormitorio? - dijo la Madre Angela -. ¿Con qué permiso has venido a la capilla a estas horas? (*CV*: 91).

2. Entrelazamiento de la conversación entre varios personajes y del narrador por medio del discurso indirecto libre:

Este tipo de discurso, desarrollado por Flaubert, que abrió nuevas posibilidades narrativas (variación, perspectivismo, etc.) ha sido empleado en forma radicalizada por Vargas Llosa, no solamente para cumplir con su intención de mantener la neutralidad del narrador, sino, a la vez, para permitirle al recipiente una recepción simultánea de las acciones.[65]

Ejemplo (3):

1 *La Madre Patrocinio está muy palida, mueve los labios, sus dedos aprietan las*
   cuentas negras de un rosario y eso sí Sargento, que no olvidara que eran niñas,
3 *ya lo sabía, ya lo sabía, y que el Pesado y el Oscuro tuvieran quietos a los cala-*
   tos que la Madre no se preocupara y la Madre Patrocinio ay si cometían brutali-
5 *dades y el práctico se encargaría de llevar las cosas, muchachos, nada de bruta-*
   lidades: Santa María, Madre de Dios. Todos contemplan los labios exangües de
7 *la Madre Patrocinio, y ella ruega por nosotros, tritura con sus dedos las bolitas*
   negras y la Madre Angélica, cálmese, Madre, y el Sargento ya ahora era cuando
9 *[...]. (CV: 18, 25, 36)*

En las líneas 1, 2, y 6 y 7 tenemos un narrador, en 2 y 4 el discurso de la Madre Patrocinio, luego el diálogo entre el Sargento y los soldados en 3, 5, 6 y 8, siguiéndole el rezo de la Madre Patrocinio en 7 y finalmente el discurso de la Madre Angélica en 8.

El pasaje que hemos citado abarca varias páginas y es interrumpido por segmentos accionales de otras secuencias, de tal forma que el recipiente se encuentra al comienzo de la lectura frente a fragmentos lingüísticos que le transmiten una impresión de simultaneidad y de la superación de los límites entre pasado, presente y futuro.[66]

Ejemplo (4):

1 *[...] el Oscuro y el práctico Nieves están parados al fondo de la cabaña y el Rubio*
   llega corriendo, se acuclilla junto al Sargento. Ahí están, Madre Angélica, ahí
3 *estaban ya y la Madre Angélica sería vieja pero tenía buena vista, Madre Patroci-*
   nio, los estaba viendo, eran seis. La vieja, melenuda, lleva una pampanilla blan
5 *cuzca y dos tubos de carne blanda y oscura penden hasta su cintura [...]. Miran el*
   claro desierto, la mujer abre la boca, los hombres menean las cabezas. ¿Iban a
7 *hablarles, Madre Angélica? y el Sargento sí, ahí salían las Madres, atención*
   muchachos. (CV: 13, 6-23)

En este ejemplo, los personajes se emplean como 'medios figurales' a través de los cuales se articula el narrador. El recipiente percibe la llegada de los indios la desde la pespectiva de las Madres Patrocinio ('*Ahí están, Madre Angélica, ahí estaban [...]*', línea 2 - 3) y Angélica ('*sería vieja pero [...]*', línea 3), luego se conecta este discurso

---

65 Vargas Llosa en: González Bermejo (1971: 61) y en: Osorio Tejada (1971: 31).
66 Cf. también Vargas Llosa, en: Osorio Tejada (1971: 31); Castañeda (1971: 317).

indirecto libre con el discurso del narrador y los diálogos con el Sargento.

Fuera de estos procedimientos, el narrador emplea isotopías con relación al día y a la noche, donde no se especifica de qué noche o día precisamente se está hablando. Una acción comienza al amanecer y otra intercalada termina al anochecer, insinuando un todo cronologíco, mas amanecer y anochecer pertenecen a diversos puntos del tiempo de la historia.

Estos procedimientos son parte de diversas variaciones de la 'concretización temporal', a la cual nos dedicamos a continuación.

2.223 Concretización temporal puntual

Este tipo de concretización temporal no es dominante en *CV*, pero la encontramos especialmente en aquellas partes con un narrador omnisciente:

> *Dos días más tarde* (*CV*: 55); *Iba todos los domingos* (*CV*: 56); *El primer mes de su estancia* (*CV*: 57); *El primer año* [...] *el segundo año* [...] *Al tercer año* [...] (*CV*: 100).

Las funciones de la concretización temporal son las siguientes:

a) Función negadora: el tiempo, por ejemplo, en la secuencia temporal (B) se organiza en el 'NT I' en forma estática (el viaje a San Pablo). El recipiente que percibe que el tiempo no transcurre, obtiene por primera vez un dato temporal en la p. 344, cuando Aquilino dice que el viaje ha durado treinta días, un lapso que tampoco es sentido así por los personajes:

> *¿HAS CONTADO los días, viejo?* - *dijo Fushía* .- *Yo he perdido la noción del tiempo.* - *Qué te importa el tiempo, para qué sirve eso* - *dijo Aquilino.* - *Parece que hiciera mil años que salimos de la isla* - *dijo Fushía* -. (*CV*: 129-130)

La impresión de Fushía tiene un *status* metanarrativo en cuanto representa también la del recipiente. El tiempo del 'NT I' es prácticamente anulado por la superposición temporal ('NT II') que abarca alrededor de 30 años.

b) Función aceleradora: en este caso tiene la función de resumir un largo período temporal para llegar rápidamente al *cum grano salis* de la acción. Un ejemplo lo encontramos en la secuencia accional (C):

> *El primer año, el río Piura creció y siguió creciendo* [...]. *El segundo año, como en represalia contra las injurias que le lanzaron los dueños de tierras anegadas, el río no entró* [...]. *Al tercer año, las plagas diezmaron las cosechas.* (*CV*: 100)

c) Función orientadora: en la secuencia accional (B, *CV*: 385-390) se informa que Aquilino, un año después que ha dejado a Fushía en San Pablo, vuelve para visitarlo. Este dato cronológico es imprescindible ya que, como hemos indicado más arriba, no solamente el tiempo del viaje por el río Marañón es incierto, sino que se produce una elipsis entre la internación de Fushía y la conversación de Fushía y Aquilino, cuyo punto temporal se aclara con la mención del transcurso de un año.

Otro ejemplo sería el de la secuencia (C, *CV*: 405-430). Aquí sabemos solamente que Anselmo ha muerto después de haber alcanzado una alta edad, mas no se indica su edad exacta. Pero a través de la mención de los años que han transcurrido entre el incendio de la casa verde y la muerte de Anselmo, se puede fijar con cierta precisión la cantidad total de años transcurridos.

Es particularmente llamativo el hecho que, por lo general, se dan a conocer datos temporales cuando algún personaje muere o sucede un acontecimiento de gran envergadura.

d) Funcion elíptica: está estrechamente relacionada con la aceleración y orientación temporal. Por medio de datos temporales puntuales se pueden saltar varios años, meses, semanas o días.

e) Función relativizante: encontramos ejemplos en la secuencia accional (A, *CV*: 253-261, 279-284). Aquí el Teniente y sus soldados tratan de saber, cuando la banda de Fushía ha dejado la isla:

> *No se fueron anoche, sino hace tiempo* (*CV*: 257) [...] *para mí hace meses* [...]. *Quizás más de un año* [...]. *Para mí hace varios años.* (*CV*: 258)

2.224 Concretización temporal no-puntual

Constatamos las siguientes formas de concretización temporal no-puntual:

a) Por medio de presencia o ausencia del sol:

> *amarillento sol del mediodía* (*CV*: 9)
> *cielo ceniza* (*CV*: 35)
> *la rojiza luz del alba* [...] *cuando las lenguas del sol comienzan* (*CV*: 53)
> *El sol centellea* (*CV*: 57)
> *alargadas, azules unas rayas cuarteaban el cielo* (*CV*: 123)
> *ese maldito calor* (*CV*: 138)
> *el sol está ya alto* (*CV*: 299)
> *el sol se refleja* (*CV*: 307)
> *el sol dispara rayos* (*CV*: 320).

b) Por medio de la presencia o ausencia de la luna o de un tipo determinado de iluminación artificial:

> *Borrosamente, allá en lo alto* (*CV*: 21)

lanzó la lamparilla (CV: 24)
Ya oscurecía, aún no habían encendido los faroles (CV: 37)
Resplandecían las velas de sebo (CV: 60)
La luna muy alta (CV: 145)
El pueblo estaba en puras tinieblas (CV: 171)
La embarcación es sólo una lucesita blanca sobre el río (CV: 195)
Bajo la sombra curva de los platanos (CV: 229).

c) Por medio de la descripción de la fisionomía de los personajes, por ejemplo, de Anselmo:

Era un joven atlético, de hombros cuadrados, una barbita crespa bañaba su ros-
tro (CV: 54)
Don Anselmo había engordado, se vestía con exceso chillón; sombrero de paja
blanda, bufanda de seda, camisa de hilo (CV: 101)
Porque desde el incendio había envejecido: sus hombros se desmoronaron, se hun-
dió su pecho, brotaron grietas en su piel, se hinchó su vientre, sus piernas se cur-
varon (CV: 241)
El arpista seguía su vida, sus caminatas. Estaba más viejo cada día (CV: 242)
el viejo casi ciego (CV: 270)
más de ochenta años (CV: 396).[67]

d) Por medio del cambio del aspecto urbano:

Las calles de la ciudad crecían, se transformaban, se endurecían con adoquines y
veredas altas, se engalanaban con casas flamantes y se volvían ruidosas, los chi-
quillos correteaban tras los automóbiles. Había bares, hoteles y rostros forasteros,
una nueva carretera a Chiclayo y un ferrocarril de rieles lustrosos unía a Piura y
Paita pasando por Sullana [...] ya no se les veía por la calle con botas y pantalo-
nes de montar, sino con ternos y hasta corbatas y las mujeres, que habían renun-
ciado a las faldas oscuras hasta los tobillos, se vestían de colores, ya no iban es-
coltadas de criadas [...]. (CV: 243)

Las formas de concretización temporal no-puntuales explícitas serían en la *CV* las siguientes:

un montón de tiempo (CV: 31)
todo el tiempo (CV: 70)
una mañana viene el Cabo (CV: 79)
muchas semanas (CV: 95)
y un día los piuranos admitieron (CV: 96)

---

67   Cf. también al respecto en el ejemplo de Chunga (*CV:* 222; 242; 287; 289).

varios años (*CV*: 258).

2.225 Enigma e indicio como productores de tensión

En la *CV* no hay analepsis desde la perspectiva del narrador omnisciente, al contrario de *CAS*, ya que la narración es mediatizada por un narrador neutral. Analepsis y prolepsis se encuentran siempre o conectadas con la perspectiva de uno o varios personajes o en la forma de enigmas o indicios, refiriéndose en forma muy velada a acontecimientos pasados o futuros.

Ejemplo (1):

El color 'verde' es como un *Leitmotiv* en la *CV* y funciona como enigma y como indicio. Al comienzo de la historia los '*ojos verdes*' de una indiecita y los de la Selvática tienen, por ejemplo, una función indicial para el recipiente, ya que solamente en el transcurso de la lectura sabrá éste que se trata del mismo personaje con dos identidades e historias diferentes:

a) Función de reconocimiento: En la secuencia (A) tenemos la india con los ojos verdes, en toda la secuencia (E) a Selvática con los ojos verdes;
b) Función de anunciación del futuro (función indicial): el burdel de Piura (secuencia C) está pintado de verde y allí vivirá luego Bonifacia, que también llevará una variación del nombre verde en la forma de Selvática. La saliva del asno muerto de Anselmo es también verde (*CV*: 53), el arpa de Anselmo es verde (*CV*: 427);
c) El color verde como marcación ontológica: verde representa la selva, lo salvaje, la irrupción de lo aparentemente primitivo en la presupuesta civilización.

El paradigma verde con sus constituyentes isotópicos indica veladamente el origen de Bonifacia y de Anselmo (lo que en el caso de éste último es presupuesto) y anuncia su futuro. Además este paradigma contribuye a la coherencia textual, ya que actúa como un hilo de Ariadna. Al comienzo de la lectura aparecen semejantes detalles como superfluos y como irritantes, ya que al color verde se le atribuyen diversos predicadores, pero en su transcurso se descubren como centrales en la madeja narrativa. Este ejemplo nos muestra claramente que la interpretación textual está, en primer lugar, determinada por la estructura del texto y no por su recipiente.[68]

---

68 En este contexto, consideramos las aseveraciones de Iser (1975), como mistificaciones científicas:
a) *Bedeutungen literarischer Texte werden überhaupt erst im Leservorgang generiert* (1975: 229). (Traducción: *El significado de los textos literarios se genera, en primer lugar, durante el proceso de lectura*).
b) [...] *denn [der Text] ist zu verschiedenen Zeiten von unterschiedlichen Lesern immer ein wenig anders verstanden worden* (Ibid.: 230). (Traducción: *ya que el texto es simpre interpretado en diversas épocas por diversos lectores en forma un tanto diferente*).
c) [...] *von all dem ist im Text selbst nichts formuliert; vielmehr produziert der Leser selbst diese Innovationen* [= Bedeutungsänderungen] (ibid.: 236). (Traducción: *de todo esto nada ha sido formulado en el texto; más bien ha producido el lector mismo estas innovaciones*).
d) [...] *wenn dies so ist, wo hat die Intention des Textes ihren Ort? Nun, in der Einbildungskraft des Lesers* (Ibid.:

Si consideramos el paradigma verde partiendo del tiempo de la acción reconstruida, éste no tiene el *status* indicial, sino es un enigma, ya que se refiere al pasado
de los personajes involucrados en el paradima. Así sabemos que la indiecita que Reátegui trae a Santa María de Nieva es Bonifacia y luego la Selvática.

Ejemplo (2):

Algo semejante ocurre con los lexemas *'mangache'* e *'inconquistable'* que son empleados por el Sargento (*CV*: 146, 174). Desde la perspectiva del recipiente son indicios, ya que se refieren a algo aún no narrado, pudiendo eso sí, establecer una relación entre los personajes que están relacionados con estos lexemas en diferentes secuencias accionales (A, E, C). Si reconstruimos la cronología, los indicios se transforman en enigmas descodificables y nos aclaran el pasado de los personajes, por
ejemplo, que el Sargento, el policía en Piura y Lituma, constiuyen un personaje con
diversas identidades y funciones.

El enigma puede también tener la función de advertencia, por ejemplo, cuando
Chunga ve entrar a los inconquistables en la casa verde con el recien llegado Lituma:

Ejemplo (3):

[...] *no se va a repetir lo de la vez pasada.* (*CV*: 144)

El recipiente se pregunta, qué es lo que *'no se va a repetir'*. Este obtiene la respuesta de esta observación alrededor de cien páginas más tarde, cuando Chunga, Selvática
y los miembros de la orquesta de Anselmo recuerdan lo sucedido entre Lituma y
Seminario. (*CV*: 233ss.; 244ss.; 271ss.)

Ejemplo (4):

a) En la secuencia (C), después de la llegada de Anselmo y de su decisión de estable-
cerse en Piura, el narrador se articula por medio de indicios en torno al personaje:

[...] *el primer año de su estancia en la ciudad, nada ocurrió.* (*CV*: 57)

---

248). (Traducción: *si esto es así, ¿dónde tiene la intención del texto su lugar? Ahora bien, en la fuerza imaginativa
del lector*).
Estas y otras formulaciones de Iser produjeron una gran discusión en Alemania Federal, donde se rechazaron los
postulados básicos de la estética de la recepción. Esta crítica fue especialmente representada entre otros muchos
autores por Kaiser (1971: 267-277) y Link (1973: 532-583) (vid. la respuesta de Iser (1975: 325-342). Titzmann
(1977: 230ss.) retoma la discusión, partiendo de la premisa (que compartimos), de que el sentido del texto esta fijado ya por su estructura, y dependerá de la capacidad y conocimiento del recipiente, lo que pueda descodificar del
texto. El proceso de lectura no está en condiciones de modificar el sentido textual. Diversas interpretaciones no
quieren decir que el texto tenga diversos sentidos, sino que diversos intérpretes llegan a diversas interpretaciones,
lo cual es un fenómeno completamente diferente, que está fuera del texto. Además habría que controlar las diversas interpretaciones y ver cuáles son justas y cuáles no. Si tenemos una interpretación A y una B, y ambas se excluyen, caben dos posibilidades: o el texto ha creado ambas interpretaciones excluyentes para formar una tercera
superior, o una de las interpretaciones es falsa. Si no procedemos así, nos apartamos de la ciencia y nos movemos
en el campo del diletantismo literario: cada lector puede, efectivamente, pensar e interpretar lo que le parezca sobre un texto, pero si su punto de vista es intersubjetivamente correcto y tiene el derecho a ser impreso, es otra cosa,
y esto es lo que diferencia la ciencia de opiniones privadas.

b) *Pero don Anselmo desdeñaba los consejos y replicaba con frases que parecían enigmas.* (*CV*: 79)

c) [...] *se preparaba una gran agresión contra la moral en esta ciudad.* (*CV*: 97)

Todas estas enunciaciones, como así también su cabalgata nocturna en el desierto, indican que algo va a suceder. Después de esa noche Anselmo es interrogado por los piuranos y éste sigue manifestándose en forma velada, y el Padre García habla de un atentado contra la moral. Finalmente, algunas páginas más tarde, se aclara la incertidumbre con el comienzo de la construcción de la casa verde en el desierto.

Ejemplo (5):

Un último ejemplo de indicios lo encontramos en la secuencia E, con la llegada de Lituma de la prisón de Lima:

a) *Tráiganse al coleguita* [Josefino] *entonces* [...]. *A ver que cara pone.* (*CV*: 38)

b) *Lituma se fue entristeciendo.* (*CV*: 64)

Las dos frases representan una señal para el recipiente implícito con respecto al conflicto aún no articulado entre Lituma y Josefino a causa de Bonifacia. Esta señal está apoyada también por el hecho de que Josefino reacciona en forma extremadamente nerviosa, al saber del retorno de Lituma y por el empleo en diminutivo del lexema 'colega' que por lo general expresa un menosprecio.

2.226 Acronía en la *CV*

En la *CV* se encuentran numerosos segmentos acrónicos simples, que hemos marcado con el signo »o«, y que especialmente se acumulan en la secuencia B. Esta concentración de acronías está en relación con la fuerte tendencia paradigmática de su construcción.

La acronía en la *CV* es el resultado del intento de romper con la cronología y la linearidad del discurso, para producir el efecto de la simultaneidad en todos los niveles narrativos. Otra concepción de la temporalidad se articula a través de la acronía: la autonomía total del tiempo, que solamente debe existir en el momento de la articulación discursiva, como cristalización o petrificación del transcurso del tiempo en un momento único y total.

2.227 Formas de la duración en la *CV*

2.2271 Anisocronía

La *CV* se caracteriza por un empleo reducido de anisocronías, ya que tanto elipsis, aceleración y pausa son tratadas de tal forma que en un comienzo el recipiente no toma nota de éstas.

La mayoría de las elipsis son implícitas y se saltan por lo general un lapso temporal relativamente corto. Las elipsis que no hemos podido reconstruir se encuentran, por ejemplo, entre A 37 (apresamiento de Nieves) y A 38 (partida de Bonifacia y del Sargento de Santa María de Nieva), como así también entre A 38 y (A44, viaje de Lalita a Iquitos).

Tenemos una amplia elipsis entre A15 (*CV*: 379-383) y A29 (*CV*: 113- 121) donde se constata que entre la llegada de Bonifacia a la misión y su expulsión han transcurrido cuatro años.

En la secuencia B hemos localizado solamente una gran elipsis entre B25 (*CV*: 366) y B26 (*CV*: 385-390), donde se ahorra la narración de un año, es decir, entre la internación de Fushía en el lazareto y la visita de Aquilino.

Tres grandes elipsis se encuentran en la secuencia (C), en $C_0/6$ (*CV*: 159-161) y $C_0/8$ (*CV*: 182-184), donde se exculye la seducción de Antonia y su vida junto a Anselmo en la casa verde, que se narra a través del *stream of consciuosness* de Anselmo como doscientas páginas más tarde.

Otras elipsis se encuentran en $C_0/10$ (*CV*: 240-244), $C_0/11$ (*CV*: 267-271) y $C_0/12$ (*CV*: 287-291), como así también en E41 (*CV*: 349-353) y E43 (*CV*: 37-41).

Finalmente, tenemos en la *CV* elipsis que afectan tanto el nivel del 'D II' como el del 'NH'. Por ejemplo, todos los espacios intencionalmente construidos entre las partes, capítulos, subcapítulos y segmentos tipográficos. El mejor ejemplo lo encontramos en la internación de Bonifacia en Santa María de Nieva. En la *CV* (p. 187) Reátegui decide, después de haber reprimido el levantamiento de los indios, llevarse a la chica india con los ojos verdes a la misión; en la p. 197 Reátegui se encuentra en Santa María de Nieva, mas solamente en la p. 379-383, éste entrega a la chica a las Madres. Este procedimiento de atomización de segmentos accionales nos recuerda la técnica empleada por Carpentier y Rulfo en *El Acoso* y *Pedro Páramo* respectivamente, pero también por Robbe-Grillet en *La maison de rendez-vous*. La diferencia entre semejantes atomizaciones en la *nueva novela* y en el *nouveau roman* radica, en que mientras la acronía, en el primer sistema, está siempre relacionada a una acción y con esto a un eje espacio-temporal definible y reconstruible; en el segundo sistema, tiene la acronía un carácter puramente lingüístico, con un *status* metanarrativo, como veremos en el próximo capítulo.

La aceleración temporal se manifiesta en la instancia mediadora con particular claridad. En todas las partes donde el narrador ocupa una gran cantidad de texto y tiene una gran distancia frente a lo narrado, encontraremos el fenómeno de la aceleración. En la *CV* no abunda la aceleración, ya que domina la representación escénica, que también hemos llamado *in actu*, así por ejemplo, en las secuencias (A) y (E). Si se emplea la aceleración, se da en especial en forma de aceleración sucesiva paulatina:

> *Se alejaron de Uchamala con el motor apagado* [...]. *Después llovió toda la noche* [...]. *Embarcaron al amenecer* [...] *viajaban desde que salía el sol*

hasta que se iba [...]. En las tardes buscaban una isla [...]. Cruzaban los pue-
blos de noche [...]. Tardaron dos semanas en pasar los pongos. (*CV*: 214-
215)[69]

En algunos casos esta aceleración tiende y un ritmo paralelo que lleva a una coincidencia entre discurso e historia:

> *Y él dejó de hablar de la frontera y pasaba las noches sin dormir, sentado en*
> *la barbacoa, hablaba solo [...]. Y una mañana él se levantó, bajó a saltos el*
> *barranco [...] y él siguió macheteando la lancha hasta [...] hundirla [...] aquí*
> *me puedo hacer rico [...] ven y te explico [...] y un día partieron [...].* (*CV*:
> 216)

La mayoría de las aceleraciones temporales se encuentran en la secuencia (C) que
tiene un narrador evidentemente omnisciente. Como este tipo ya lo analizamos en
CAS, nos reducimos a mencionar los siguientes ejemplos en *CV*: 55; 95; 100; 159-
160; 243-244.

El fenómeno de la pausa puede producirse por medio de la intervención del narrador, por ejemplo, de sus comentarios, por medio de descripciones o de diálogos entre
personajes. Quisiéramos discurrir sólo un caso, aquél de la descripción. Por lo general, la descripción se considera una pausa, lo cual no es exacto, ya que dependerá del
tipo de descripción. Además se debe distinguir claramente entre una pausa y un mero
retardo. Si entendemos por pausa la total interrupción de la acción, luego se da este
fenómeno raramente en la *CV*.

Además debemos diferenciar entre descripciones estáticas y dinámicas. Las estáticas son producidas por un narrador y tienen la función de ofrecer un vasto panorama
del *descriptio loci* y del *descriptio temporis*. Semejantes descripciones las encontramos, por ejemplo, al comienzo de la secuencia (A) y de la secuencia (C). La descripción dinámica es aquella que es realizada por medio de un 'medio figural' ofreciendo
solamente la parte que abarca la perspectiva del personaje o figura, como lo constatamos en la secuencia (E), desde la perspectiva de los Inconquistables:

> *La gente en la arena estaba silenciosa [...]. La atmósfera hervía de olores ti-*
> *bios y contrarios y a medida que las calles se iban borrando, surgían perros,*
> *gallinas [...]. Los inconquistables avanzaban sin prisa por los tortuosos sen-*
> *deros [...].* (*CV*: 61)
> [...]
> *La casa de la Chunga es cúbica y tiene dos puertas [...] corazones, flechas,*
> *bustos, sexos femeninos como medialunas, pingas que los atraviesan [...]. La*
> *puertecilla [...] da al Bar [...]. Don Anselmo, instalado sobre un banquillo,*
> *utiliza la pared como espaldar [...]. El que ocupa la silla de fibra y manipula*

---

69 Cf. también D 12 (*CV*: 103-105).

un tambor y unos platillos [...] *es Bolas* [...]. *Estaban en el umbral de la pista de baile* [...]. *Lituma se balanceaba en el sitio, Josefino lo tenía siempre del brazo pero los León lo habían soltado* [...]. (*CV*: 142- 143)

La descripción se va realizando a medida que los personajes van avanzando y descubriendo algunos puntos que les llaman la atención. De esta manera, no se produce ni interrupción ni retardo del flujo de la acción, sino que los personajes hacen ver al recipiente el ámbito en el que van penetrando.

En general, las descripciones en la *CV*, sean éstas producidas por el narrador o por los personajes, no producen nunca una pausa de la historia. La única pausa relevante es el ya mencionado *stream of consciousness* de Anselmo (*CV*: 320-324; 344-349; 366-370) y el de Lalita (*CV*: 284-287). El *stream of consciousness* de Anselmo es muy particular. Es una especie de recuerdo borroso, monológo irracional, cavilosidad y confesión que tiene lugar, al parecer, poco antes de su expiración cuando, el Padre García le va a dar la absolución. De esta forma la aparente pausa se descubre también como una acción.

2.2272 Isocronía

El fenómeno de la isocronía, la virtual coincidencia entre la duración del tiempo de la acción y del volumen textual, es algo que ha preocupado tanto a autores, con una concepción realista o con la intención de superar la binariedad de la mímesis (Butor en *La description de San Marco*), como a la ciencia literaria.

Según Lämmert, Ricardou y Genette, la isocronía puede darse, especialmente en partes, donde se emplea la llamada representación escénica, es decir, donde predomina el diálogo.[70] Por el contrario, se cree que donde predomina el discurso del narrador se viola la isocronía. Estas opiniones son parcialmente exactas, ya que los diálogos pueden romper el equilibrio entre 'TA' y 'VT', como sucede en la secuencia (B) (Fushía/Aquilino: el 'TA' abarca como treinta días, el 'VT' un centenar de páginas). Por otra parte, la perspectiva del narrador contribuye, a través de la de los personajes, a la coincidencia entre ambos niveles.

También se sostiene que la recurrencia de la misma cantidad de páginas para diversos segmentos accionales, es un fuerte indicio de isocronía. Si se consideran partes dialogales en forma aislada se puede sostener semejante hipótesis, pero si se les analiza como parte de un todo, lo que son en primera línea, se constata una gran desviación entre 'TA' y 'VT', como lo demuestra en forma ejemplar la ya mencionada secuencia (B), pero también los primeros segmentos accionales de (A), donde los diálogos amplían el 'VT' de la forma como se amplía una fotografía, hasta perder de vista el punto de partida (lo cual se radicaliza en la *CV* con la atomización de

---

70   Lämmert ([5]1972: 84); Ricardou (1967: 164); Genette (1972: 122-124).

segmentos accionales en varios segmentos tipográficos). Solamente en el teatro se puede hablar de una isocronía total ya que allí hablar es acción y acción hablar.[71]

Si comparamos el 'TA' con el 'VT' en la *CV* veremos que para la representación de alrededor de dos horas se emplean nueve segmentos accionales y otros tantos tipográficos, en cambio en la secuencia (C) se necesitan trece segmentos accionales para la representación de casi toda una vida (de Anselmo). Vargas Llosa consigue permanentemente una virtual isocronía por medio del estrecho encadenamiento entre el discurso del narrador y aquél de los personajes, concretizado en el discurso indirecto libre, como lo hemos descrito en otro contexto con respecto a la captura de las indiecitas en la selva por las madres y los soldados.

2.3 Resumen

Finalmente, queremos comentar en conjunto las funciones texto-internas y -externas de los diversos procedimientos de la anacronía, que resumimos bajo el término de 'deformaciones temporales' incluyendo la situación del recipiente implícito.

El hablar de la 'función' de la deformación temporal implica que presuponemos que ésta se emplea en forma consciente e intencional como parte imprescindible para la constitución del mensaje textual. Por esta razón no es la deformación temporal un ruido odioso en el canal de la comunicación, sino la producción de significados, por lo menos en la *nueva novela*.

La función texto externa de la constitución temporal consiste en la *CV* en la superación de la conexión cronológico-causal de la acción, es decir, en la organización acronológico-simultánea de ésta. La distorsión más radical la tenemos en las secuencias (E), (D) y (B).

La reconstrucción de la cronología nos demuestra que las cinco secuencias, aun siendo independientes las unas de las otras, constituyen una secuencia superior global. La desviación entre 'TT' y 'TA' es radical en la *CV* y es un principio artístico que pretende representar una »realidad total/simultánea«, incorporando al mismo tiempo al recipiente al mundo narrado, sin cuya participación activa no es posible leer esta novela. Las elipsis temporales o posiciones comunicativas cero, dejan la interpretación en manos del recipiente, que a su vez es condicionado por la estructura textual. La construcción meticulosa del texto como producto de una estrategia, exige implacablemente la participación del recipiente y su interpretación de lo narrado, ya que el texto mismo permanece ambivalente.

A esta ilusión de la simultaneidad y de la creación de una totalidad narrativa contribuyen los diversos procedimientos en el nivel del 'D II' como los distintos tipos de narradores, de perspectivas, de discurso, de entrelazamientos y mezclas.

---

71 Cf. F. de Toro (1987: 23ss.).

Tanto los procedimientos en el nivel del 'D I' como en el del 'D II' contribuyen - presuponiendo naturalmente que el recipiente acepta el desafío - a una verdadera interacción entre emisor y recipiente, tan deseada por el *nouveau roman*, pero al parecer, plenamente alcanzada por la *nueva novela*. Así, Vargas Llosa cumple con hacer del recipiente el personaje principal de la novela contemporánea.[72]

Para terminar, podemos afirmar que la deformación temporal contribuye también a una ruptura de la identificación con lo narrado, la podemos considerar como un procedimiento de distanciación, ya que obliga al recipiente constantemente a relacionar los diversos segementos, para lo cual debe interrumpir la lectura constantemente. De esta manera, no solamente la historia narrada es parte central del texto, sino su proceso de organización. Lo dicho no debe interpretarse - como ya habíamos aludido en la introducción - como la intención de hacer de la reflexión sobre los procedimientos textuales artísticos y sobre la escritura un motivo central del texto - como en el *nouveau roman*; aquí imperan ambos niveles, el del discurso y el de la historia, a la vez.

Cuán diferentes son ambos sistemas, a pesar de fines similares, lo demostrará el capítulo siguiente.

---

72   Cf. más arriba nota 6.

3. *LA MAISON DE RENDEZ-VOUS*: TRANSFORMACION DE UNA ESTRUCTURA ANACRONICA EN UN SISTEMA DE RELACIONES ACRONICAS: ATEMPORALIDAD COMO LABERINTO

> *Ici l'espace détruit le temps, et le temps sabote l'espace. La description piétine, se contredit, tourne en rond. L'instant nie la continuité.*
> (Robbe-Grillet 1963: 133)

La Maison de rendez-vous (= *MRV*), caracterizada por Morrissette como un *roman jamesbondien pour intellectuels, divertissement d'élite, juste assez pimenté de violence et d'érotisme*[73], está constituida por una serie de 'temas' (tomados de la literatura trivial) tales como sadomasoquismo, espionaje, tráfico de mujeres y drogas y conflictos amorosos con un final trágico, que Robbe- Grillet llama los *mythes modernes*.[74] Pero los 'temas' constituyen sólo incipientemente una historia y la expectación incitada al respecto, al comienzo de la narración, es luego deshechada y la aludida historia se desintegra en una serie de situaciones o acciones acrónicas, es decir, atemporales que se niegan y se contradicen las unas con las otras (vid. epígrafe). La conexión de las escenas es tematizada y destruida en base a diversos procedimientos (a los cuales nos dedicaremos a continuación), esto es, se alude a la constitución de una cadena cronológica, la cual es luego variada, negada o anulada, de modo que cualquier intento de reconstrucción es imposible (vid. epígrafe). Por una parte, a través de la constitución de unidades temporales momentáneas y por otra, de su posterior destrucción, se le indica al recipiente - como ya habíamos indicado en la introducción - que la *MRV* se basa en una concepción temporal acrónica, es decir, se diferencia radicalmente de aquélla de la *nueva novela*. El mismo Robbe-Grillet se ha manifestado al respecto de la concepción temporal en sus novelas:

---

73   Morrissette ([2]1969: 242).
74   Robbe-Grillet (1970a) y (1971, II: 157ss.).

C'est ce même mouvement paradoxal (construire en détruisant) que l'on re-
trouve dans le traitement du temps [...]
[...] *les recherches actuelles semblent au contraire mettre en scène, le plus*
souvent, des structures mentales privées de »temps«.[75]

En esta cita se pone de manifiesto que los procedimientos (*construir en détruisant*), que se refieren a la organización de la acción y a la descripción, también afectan a la temporalidad, y, ponen a la vez en claro, que el tiempo de la acción en el *nouveau roman*, y especialmente en la *MRV*, es un *temps mental* y de esta forma altamente acrónico.

En la *MRV* la organización temporal no tiene una función mítica (como por ejemplo, en *CAS*), no pretende contribuir a la formación de un mundo mítico, simultáneo o realista, sino solamente tematizarse a sí misma, y así crear una realidad literaria no-referencial. Especialmente, en cuanto a este aspecto, vemos cuán diversas son las concepciones de la realidad en la literatura de la *nueva novela* y del *nouveau roman*. »Producir realidad«, quiere decir en el primer sistema, interpretar la realidad literaria-mente, crearla de nuevo y transformarla; en el segundo sistema, se emplea la realidad como elemento base par la producción de un tipo de escritura.

Bajo el punto de vista de la técnica de la narración, la *MRV* reúne dos caras de la escritura de Robbe-Grillet: una se caracteriza por la atención del autor a las »cosas inmediatas« ('*choses immédiates*'), donde se destruye la significación, la otra, por la dedicación del autor a las »cosas mediatas« ('*choses médiates*'), donde se crea una nueva significación. Esta diferenciación es, a un nivel metodológico, equivalente con la poética de Robbe-Grillet[76], donde éste postula la construcción y la destrucción como principios generadores de su escritura.[77] Ambos tipos de discursos narrativos constituyen un grapa, no solamente frente a su obra primera (por ejemplo, *Le Voyeur*), caracterizada por una estética antimimética, y su obra posterior (por ejemplo, *Pour une révolution à New York*), caracterizada por la 'autorespresentación', sino a la vez, es un puente entre el *nouveau roman* y el *roman-Tel Quel*. Los 'temas generado-res' producen significados, en cuanto reproducen contenidos ya caducos, que son des-cubiertos como tales y destruidos a través de diversas operaciones, tematizando, de esta forma, los mecanismos narrativos que constituyen el verdadero objeto del relato. Los 'temas generadores' se transforman, en gran medida, en un reflejo de los procedi-mientos narrativos y, por esto, no deben ser considerados como elementos constitu-yentes de la historia, por lo menos exclusivamente.

La 'negación' y la 'transformación' pueden ser calificadas como los procedimientos narrativos generales más empleados en la *MRV*. El procedimiento de la negación

---

75 Robbe-Grillte (1963: 130).
76 Con respecto a esta diferenciación cf. Barthes en Morrissette (²1969) y Wehle (1980: 16).
77 Robbe-Grillet (1963: 123-144, especialmente 130).

('*gommage*' en la poética del *nouveau roman*[78]) consiste en declarar las escenas descritas o lo narrado como inexistente. Las escenas transmitidas (similares a las secuencias fílmicas), pueden ser representadas en forma similar, variada o en una forma totalmente contraria a la originaria o sencillamente interrumpidas.[79]

El procedimiento de la transformación se basa en la conexión serial-aleatoria de las secuencias y en el '*texto en el texto*' (la '*mise en abyme*'): los 'temas generadores' son variados y transmitidos por diversos medios de comunicación. En la *MRV* puede comenzar la representación de un 'tema generador' en forma de escultura, luego pasar a una escena de teatro, ser parte de una fotografía en una revista de vida social o puede estar representado por los personajes que constituyen la novela. Tenemos una repetición *ad libitum* del texto, que hace aparecer la *MRV* como una novela que transpone su interés del enunciado a la enunciación, esto es, a los procedimientos narrativos. Esta novela, con una estructura narcisista, no imita la realidad exterior, sino la '*poiesis*'.[80] Por esta razón, los 'temas generadores' tienen la función de una pseudohistoria, sirven de materia prima, de elementos lingüísticos bases que se citan al comienzo del texto, constituyendo el 'juego' serial-aleatorio.[81] El recipiente tiene, por lo menos, la función de registrar y de fijar las transformaciones de los 'temas generadores'. Esta tarea lo obliga a abandonar el tipo de lectura tradicional y a fijar por escrito las numerosas y sutiles variaciones, transformaciones y conexiones, ya que solamente esta actividad le permitirá comprender el texto, convirtiéndolo así en una activa instancia dentro del acto de la comunicación.[82] Este tipo de comunicación o recepción tiene la grave consecuencia que el número de recipientes es reducido sensiblemente, como indican las observaciones de Morrissette citadas más arriba.[83]

Otro procedimiento que debemos analizar con más detalle, es aquél del 'texto en el texto', por encontrarse en estrecha relación con los procedimientos temporales. El 'texto en el texto' es tan dominante en la *MRV* que podemos definir esta novela como un '*roman-mise en abyme*'.

Dällenbach, en su prolijo trabajo, en el cual describe la evolución de la '*mise en abyme*' desde Gide al *nouveau-nouveau roman*[84], la define de la forma siguiente:

---

78 (Ibid.: 126-128); Ricardou (1967: 108-111).

79 Cf. Ricardou (1971a: 143-162), quien considera la técnica de los procedimientos serial-aleatorios como parte integral de toda la obra de Robbe-Grillet y no solamente del *roman-Tel Quel*.

80 Cf. Robbe-Grillet (1979a) y (1971, II: 157ss.); Hempfer (1976: 95ss.); Wehle (1980: 12).

81 Con respecto al carácter lúdico de los texto del *nouveau roman* cf. Robbe-Grillet (1970a); Wehle (1980: 12).

82 Esto no significa naturalmente, que el recipiente se transforme en un autor, como se ha pretendido en la poética del *nouveau roman* y del *roman-Tel Quel*; cf. Morrissette ([2]1969: 241); Hempfer (1976); Wehle (1980: 19-20).

83 (Ibid. 242), Wehle (ibid.).

84 Con respecto a este término vid. Hempfer (1976). No nos parece convincente la periodización que hace Dällenbach (1977: 152-153) del *nouveau roman* y del *nouveau-nouveau roman*, ya que no se basa en características que se desprenden de la estructura de los textos, sino en datos cronológicos, al contrario de Hempfer (Ibid.: 66-71). Dällenbach denomina *nouveau roman* el período que va desde 1954 a 1958 y *nouveau-nouveau roman* aquél que abarca los años 1969 a 1973, porque en el coloquio de Cerisy-la-Salle de 1971 se emplea este término para esta época, (Cf. *Nouveau roman: hier aujourd'hui*, I: 117). El período de 1958-1968 es entendido como de transición y en éste se encuentra la *MRV*, un texto que es paradigmático, y no de mera transición, para toda la nueva novela

[...] *est mise en abyme tout miroir interne réfléchissant l'ensemble du récit par réduction simple, répétée ou spécieuse*[85],

distinguiendo tres tipos principales: el 'texto en el texto' como reflexión del enunciado, de la enunciación y del código. Mientras en el primer tipo se trata el retorno de la historia en su totalidad o partes de ésta, los otros se refieren a los procedimientos narrativos, a la relación narrador/recipiente, al canal (a la instancia comunicante) y a la materialidad de los signos.[86] Dentro de estos tipos, Dallänbach distingue subtipos, a cuya descripción desistimos, ya que no tiene importancia alguna en el análisis a realizar.

En este contexto es importante, que Dällenbach conecta sus categorías con las temporales de Genette, es decir, con las de analepsis, prolepsis, y analepsis internas y complementadoras, denominándolas la '*mise en abyme prospective, réfléchit avant terme l'histoire à avenir*', la '*rétrospective, réfléchit après coup l'histoire accomplie*' y la '*rétroprospective, réfléchit l'histoire en découvrant les événements antérieurs et les événements postérieurs à son point d'ancrage dans le récit*'[87], es decir, el 'texto en el texto prospectivo (o proléptico) que anticipa la historia a narrar', el 'texto en el texto retrospectivo (o analéptico), que tematiza la historia una vez narrada', y el 'texto en el texto retroprospectivo (o anaproléptico) que repite lo pasado y futuro desde su punto de origen.

El 'texto en el texto' se encuentra en estrecha relación con el tiempo, lo cual lo podemos considerar como un hecho irrefutable, indicando a la vez, que no cualquier prolepsis o analepsis tiene per se un estado de 'texto en el texto', si definimos este término o procedimiento como un '*relato reflectado*' o '*texto en el texto reflectado*' ('*récit spéculaire*'). La reproducción de las prolepsis y analepsis puede carecer de este *status*, como es el caso en *CAS*, o estar siempre presente, como en la *MRV*, donde se trata en forma particular de un fenómeno lingüístico y metadiscursivo.

A continuación, realizaremos el análisis en tres etapas: primero, trataremos la historia como reflejo de los procedimientos narrativos, los personajes, la constitución del narrador, los 'temas generadores', con sus diversos tipos de conexión, y la temporalidad; segundo, el 'texto en el texto' y sus diferentes medios de concretización; y tercero, describiremos las consecuencias de estos procedimientos.

Por una parte, la distinción entre el nivel de los personajes y de los 'temas generadores' y por otra, el nivel del narrador y del tiempo, no debe ser confundido con aquélla tradicional entre 'historia' y 'discurso', ya que en el caso de la *MRV* ambos niveles se funden en una unidad indivisible. La forma de proceder, durante el análisis,

---

francesa; cf. Wehle (1980: 1ss.).
85   Dällenbach (1977: 52).
86   (Ibid: 61ss.).
87   (Ibid.: 82-83).

obedece solamente a una necesidad práctica, de poder describir sistemáticamente esta novela, sin caer en las típicas paráfrasis que solamente repiten lo que ya sabemos. La opinión de Morrissette, que los textos de Robbe-Grillet, en particular la *MRV*, deberían ser reescritos por el recipiente para poder comprenderlos completamente, es científicamente incomprensible y el resultado de que el crítico deja fuera de su consideración aquellos procedimientos típicos de las obras de Robbe-Grillet, sometiéndolas a una lectura tradicional,[87] es decir, tratando de encontrar una historia coherente, lo que a su vez conduce a una descripción arbitraria de la estructura de sus novelas. Cualquier intento de imponerle a la *MRV* una estructura significativa será un fracaso, ya que, especialmente, en esta novela tenemos una constante destrucción de la significación y una tematización constante de sus procedimientos, y con esto, una estructura nómada, que está definida por el autor mismo en el epígrafe al comienzo de la novela:

> *L'auteur tient à préciser que ce roman ne peut, en aucune manière, être considéré comme un document sur la vie dans le territoire anglais de Hong-Kong. Toute ressemblance, de décor ou de situations, avec celui-ci ne serait que l'effet du hasard, objectif ou non.* (*MRV*: 7)

vs.

> *Si quelque lecteur, habitué des escales d'Extrême-Orient, venait à penser que les lieux décrits ici ne sont pas conformes à la réalité, l'auteur, qui y a lui-même passé la plus grande partie de sa vie, lui conseillerait d'y revenir voir et de regarder mieux: les choses changent vite sous ces climats.* (*MRV*: 9)

3.1 El nivel de la historia como reflejo de los procedimientos discursivos[88]

3.11 Los pseudo-personajes

En la *MRV* tenemos once personajes, destacándose, en forma especial, Johnson y Lauren.

La primera dificultad que se le presenta al recipiente, es la de identificar a los personajes y el comprender la relación en que se encuentran los unos con los otros. Los nombres de los personajes son constantemente variados de tal manera, que solamente, cuando la lectura está ya muy avanzada, se puden hacer ciertas conexiones, si es que esto es posible, ya que, en muchos casos, el nombre no se encuentra en relación evidente con un personaje determinado. Algo similar - y como consecuencia de esta

---

87 Morrissette ([2]1969: 11), cuya interpretación es también criticada por Barthes en (ibid.: 11) y Barthes (1964a: 202); vid. al contrario Stoltzfus (1985).

88 No consideramos, por razones de economía y de espacio, el fuerte aspecto paródico de esta novela.

estructura lábil - sucede con la relación entre los personajes, que, por lo general, permanece velada. Esta ambigüedad es el producto de que los personajes (como sus nombres y relaciones) no representan constructos antropomórficos, como lo demostraremos a continuación, sino elementos de 'temas generadores', que son intercambiables y combinables en forma arbitraria.

El primer personaje es un *homme de haute silhouette noire* o *de haute taille, en smoking sombre/de couleur foncée/noir* (*MRV*: 12-13; 17; 21; 27; 30; 37; 52; 82), cuyo nombre parece ser el de *Sir Ralph Johnson dit l'Américain o Ralph Johnson, l'Américain dit Sir Ralph*.[89] Su papel es tan difuso como su identidad (hay que considerar que los fragmentos de su posible identidad se van perfilando durante la lectura) y su identidad no puede ser determinada con exactitud, puesto que se trata de dos personajes similares; formulado de otra forma: se trata de un personaje que está dividido en dos, pretendiendo no tener ninguna conexión pragmática (vid. más abajo): tenemos un Johnson que es un invitado de la Villa Bleue (un burdel de Hong Kong, a la vez un 'tema generador'), un portugués proveniente de Macao, que también pasa por norteamericano o inglés; el otro es un norteamericano de dudosa personalidad, que se ha radicado en los *Nouveaux Territoires* y tiene plantaciones de cáñamo y adormidera (*MRV*: 63-64 vs. 95-96). Estos datos tienen la función de despistar al recipiente, teniendo dos elementos símiles pero a la vez diferentes; son dos 'temas generadores', respectivamente dos posibilidades de combinación. Tradicionalmente este caso se podría interpretar como la posibilidad de que Johnson, a causa de sus negocios ilegales, quiere encubrir su verdadera personalidad y profesión. Johnson es - según uno de los narradores - un traficante de drogas, que oculta esta actividad bajo sus tareas agrícolas, o un agente comunista que oculta su actividad bajo aquella del tráfico de drogas (*MRV*: 19, 163, 206). El mismo narrador sostiene que Lady Ava, la propietaria del recinto, ha obligado a Johnson a convertirse en un agente comunista, a cambio de obtener a Lauren (una prostituta del burdel), de la cual éste se ha enamorado. Otra versión es, que Lady Ava le ha vendido Lauren a Johnson a un precio exorbitante, quien viéndose obligado a reunir el dinero en una noche, asesina, en su desesperación, a Manneret, un rico traficante de drogas. Johnson es, finalmente, una especie de *medicine man* que prepara toda clase de filtros amatorios y narcóticos, cuyo efecto lo prueba en Kito, otra prostituta que ha comprado (*MRV*: 165-166). La determinación de la identidad de Johnson es, además de las diversas versiones, complicada a través del hecho, que éste representa diferentes personajes simultáneamente - como aludíamos más arriba - teniendo una función similar o una diversa, encontrándose, por esto, en muchos casos en escenas idénticas o similares. El escultor de un grupo de figuras, en el parque de la Villa, se llama Johnson o Johneston (*MRV*: 28). El recipiente sabrá más tarde que esta escena constituye uno de los 'temas generadores' más importantes de la novela, donde Johnson mismo tiene el papel central. Aquí se insinúa que John-

---

89 Este y otros términos los pondremos siempre en francés ya que se trata de 'temas generadores'.

son y el escultor forman un sólo personaje. Johnson es también (o puede ser también) el yo-narrador anónimo, ya que ambos, Johnson y el yo-narrador tratan de reconstruir una velada en la Villa Bleue (¡y con un discurso idéntico! vid. más abajo).

El segundo personaje más importante es Lauren, también llamada Loraine o Laureen[90] y descrita de la forma siguiente:

> [...] *femme blonde, en robe longue blanche à jupe très bouffante avec les épaules découvertes e la naissance de la gorge* [...]. (*MRV*: 12; 15; 25-27; 30-31; 38; 52; 62; 81; 161-162)

Lauren trabaja en la Villa Bleue, es la novia de Georges Marchat y luego la amante de Johnson. Lauren podría ser confundida a veces con Kito (*une petite Japonaise*), ya que ambas tienen algunos rasgos en común y son compradas por Johnson. Además, ambas mujeres están *destinées aux chambres du deuxième étage* de la Villa Bleue, son actrices en el pequeño teatro del burdel y mueren a consecuencia de una sobredosis de drogas.[91] Otra dificultad en la determinación de la identidad de este personaje, es el ser descrito repetidas veces sin mencionar su nombre, haciéndolo a la vez actuar en situaciones distintas. Así, aparece en un conflicto amoroso alternándose con Johnson y Marchat en el parque de la Villa o bailando con Johnson en el salón o actuando en el teatro del recinto sobre el tema del conflicto amoroso presenciado en el parque, etc. Su identidad se aclara algo en la p. 161, pero con la introducción de Kito, se vuelve nuevamente difusa.

Una versión sobre Kito, la *petite Japonaise*, es que, después de su muerte, es vendida a un restaurante que aprecia »ese tipo de carnes«. Otra versión es que sobrevive, y Kim, una *servante eurasienne* de Lady Ava, se la compra a Manneret para juegos de strip-tease sadomasoquistas en el teatro de la Villa (es desnudada y herida por un *grand chien noir*, lo cual le produce al público un gran placer).

Otro personaje es una mujer, que se encuentra siempre de paseo (la *promeneuse*) con un perro (*chien noir*), cuya identidad nunca se termina por aclarar y es altamente desorientadora. Primero, el recipiente puede creer que se trata de dos empleadas de la Villa Bleue (*servantes eurasiennes*): una se encuentra en la calle y otra en la Villa misma. Quién es quién o si se trata del mismo personaje o de dos diferentes queda oculto. Ambas mujeres tienen el mismo Nombre Kim o Kim' cuya diferencia fonética, si es que existiese alguna, sería perceptible solamente para los finos oídos asiáticos - sostiene el narrador. Tampoco el color de sus respectivos trajes nos ayudan a resolver el problema de la identidad, ya que una vez es blanco, otra negro. El narrador nos confunde con sus aseveraciones de que la asiática en la Villa es Kim, luego lo

---

90 Aquí juega Robbe-Grillet con el significante en forma similiar (más el significado) como en *Le Voyeur* con los términos de *viol, Violette, violation*. El nombre de Lorraine que cita Morrissette no se encuentra en la *MRV*, y lo entendemos como un error tipográfico.

91 En este caso conserva Robbe-Grillet el papel de los personajes cambiando su nombre y/o su identidad, con lo cual se recalca el *status* de los personajes como 'temas generadores'.

niega, y del mismo modo procede con la paseante. Finalmente, el narrador sostiene que las mujeres son gemelas, una se llama Kim y la otra Lucky, son hijas de Manneret que las emplea como conejillos de indias para sus experimentos. La o las paseante(s) tiene o tienen la misión (esto es lo único que queda claro) de recoger un sobre de color marrón con drogas (*enveloppe brune*) donde Manneret y de comprarle a éste la *petite Japonaise*. Kim, Kim' o Lucky son drogadictas y se encuentran bajo la influencia de su padre (*MRV*: 13; 16; 23; 33-34; 39-40; 50-52; 69; 72; 77; 101; 118; 119; 124; 140; 182-183; 204).

George Marchat o Marchand es un belga o un holandés de buena familia, un compañero de negocios de Johnson y el novio de Lauren, que al parecer se suicida por amor, o es asesinado por Lauren, por Johnson o por una prostituta que encuentra accidentalmente en la calle (*MRV*: 25-27; 56-57; 83; 97; 120-122; 128-129; 131; 166).

Lady Ava le ofrece a sus clientes en su burdel de Hong Kong, fuera de hermosas mujeres, piezas de teatro exóticas y drogas. Ella tiene una debilidad por el sexo femenino y por las drogas, bajo cuyo abuso muere. Es también llamada Eva Bergmann o Lady Bergmann, pero su verdadero nombre parece ser Jacqueline, y niega, en una conversación con el yo-narrador, que no tiene lugar en Asia, sino en otro sitio no mencionado, llamarse Lady Ava, haberse casado con un Lord inglés y jamás haber estado en China y mucho menos haber sido la propietaria de un burdel en Hong Kong; todo esto son inventos de los viajeros (*MRV* 37-38; 58ss.; 100ss; 186s; 208).

Finalmente debemos mencionar tres personajes: primero, Mr. Tschang, un empleado de Manneret, segundo, un *gros homme au teint rouge/homme chauve petit et rond et le teint rouge* (*MRV*: 13; 19; 45; 129-130; 182; 184), que también es un invitado drogadicto de la Villa Bleue y que conversa constantemente con Johnson, contándole historias exóticas, y tercero, un yo-narrador anónimo que también es un invitado de la casa y a la vez un confidente de Lady Ava, como lo es Johnson (*MRV*: 23ss.; 52ss.; 66ss; 96ss.; 129ss.; 201ss.).

El análisis de los personajes, de hecho, de los pseudo-personajes de la *MRV*, nos muestran con toda claridad las grandes diferencias que existen entre esta novela y las ya analizadas, *CAS* y *CV*. En la novela latinoamericana los personajes constituyen entidades antropomórficas: en *CAS* están definidos por nombres de familia, profesión o actividad, en *CV* se caracterizan por una gran anonimidad concretizada en pseudónimos, pero están incorporadas en un ambiente determinado o en una familia específica. Mientras el cambio de identidad, de nombre o de profesión en *CAS* y *CV* significa a la vez una radical transformación del personaje, en la *MRV* es un mero cambio de predicadores, que hace posible la continuación de la narración con otras series. Mientras los personajes en *CAS* y *CV* se pueden definir como la suma de las funciones estructurales producidas por los cambios de situación o su estabilización, como la suma de las relaciones de correspondencia y contrastes frente a otros personajes de la historia[92], los pseudo-personajes de la *MRV* son elementos y partes de los 'temas generadores', partes de un juego narrativo, cuyas transformaciones no son de tipo funcional y, por esto, no tienen ninguna consecuencia semántica.

3.12 Los narradores de la MRV

La ambigüedad constatada al nivel de los personajes continúa al nivel del narrador, ya que no es posible determinar qué instancia es responsable de la narración, a pesar de una dominación de un narrador frente a los otros. En la *MRV* se encuentran los tres tipos generales de narración: la narración en tercera y en primera persona y el diálogo. En muchos casos se constituye un marco narrativo encuadrado por dos narradores en tercera persona o en primera (= El-El; Yo-Yo) o por partidas dialógicas, es decir, un tipo determinado de discurso narrativo comienza y cierra la escena narrada. Dentro de estos marcos se constituyen otros que destabilizan el punto originario de la perspectiva narrativa, de tal forma que tenemos, por ejemplo, una secuencia narrativa tal como Yo-El-EL-Yo, o Yo-El-Yo-El, etc. Además varían los diversos yo-/él-narradores.

Para aclarar la estructura narrativa deberemos primero describir las diferentes instancias que participan en la comunicación, para luego analizar las relaciones entre ellas.

Uno de los dos narradores más importantes es un cronista omnisciente en tercera persona, que se encuentra fuera de la ficción e introduce otros narradores en tercera persona según la fórmula »X ha contado que Y estaba ...«, de manera que hay un traspaso de la función del narrador a otro personaje:

> *Mais deux personnages s'avancent et masquent bientôt la scène, une haute silhouette en smoking sombre, à qui un gros homme au tein rouge parle de ses voyages.*
>
> *Et voilà que le même gros homme sanguin s'interpose de nouveau, parlant toujours à voix haute de la vie à Hong- Kong [...]*
>
> *Mais, sans y prendre garde, l'homme continue à parler. Il raconte une histoire classique de traite des mineures. [...]* (*MRV*: 13; 16; 19)

Estas citas muestran una superposición de dos narradores en tercera persona (el narrador omnisciente y el *gros homme*) que tratan del mismo tema de Hong Kong, es decir, del objeto central de la novela (¡!).

Manneret actúa también de narrador:

> *L'acteur qui tien le rôle de Manneret est assis dans son fauteuil, à sa table de travail. Il écrit. Il écrit que la servante eurasienne traverse alors le cercle sans rien voir, faisant craquer les éclats [...].* (*MRV*: 66)

---

92 Cf. Pfister (1977: 224).

Le Vieux [...] *qui se nomme Edouard Manneret. Il est seul* [...] *Il est assis dans son fauteuil, à sa table de travail. Il écrit.* (*MRV*: 70)

Edouard Manneret, à sa table de travail, gomme avec soin le mot, »secret« de manière à n'en laisser subsister aucune trace sur le feuille de papier, puis il écrit à la place le mot »lointain«. (*MRV*: 83)

Por medio del 'texto en el texto' Manneret toma el papel del autor en el acto de escribir. Luego se descubre Manneret también como personaje.

Marchat es otro personaje, al cual se le atribuye el rol de narrador, cuando le cuenta a una prostituta su pena a causa de la separación de Lauren:

[...] *il a continué à rouler tout en essayant de raconter son histoire.* (*MRV*: 120)

La frase, '*il continué à rouler tout en essayant de raconter son histoire*', insinúa que Marchat es uno de los personajes que trata de narrar aquella velada en la Villa Bleue y las acciones conectadas con ésta.

También se alude la posibilidad que la historia se narra en un diálogo entre Johnson y el portero del hotel Victoria donde éste se ospeda:

C'est le portier de nuit qui a fourni le reseignement, moyennant un gros pourboire. (*MRV*: 163)

El término '*renseignement*', indica en este contexto, que el portero le cuenta a Johnson a cambio o gracias a una buena propina, sobre la famosa Villa Bleue y sus veladas, donde se producen exageraciones, deformaciones y ampliación de lo real.

Lady Ava tiene también un papel de narradora en dos conversaciones, en una con el yo-narrador y en otra con Johnson:

Lady Ava/Yo-narrador:

[...] *je demande: »Qui est-ce?«* [...] *»Là est la question«. Je commence avec précaution: »N'est-elle pas* [...]*« »*[...] *à vendre?« dit Lady Ava, continuant ma phrase, et y répondant ensuite, quoique de façon très évasive: »J'ai déjà quelque chose pour elle, je crois«.* (*MRV*: 63-64)

Elle m'explique alors qu'il s'agit d'un Américain nommé Johnson [...]. (Ibid.)

Je l'ai pris pour le feuilleter [el album de fotografías], *plutôt pour me donner une contenance* [...]. *Et il s'est ouvert par hasard sur une fille très blonde et très belle que je ne connaissais pas* [...]. *»Elle s'appelle Loraine«, dit Lady Ava au bout d'un temps assez long.* (*MRV*: 139ss.)

Lady Ava/Johnson:

> *Et c'est cette dernière* [Lady Ava], *qui, montrant sur l'album à Sir Ralph les filles disponibles* [...].
> *Sir Ralph examine avec soin l'image qu'on lui présente. Il estime la proposition intéressante, bien que le prix lui paraisse élévé* [...]. *Les présentations doivent s'effectuer au cours de la réception du même soir, dont le déroulement a fait l'objet de plusieurs relations détaillées* [...]. (*MRV*: 139ss.)

En los pasajes citados se trata de la relación entre Johnson y Lauren/Loraine y sus particularidades, es decir, de un 'tema generador' central. A la vez recibimos algunos datos sobre la identidad de Johnson y del yo-narrador anónimo, que aluden la posibilidad que se trata de un sólo personaje sin conexión directa. Johnson y el yo-narrador anónimo constituyen un tipo particular de narración en la *MRV*. El yo-narrador anónimo describe una velada en la Villa Bleue, desde su llegada en una noche determinada. En el centro de su reportaje no se encuentran solamente sus propias experiencias, sino, también, aquéllas de Johnson, Lauren, Lady Ava, Manneret, etc. Este yo-narrador relata de sí mismo y sobre Johnson y lo definimos como Yo-narrador 1 (= Yonar1) y como Yo-actuante 1 (= Yoact1).

Por su parte Johnson narra la misma velada en la Villa Bleue, es decir, ambos narradores narran sobre el mismo objeto, y lo definimos como Yo-narrador 2 (= Yonar2) y Yo-actuante 2 (= Yoact2). El reportaje de ambos narradores no solamente tiene el mismo contenido, sino que es lingüísticamente idéntico y, partiendo de este hecho, deducimos que ambos narradores constituyen un personaje. Si esto es así, la particularidad de este tipo de narración consiste en que los yo-narradores siendo uno solo se comportan como si fuesen dos diferentes, es decir, falta la conexión pragmática. Como ejemplo se prestan las siguientes citas:

> *Je suis arrivé à la Ville Bleue* [...] (*MRV*: 23-24)
> *Lauren en compagnie d'un certain Johnson* [...] (*MRV* 52-53)
> *Johnson, qui a eu le temps de se préparer à cette question, commence, aussitôt le récit de sa soirée:* »*Je suis arrivé à la Villa Bleue vers neuf heures dix* [...]. (*MRV*: 96)

El primer yo es el yo anónimo, el segundo es Johnson, y el yo anónimo dice: »Johnson comienza con su relato, 'llegué a la Villa Bleue'«. Este tipo de narración rompe la estructura binaria tradicional ente un yo-narrador y un yo-actuante. Además adquiere el yo-narrador 1 las características de un él-narrador ya que narra el discurso de un tercero.

Podemos estabilizar nuestra hipótesis de la identidad de los narradores (Yonar1/Yoact1 ≈ Yonar2/Yoact2) en base a interrelaciones entre los discursos. Así tenemos:

1. El Yonar1 trata de reconstruir la velada en la Villa Bleue: éste llega a las 9.10 p.m., da un paseo por el parque de la Villa porque cree haber llegado muy temprano y observa una escena de celos (conflicto amoroso), etc.

Desde la p. 96 en adelante Johnson, el Yonar2, le cuenta (en una narración en primera persona) a la policía lo mismo:

A. Yonar1/Yoact1:

Je vais donc essayer maintenant de raconter cette soirée chez Lady Ava, de préciser en tout cas quels furent, à ma connaissance, les principaux événements qui l'ont marquée. Je suis arrivé à la Villa Bleue vers neuf heures dix, en taxi. Un parc à la végétation dense entourne de tous les côtes l'immense maison de stuc [...]. Comme j'avais l'impression d'être un peu en avance [...] j'ai obliqué vers la gauche pour faire quelques pas dans cette partie du jardin, la plus agréable [...] on ne distingue bientôt plus que le contour [...]. En me retournant, j'ai aperçu d'un seul coup la scène: deux personnages immobilisés [...]. (MRV: 23; 24; 25)

B. Yonar2/Yoact2:

Johnson, qui a eu le temps de se préparer à cette question commence aussitôt le récit de sa soirée: »*Je suis arrivé à la Villa Bleue vers neuf heures dix, en taxi. Un parc à la végétation dense entourne de tous les côtes l'immense maison de stuc [...] . Comme j'avais l'impression d'être un peu en avance [...] j'ai obliqué vers la gauche pour faire quelques pas dans cette partie du jardin, la plus agréable [...]. On ne distingue bientôt plus que la forme générale des [...], etc. Je passe aussi sur le bruit des insectes, déjà signalé [...]. J'en arrive tout de suite à la scène de rupture entre Lauren et son fiancè [...].* (MRV: 96-97)

Fuera de la repetición idéntica de ambos textos, los términos, 'déjà signalé' y 'la scène de rupture entre Lauren et son fiancé', indican en el ejemplo B, que se trata del mismo personaje, ya que presuponen el texto A: el Yonar2 le cuenta a la policía en las pp. 96-97 lo que el Yonar1 le ha narrado al recipiente en la p. 23.

2. Ambos yo-narradores conversan con Lady Ava, hojean un album donde se encuentran representadas las prostituas del burdel, y le llama la atención una »nueva protegida« de Lady Ava (MRV: 83-84; 139 para el Yonar1 y p. 130; p. 162 para el Yonar2).

3. Ambos yo-narradores visitan a la agonizante Lady Ava (MRV: vid. p. 186 para el Yonar1 y p. 208 para el Yonar2). Lady Ava se expresa de la misma forma en ambos diálogos:

A. Lady Ava/Yonar1: *Et je suis une vieille comédienne qui n'intéresse plus per-*
sonne [...]. Il son tous partis les un après les autres.
(MRV: 138)

B. Lady Ava/Yonar2: *Elle parle des choses [...] disant aussi qu'elle est depuis*
toujours une mauvaise comédienne et que, vieille à pré-
sent, elle n'intéresse plus personne. (MRV: 208)

4. Ambos yo-narradores saben sobre la muerte de Manneret:

A. Yonar1: *Notre hôtesse se montre souriante et détendue [...]. Pour-*
tant, aussitôt qu'elle m'aperçoit, elle les quitte tous avec
brusquerie, vient jusqu'à moi en écartant ces corps impor-
tuns dont elle ne distingue même plus les visages et m'en-
traîne loin de la foule dans une embrasure de fenêtre [...].
(MRV: 58, 59)
»C'est une chose grave, dit-elle, que j'ai à vous appren-
dre: Edouard Manneret est mort«.
Je le sais déjà, bien entendu, mais n'en laisse rien paraî-
tre. Je compose mon attitude et ma physiognomie sur les
siennes et lui demande brièvement comment la chose est
arrivèe. (MRV: 59)

B. Yonar2: *Vous connaissiez Edouard Manneret?*
- De nom seulement [...]
- Il est mort. Vous le saviez?
Johnson joue l'étonnement: »Ah non! Pas du tout [...]«
- Ce soir même. Il s'est suicidé [...]
Johnson flaire le piège et ne fait pas la moindre remarque
qui puisse laisser supposer que cette version lui parît con-
testable. [...].
Ensuite, rien de notable ne s'est passé jusqu'au moment
où la maîtresse de maison m'apprend - ou plutôt croit
m'apprendre - que Manneret vient d'être assassiné [...].
(MRV: 94-95; 98)

La pregunta que se desprende de estos pasajes es, ¿de dónde sabe el Yonar1 que
Manneret está muerto, si Johnson (Yonar2) no fuese a la vez el Yonar1?, ya que
Johnson es además el que presuntamente ha asesinado a Manneret (*MRV:* 211) y por
esta razón es, al parecer, perseguido por la policía.

5. Ambos yo-narradores toman una rikscha (*pousse-pousse*) y se encuentran con la
mujer paseante y su perro (*promeneuse et chien noir*), el Yonar1 en (*MRV:* 51) y el

Yonar2 en (*MRV*: 107ss.). Relevante es también el hecho, que el Yonar1 medita sobre el asesinato a Menneret que Johnson (el Yonar2) ha cometido o va a cometer:

[...] *m'est venu à l'esprit quelque chose comme:* » *... dans la splendeur des catacombes, un crime aux ornaments inutiles, baroques* ...«

Naturalmente, se podría sostener que en la *MRV* se encuentra un buen número de pasajes donde se articula la diferencia de identidad entre el Yonr1 y Johnson (cf. *MRV*: 56, 58, 63-65). Ambas posiciones son correctas, ya que - como hemos indicado más arriba - la unión entre yo-narrador y yo-actuante es intencional y pragmáticamente desconectada. Existen escenas, por ejemplo, durante las cuales mientras el Yonar1 conversa con Lady Ava, Johnson danza con Lauren.[93]

Partiendo de esta estructura narrativa, determinada en forma particular por el yo-narrador, podemos segmentar la *MRV* en seis intentos de reconstruir la velada en la Villa Bleue, sean ya realizados por el Yonar1 o por Johnson. También se podría pensar en una segmentación de la novela según las transiciones de un yo-narrador a un él-narrador, mas éstas son muy poco sistemáticas y menos estables, siendo sus límites variables.

La segmentación de la *MRV* la realizamos, al contrario de *CAS* y *CV*, en el nivel del discurso y no de la historia, ya que no existen secuencias accionales, sino secuencias de segmentos o elementos que son variados *ad libitum*.

El narrador se esconde detrás de diferentes máscaras. Quizás sean, los yo-narradores descritos, proyecciones de otra posibilidad narrativa hasta aquí no considerada; con este efecto los ejemplos siguientes:

1. *La chair des femmes a toujours occupé, sans doute, une grande place dans mes rêves. Même à l'état de veille, ses images ne cessent de m'assaillir [...]. Souvent je m'attarde à contempler quelque jeune femme qui danse, dans un bal. Je préfère qu'elle ait les épaules nues [...]. Elle exécute avec une application gracieuse un de ces pas compliqués [...]. Elles s'est maintenant retirée [...] pour rattacher la boucle de sa fine chaussure à brides [...] elle se tient courbée en avant [...]. Mais deux personnages s'avancent et masquent bientôt la escène [...]. (MRV: 11, 12)*
2. *Tout le monde connaît Hong-Kong, sa rade, ses jonques, ses sampans, les buildings de Kowloon, et l'étroite robe à jupe entravée, fendue [...]. (MRV: 13)*
3. *Et voilà que le même gros homme sanguin s'interpose de nouveau, parlant toujours à voix haute de la vie à Hong-Kong et des magasins élégants de Kowloon [...]. Devant la vitrine, la promeneuse en fourreau noir rencontre le regard que réfléchit la paroi de glace; elle se détourne lentement vers sa droite [...]. Il se dirige*

---

93 Un procedimiento similar emplea Butor en *L'Emploi du temps*, donde Revel, el yo-narrador, es a la vez el detective y el criminal: mientras Revel trata de descubrir al culpable (a él mismo), Revel intenta, como criminal, ocultar su presunta fechoría frente al detective (frente a sí mismo).

vers le buffet [...] *tandis qu'il reprend son récit enfaisant des gestes courts avec ses petits bras* [...]. *Le buffet s'est dégarni de façon notable* [...]. *Mais, sans y prendre garde, l'homme continue à parler. Il raconte une histoire classique de traite des mineures* [...]. (*MRV*: 16, 17, 19)

En el ejemplo (1 y 2) no tenemos un yo-narrador, sino uno meditante (a pesar de que luego desaparece el deíctico 'yo') y todo el pasaje permanece en la perspectiva del yo. Se insinúa que toda la narración parte de los sueños y alucinaciones de este yo, es decir, que es el producto de una situación onírica, y de allí se desprenden las repeticiones, las variaciones, las interrupciones, negaciones y contradicciones. Es también probable, que este yo-meditante sea el yo-anónimo, que se encuentra en la narración inmediata.

La última posibilidad que nos queda por mencionar - ya aludida más arriba - la constituye el *gros homme sanguin* (3), que habla constantemente de Hong Kong y cuenta una historia de tráfico de chicas menores de edad (se refiere a las prostitutas de la Villa Bleue), es decir, se insinúa el contenido de la *MRV*.

3.13 Las pseudo-historias y la constitución de los temas generadores

La ambigüedad al nivel de los personajes y del narrador afecta igualmente el nivel de la historia, de tal manera, que se intersecta la posibilidad de construir series accionales tradicionales, reduciendo los segmentos a pseudo-historias como reflejo de los procedimientos narrativos.

Los 'temas generadores' no solamente están constituidos por los personajes, sino también por la apariencia de éstos, por su lenguaje, por sus objetos y por sus constelaciones de situaciones o escenas, y los podemos dividir en 'temas generadores figurales' y 'no-figurales'. Dentro de los primeros diferenciamos entre 'figurales masculinos' y 'figurales femeninos', dentro de los segundos tenemos la 'apariencia' (partes del cuerpo, posición del cuerpo, vestuario o parte de vestidos), el 'lenguaje' (por ejemplo, los diálogos con un contenido determinado), 'objetos' (revistas, sobres, lazos, etc.) y 'situaciones' (danza, conversación, comidas, paseos, etc.).

Los 'temas generadores' los podemos resumir de la forma siguiente[94]:

I. Participación de tres personajes: dos hombres y una mujer; dos mujeres y un hombre; un hombre, una mujer y un tigre; dos mujeres y un perro:

a) Dos hombres y una mujer: escena en un parque y conflicto amoroso. Una mujer joven, Lauren, discute con un hombre joven, Marchat, vestido con smoking de chaqueta blanca, quien, al parecer, se dispara un tiro con una pistola; o a Lauren se le dispara un tiro (¿o dispara intencionalmente?), hiere o mata al joven, y luego se dirige a la Villa. Algunos metros distante de la escena, se encuentra sentado un hom-

---

94 Para otro tipo de sistematización de los 'temas generadores' vid. Ricardou (1971a: 145-147).

bre meditando (¿Johnson?), vestido con un smoking negro. (*MRV*: 26-27);
La misma escena se repite con leves modificaciones: *Variación 1*: Lauren se encuentra frente a Johnson, el cual va a emprender la retirada. La pose de Lauren no decide si lo está rechazando o lo quiere retener. *Variación 2*: Luego el narrador niega todo lo descrito: el hombre no es Johnson, sino Marchat. El hombre sentado en el banco del parque es Johnson. *Variación 3*: El hombre sentado en el banco es Marchat que medita sobre la ruptura con Lauren. (*MRV*: 56-58);

b) Dos mujeres y un hombre: Lauren se encuentra en el salón de la Villa Bleue, donde discute con Lady Ava, la cual le ordena algo que no quiere obedecer. Ella debe hacer algo en relación a Johnson que observa la escena pacientemente algo aparte. (*MRV*: 29-31);

c) Un hombre, una mujer y un tigre: Estos tres personajes (en ropa de safari) constituyen una escultura en el parque de la Villa Bleue, llamada el »cebo« ('*l 'Appât*'). La joven mujer está de espaldas contra un árbol, aterrorizada por la amenaza de un tigre (y deja entrever partes de su cuerpo), el hombre (de cazador) observa la escena inmóvil, con una bicicleta y un fusil en la mano. El narrador define la escultura como una escena de caza en la India a comienzo de siglo. (*MRV*: 27-28);

d) Dos mujeres y un perro: Los personajes se encuentran primero en la calle. Kim lleva el perro y viene de recoger a la petite Japonaise a la casa de Manneret. El perro arrincona y amenaza a la mujer (*MRV*: 40-41). *Variación*: Los mismos personajes se encuentran en el estrado del pequeño teatro de la Villa Bleue, el perro desnuda y hiere a la *petite Japonaise*. (*MRV*: 41s.).

II. Conversación/escena con dos personajes: un hombre y una mujer:

a) Conversación entre Lady Ava y el Yonarl sobre la relación entre Johnson y Lauren y sobre la muerte de Manneret. *Variación*: Conversación entre Lady Ava y Johnson sobre la muerte de Manneret y sobre la compra de Lauren. (*MRV*: 59-60; 94-95; 98);

b) Conversación entre Johnson y el *gros hommes au teint rouge*. (*MRV*: 13; 16-19; 49, etc.);

c) Johnson visita dos veces a Manneret. (*MRV*: 113ss. y 210ss.);

d) Visita de Kim, Kim' o Lucky a Manneret. Situación base: Manneret está sólo en su cuarto, escribiendo, dando la espalda de la puerta de entrada del departamento. Kim se queda inmóvil allegada a la puerta. (*MRV*: 70);
Variación 1: Kim se encuentra angustiada frente a Manneret con la esplada pegada a la muralla. (*MRV*: 71);
Variación 2: Kim está inclinada frente a Manneret (éste sentado en su mesa de escribir). (*MRV*: 71);
Variación 3: Kim yace en un sofá, aparentemente bajo el influjo de drogas; Manneret está sentado a su lado. (*MRV*: 72-73);

Variación 4: Manneret yace en el piso del cuarto, Kim no aparece. (*MRV*: 73);
Variación 5: Kim se encuentra medio tendida sobre un lecho con una jeringa en la mano; Manneret, que según el narrador no ha abandonado su mesa de escribir, la observa. (*MRV*: 76);
Variación 6: Kim está de pie frente a la mesa de escribir de Manneret. (MTV: 76);
Variación 7: Escenas semejantes a las descritas se encuentran ahora en fotos de una revista. La escena está dividida en tres partes:

- Una joven semi-tendida sobre un lecho con una jeringa en la mano;
- Una joven tendida sobre sus espaldas en el lecho, tiene las piernas y brazos amarrados;
- Una joven desnuda, sin amarras, está atravesada por una jeringa gigante desde la vagina hasta la boca. (*MRV*: 78-80);

e) Una mujer y un hombre: Johnson y Lauren bailan, la danza es interrumpida para que ella pueda abrocharse el zapato. (*MRV*: 12-13, etc.).

III. Escenas con un personaje:

a) Lady Ava como actriz: se prepara para ir a dormir y, al parecer, toma drogas. (*MRV*: 100ss.; 186ss; 208s.)
b) Johnson en busca de dinero. (*MRV*: 107-120; 188-198, etc.)

Los ejemplos demuestran, sin duda alguna, que todos los elementos que constituyen la novela tienen un *status* de 'temas generadores', y que, como tales, contribuyen no a la producción de significados, sino de series significantes dentro de un juego narrativo.

3.14 Procedimientos de conexión serial-aleatorios y el 'texto en el texto' vs. organización temporal de segmentos accionales: repetición de elementos equivalentes y no-equivalentes

Luego de haber descrito la constitución de los 'temas generadores', entramos a analizar su *status* de 'texto en el texto', que son los principios en base a los cuales se destruye la »lógica de la ficción«.

Muchos de los personajes se encuentran en situaciones que podríamos llamar 'vivencia ficcional', es decir, situaciones donde los personajes viven sus experiencias. Otras veces los encontramos representados en otro tipo de medio, ya sea el fotográfico, el teatral o la escultura, que podemos denominar situaciones de 'representación ficcional'.[95]

---

95 Esta distinción es osada ya que todos los 'temas generadores' tienen el mismo *status*, pero por razones prácticas, es decir, para poder analizar el fenómeno sistemáticamente, usamos estos dos términos.

El conflicto amoroso en el parque de la Villa Bleue, mencionado más arriba (*MRV*: 24-25), continúa en el teatro:

> *La fin du premier acte approche: l'héroine* [...] *relève enfin le visage pour dire avec lenteur et véhémence, en regardant l'homme droit dans les yeux: »Jamais! Jamais!«* (*MRV*: 55-56)

Esta misma escena, después de encontrar una nueva concretización en la escultura del parque (*MRV*: 27-28), pasa nuevamente al teatro:

> *Cependant, il ne s'agit pas ici d'un tigre mais de l'un de grands chiens de la maison* [...]. *L'homme qui joue le chasseur n'a pas de bicyclette, cette fois, mais il tient à la main une grosse laisse de cuir tressé; et il porte des lunettes noires* (*MRV*: 31-32),

y de allí a la calle, donde el cazador es reemplazado por una mujer y el tigre por el perro. El narrador indica claramente las transformaciones ('*Cependant, il ne s'agit pas* [...]', '*L'homme* [...] *n'a pas de bicyclette, cette fois* [...]'), con lo cual no sólo tenemos un 'texto en el texto', en el sentido de la reproducción de ciertas situaciones en otro medio, sino una especie de comentario por parte del narrador, que descubre lo narrado como ficción dentro de la ficción (vid. más abajo pp. 186-189).

Otro ejemplo sería aquél, donde todo lo que sucede en la velada de la Villa Bleue, se reproduce en una '*couverture d'un illustré chinoise*' o en la incrustación en el anillo del *gros homme*. El principio de organización es el de la transición entre escenas inmóbiles a móbiles, un principio que Robbe-Grillet emplea a partir de *Le Voyeur*.

3.15 La imposibilidad de la reconstrucción de los 'temas generadores': constitución temporal vs. negación

La *MRV* no está dividida, ni en capítulos ni en subcapítulos, ni tampoco tiene apartados, sino que está narrada en un flujo tipográfico ininterrumpido, ya que el principio serial-aleatorio no conoce interrupciones.

El texto lo hemos dividido heurísticamente al nivel del 'D II' en seis unidades, según el criterio aludido más arriba, esto es, el del intento de reconstruir la velada en la Villa Bleue por un yo-narrador o por Johnson. A estas unidades les precede la unidad »0«, en la cual son introducidos los 'temas generadores'. Las unidades al nivel del 'D II' tienen solamente la función de sistematizar los 'temas generadores', éstas no contribuyen ni a la aclaración de la historia ni del tiempo. En la unidad IV, es decir, después de tres intentos de recapitulación del yo-narrador 1 o de Johnson, se niega incluso todo lo narrado hasta ese momento, en cuanto el narrador sostiene que Johnson no ha podido abandonar el hotel para pasar la noche en la Villa Bleue, porque no pudo encontrar una chaqueta de smoking blanca, a pesar de haber leído que éste tiene un smoking negro. Las unidades se caracterizan por una sucesión relativamente estable de 'temas generadores' o elementos de éstos. Así, por ejemplo, el yo-narrador1 llega a la Villa Bleue, da un paseo por el parque, observa el conflicto amoroso, se dirige a la casa y pasa al buffet, danza con Lauren, etc. Dentro de la casa existen otras mini-series que a su vez son variadas. Luego pasa la acción a la calle, se vuelve a la Villa Bleue y así sucesivamente.

Las diversas cifras que hemos puesto al lado de los segmentos, indican la posición sintagmática de los 'temas generadores' y no tienen un *status* temporal ni accional, es decir, dan a conocer su organización sólo al nivel del 'D II'.

Unidad 0: Presentación de los 'temas generadores'
(*MRV*: 11 - 23)

Unidad I: Primer intento del yo-narrador de reconstruir una velada en la Villa Bleue

1: Llegada del yo-narrador a la Villa Bleue a las 9:10 p.m.   (*MRV*: 23ss.)

2: Paseo por el parque: (*MRV*: 24 - 27)

3: Parque 1: Lauren
           Johnson
           Marchat

   Parque 2: *L'Appât:*   (*MRV*: 27)
       -femme en chemisette de labeau
       - tigre
       - chasseur, bicyclette, fusil

4: *Deux personnages: gros homme au teint rouge*, Johnson   (*MRV*: 29)

5: *Police*   (*MRV*: 29)

6: Conversación: Lady Ava, Lauren   (*MRV*: 30 - 31)

7: *Danseur*: Johnson, Lauren   (*MRV*: ibid.)

8: Escena de teatro 1: *L'Appât*:   (*MRV*: 31 - 32)
   (= Parque 2):
   jeune femme
   chien
   chasseur avec laisse
   lunettes noires

9: *Promeneuse, chien noir*   (*MRV*: 33 - 35)

4: *Buffet: deux personnages, garçon, champagne*   (*MRV*: 35 - 36)

5: *Police se dirige vers la maitresse*   (*MRV*: 36)

6: Conversación: Lady Ava, Lauren   (*MRV*: 37 - 38)

7: *Danseur*: Johnson, Lauren   (*MRV*: 38)

10: *Servante eurasienne* en la Villa Bleue   (*MRV*: 38)

4: *Buffet: deux personnages, coupe de cristal*
   qui choit sur le sol   (*MRV*: 38)

9: *Promeneuse, chien noir*:
entra en un edificio en busca de un *enveloppe brune*
y se une la *petite Japonaise* (*MRV*: 38 - 41)

8: Escena de teatro 1: *L'Appât*: (*MRV*: 41 - 45)
(= Parque 2): *Promeneuse, chien noir, petite Japonaise*

4: *Buffet: deux personnages, gros homme*: (*MRV*: 45 - 46)
narra la muerte de Manneret

8: Escena de teatro 1: *L'Appât*: (*MRV*: 46 - 49)
(= Parque 2): *Américain*/Lauren (o Loraine)

8: Escena de teatro 1: *L'Appât*: (*MRV*: 49)
(= Parque 2): *Promeneuse*

9: *Promeneuse, chien noir*: (*MRV*: 50 - 51)

11: *Pousse-pousse/taxi*:
el yo-narrador ve a la *promeneuse* (Kim) (*MRV*: 51)

Unidad II: Segundo intento del yo-narrador de reconstruir una velada en la Villa Bleue

1: Llegada del yo-narrador a la Villa Bleue a las (*MRV*: 52)
9:10 p.m.

2: Paseo por el parque (*MRV*: 52)

3: Parque 1 (*MRV*: 52 - 55)

4: *Buffet: deux personnages*: (*MRV*: 56)

8: Escena de teatro 2: Parque 1: (*MRV*: 56)

12: Conversación: Lady Ava, yo-narrador al comienzo
de la velada, bienvenida a los clientes Lady Ava
le comunica al yo-narrador la muerte de Manneret,
éste se dirige luego al Buffet (*MRV*: 58 - 61)

6: Conversación: Lady Ava, Lauren (*MRV*: 62)

7: *Danseur*: Johnson, Lauren (*MRV*: 62 - 63)

12: Conversación: Lady Ava, yo-narrador (*MRV*: 63 - 64)

4: *Buffet: deux hommes, verre brisé, objet de scandal* (*MRV*: 65)

10: *Servante eurasienne* en la Villa Bleue (*MRV*: 65)

7: *Danseur*: Johnson, Lauren (*MRV*: 65 - 66)

9: *Promeneuse, chien noir*: Kim (*MRV*: 66)

12: »La muerte de Manneret« como título de una pieza (*MRV*: 66)
de teatro 3

4: *Buffet: deux hommes, verre ampoule de morphine* (*MRV*: 65)

10: *Servante euresienne* en la Villa Bleue (*MRV*: 66)

9: *Promeneuse* con *enveloppe brune* (*MRV*: 67)

5: *Police* (*MRV*: 67 - 68)

10: *Servante eurasienne* en la Villa Bleue (*MRV*: 69)

9: *Promeneuse, chien noir* (*MRV*: 69 - 70)
13: *Promeneuse* donde Manneret, *illustré chinois* (*MRV*: 70 - 71)
    Cuadro 1: Manneret *à sa table de travail* (*MRV*: 71)
    Cuadro 2: *jeune fille* parada frente a Manneret (*MRV*: 71)
    Cuadro 3: *jeune fille* busca algo sobre la mesa (*MRV*: 71)
    Kim sobre un sofá, Variación: sobre la cama (*MRV*: 72)
12: Muerte de Manneret: Escena de teatro 3 (*MRV*: 73)
4: *Buffet*: *deux personnages, garçon* (*MRV*: 74)
13: *Promeneuse* donde Manneret, Kim sobre un sofá,
    Variación: sobre la cama (*MRV*: 75 - 77)
9: *Promeneuse, chien noir* (*MRV*: 77)
13: *Promeneuse* donde Manneret, Kim sobre un sofá,
    Variación: sobre la cama (*MRV*: 78 - 79)
4: *Buffet*: *deux personnages, garçon* (*MRV*: 80 - 81)
7: *Danseur*: Johnson, Lauren (*MRV*: 81)
4: *Buffet*: *deux personnages, coupe à champage brisé* (*MRV*: 82 - 83)
14: Manneret *à sa table de travail* (*MRV*: 83)
11: *Pousse-pousse/taxi*: el yo-narrador en busca de dinero (*MRV*: 87)
5: *Police*: interrogatorio de Johnson (*MRV*: 95 - 95)

Unidad III: Tercer intento del yo-narrador de reconstruir una velada en la Villa Bleue

1: Llegada del yo-narrador a la Villa Bleue a las (*MRV*: 96)
    9:10 p.m.
2: Paseo por el parque (*MRV*: 96 - 97)
3: Parque 1:   *deux personnages*
             Lauren y fiancé
             un homme seul sur un banc con un revólver
8: Escena de teatro 1: *L'Appât*: (*MRV*: 98- 100)
    (= Parque 2): *Jeune Japonaise*
15: Escena de teatro 4: Lady Ava en su dormitorio: (*MRV*: 100-107)
    - *enveloppe brune*
    - *Servante eurasienne*
11: *Pousse-pousse/taxi*: el yo-narrador en busca
    de dinero: hotel Victoria, taxi, casa de
    Manneret, taxi, ferry, hotel Victoria (*MRV*: 107-129)
9: *Promeneuse, chien noir* (*MRV*: 108,
                                  110-111
                                  118-119
                                  126)
13: *Promeneuse* donde Manneret (*MRV*: 126)

Unidad IV: Tercer intento de un narrador en tercera persona de reconstruir una velada en la Villa Bleue

1: Llegada del yo-narrador a la Villa Bleue a las 9:10 p.m.	(*MRV*: 100)
4: *Buffet*: *deux personnages*	(*MRV*: 129-130)
7: *Danseur*: Johnson, Lauren	(*MRV*: 130)
16: Muerte de Marchand o Marchat	(*MRV*: 131)
8: Escena de teatro 2: Parque 1: Lauren/Loraine Johnson, Marchat	(*MRV*: 131-132)
1: Paseo por el parque	(*MRV*: 135)
17: Parque 3: *Le Poison* (Variación de la *promeneuse* donde Manneret	(*MRV*: 135)
8: Escena de teatro 2: Parque 1: Lauren/Johnson	(*MRV*: 136)
15: Escena de teatro 4: Lady Ava en su dormitorio	(*MRV*: 137)
12: Conversación: Lady Ava, yo-narrador: muerte de Manneret	(*MRV*: 138ss.)
9: *Promeneuse, chien noir*	(*MRV*: 143-158)
13: *Promeneuse* donde Manneret	(*MRV*: 159ss.)
18: Muerte de Manneret a través de la mordida de un perro	(*MRV*: 159)
11: *Pousse-pousse/taxi*: el yo-narrador no va en busca de dinero, sino se queda en el hotel Victoria	(*MRV*: 163)
19: Manneret vende a Kito a un restaurante de Aberdeen	(*MRV*: 167ss.)
20: Variaciones del asesinato de Manneret por un agente	(*MRV*: 169ss.)
13: *Promeneuse* donde Manneret	(*MRV*: 181ss.)

Unidad V: Segundo intento del yo-narrador de reconstruir una velada en la Villa Bleue

4: *Buffet: deux personnages*	(*MRV*: 184)
7: *Danseur*: Johnson, Lauren	(*MRV*: 184)
10: *Servante eurasienne* en la Villa Bleue	(*MRV*: 186)
12: Conversación: Lady Ava, yo-narrador	(*MRV*: 186-188)
11: *Pousse-pousse/taxi*: el yo-narrador en busca de dinero: Aberdeen, bar, casa de Manneret, banco, hotel Victoria	(*MRV*: 188-198)
21: Johnson cena en Aberdeen	(*MRV*: 199-200)

Unidad VI: Segundo intento del yo-narrador de reconstruir una velada en la Villa Bleue

1: Llegada de Johnson a la Villa Bleue a las 9:10 p.m.	(*MRV*: 201)
12: Conversación: Lady Ava, Johnson muerte de Manneret	(*MRV*: 201-202)

4: *Buffet: deux personnages*: Johnson, Marchat	(*MRV*: 202)
10: *Servante eurasienne* en la Villa Bleue	(*MRV*: 203)
5: *Police*	(*MRV*: 205ss.)
15: Escena de teatro 4: Lady Ava en su dormitorio	(*MRV*: 207ss.)
12: Conversación: Lady Ava, Johnson	(*MRV*: 208)
11: *Pousse-pousse/taxi*: el yo-narrador en busca de dinero	(*MRV*: 209ss.)
22: Muerte de Manneret, Johnson balea a Manneret	(*MRV*: 209-212)
23: Johnson retorna por segunda vez a la Villa Bleue.	
Conversación con Lady Ava.	(*MRV*: 213-214)
Llagada de la *police*, Johnson y Lauren	

Si en un primer paso no se consideran las negaciones y contradicciones temporales de las diversas situaciones y escenas, se podría llegar hipotéticamente a dos tipos de reconstrucciones temporales, que a su vez se anulan:

Posibilidad I:

A:	Johnson en el Hotel Victoria a la 7: 15 p.m.	(*MRV*: 164)
B:	Johnson cena en Aberdeen	(*MRV*: 199-200)
C:	Johnson llega a la Villa Bleue a las 9.10 p.m.	(*MRV*: 23 - 24, 96, 129, 201)
D:	Paseo por el parque	(*MRV*: 23ss., 96ss., etc.)
d1:	Parque 1	(*MRV*: 25ss.)
d2:	Parque 2	(*MRV*: 27ss.)
d3:	Parque 3	(*MRV*: 27ss.)
E:	Johnson en el salón de la Villa Bleue	(*MRV*: 58ss.)
e1:	Conversación Lady Ava, Johnson	(*MRV*: 58-59, 74)
e2:	Johnson en el Buffet	(*MRV*: 60 - 74)
e3:	Conversación de Johnson ≈ yo-narrador con *gros homme au teint rouge*	(*MRV*: 20, 21)
e4:	*Ampoule de morphine/coupe à champagne brisé*	(*MRV*: 21, 29, 36, 38 60, 61 65, 67, etc.)

e5: Conversación Lady Ava, Lauren   (*MRV*: 30-31,
                                                 37-38,
                                                 62)

e6: Danza de Johnson con Lauren   (*MRV*: 30-31,
                                                 38,
                                                 62-63,
                                                 65-66,
                                                 81,130,
                                                 184)

e7: Llegada de la policía a la Villa Bleue   (*MRV*: 29, 36,
                                                 67, 205)

e8: Escena de teatro, 1, 2, 3, 4   (*MRV*: 31-31,
                                                 41-45,
                                                 47-49,
                                                 52-55,
                                                 137, etc.)

Serie de variaciones:

-:   e1 - e8 - e2 - e3 - e5 - e6 - e7
-:   e1 - e2 - e8 - e2 - e5 - e6 - e3 - e4 - e7
F: Johnson abandona la Villa Bleue después de media noche (*MRV*: 87)
G: Johnson en busca de dinero   (*MRV*: 87,ss.,
                                                 107-129,
                                                 188-198,
                                                 209ss.)

g1: Queen Road   (*MRV*: 87)
g2: La policía interroga a Johnson y lo obliga a
     viajar a Kowloon; con él viajan Kim o Kim' y Marchat   (*MRV*: 90ss.,
                                                 107,
                                                 118-119)
g3: Johnson en Kowloon, viaje al hotel   (*MRV*: 107ss.)
g4: Johnson donde Manneret (1ra vez) (*MRV*: 109-119)
g5: Johnson vuelve al Hotel Victoria y descubre
     la muerte de Marchat   (*MRV*: 126-127)
g6: Johnson intenta conseguir dinero en diversos lugares (*MRV*: 188-193)
g7: Johnson prepara su fuga a Macao para las   (*MRV*: 193-195)
     6 a.m.
g8: Johnson intenta conseguir dinero en diversos lugares (*MRV*: 196-198)
g9: Johnson donde Manneret (2a vez),lo asesina (*MRV*: 209-212)

H: Johnson vuelve a la Villa Bleue   (*MRV*: 212-215)

A1 - B2 - C3 - D4 - E5 - F6 - G7 - H8

La segunda posibilidad sería la siguiente:

A'1 =   Johnson en busca de dinero
B'2 =   Johnson en el hotel Victoria a las 7: 15 p.m.
C'3 =   Johnson cena en Aberdeen
D'4 =   Johnson llega a la Villa Bleu a las 9:10 p.m.
E'5 =   Johnson da un paseo por el parque de la Villa Bleue
F'6 =   Johnson en el salón de la Villa Bleue
G'7 =   Llegada de la policía a la Villa Bleue, para arrestar a Johnson (¿?) o a Lady
            Ava por traficar con drogas y menores de edad (¿?)

A'1 - B'2 - C'3 - D'4 - E'5 - F'6 - G'7

La negación:

> [...] *si bien que l'emploi du temps de sa soirèe - établi par de tels observa-*
> *teurs - ne comportait même pas de visite à la Villa Bleue: il avait tout simple-*
> *ment regagné l'hôtel Victoria pour le dîner et n'en était plus ressorti.*
> *L'ennui d'avoir à mettre une chemise de soie et son smoking trop lourd, par*
> *une telle chaleur, lui a fait renoncer à la réception chez Lady Bermann* [...].
> (*MRV*: 163-164)

En cuanto a la primera posibilidad, Johnson emprende la búsqueda de dinero
después de la velada en la Villa Bleue, es decir, después de media noche, ya que al
parecer, a continuación del buffet, se ofrecen las escenas de teatro y éstas comienzan
a las 11 p.m. Dos aspectos sostienen esta hipótesis en cuanto a la sucesión temporal:

a) Luego que Johnson abandona la Villa Bleue, lo detienen en la calle los mismos po-
licías que al comienzo de la velada han interrumpido el cocktail en la Villa, los
cuales reconocen a Johnson e indican que entre estos dos momentos ha transcurrido bastante tiempo:

> *»Vous étiez tout à l'heure chez Madame Eva Bergmann« Johnson, qui s'attend à*
> *cette remarque depuis le début de l'entretien, se garde bien de nier* [...].
> *La réception est finie depuis longtemps. Vous avez marché pendant combien*
> *d'heures?* (*MRV*: 92-94)

b) Lady Ava le dice a Kim que Johnson estará ocupado toda la noche buscando dinero:

Il [Johnson] *y passera toute sa nuit, et ne trouvera rien.* (*MRV*: 105)

La segunda posibilidad, insinúa que Johnson se ha dedicado a buscar el dinero antes del comienzo de la velada en la Villa Bleue. Un indicio sería que Manneret ha sido asesinado cuando Johnson llega a la Villa a las 9:10 p.m., y como sabemos es éste, al parecer, su asesino. Pero esta versión es debilitada a través de que un agente (¿Johnson?) lo mata, después de tratar de extorsionarlo a causa de la venta de Kito a un restaurante, y por el hecho de que también se dice que el perro de Kim mata a Manneret.

Una tercera posibilidad sería el dividir la narración en varios días, ya que existen escenas que tienen que haberse producido anteriormente, por ejemplo, aquélla donde Johnson y/o el yo-narrador1 hojean el album descubriendo a Lauren como una nueva protegida de Lady Ava (*MRV*: 139, 162), mas luego (*MRV*: 63-64) se da la relación entre Johnson y Lauren como algo ya establecido. Por otra parte, esta posibilidad es también en parte cuestionada, en cuanto Lauren es presentada a Johnson inmediatamente después de haber hojeado el album. (*MRV*: 162ss.)

La decisión, cuál es el orden temporal correcto de los 'temas generadores', permanece sin solución, ya que, fuera de las razones dadas, tenemos una constante circularidad: el yo-narrador y/o Johnson recomienzan siempre con la narración de la misma velada, se parte siempre del mismo momento. Tenemos una circularidad en el nivel de la narración, no en el de la acción, es decir, en la intención de Johnson y/o del yo-narrador de reconstruir la velada. La pregunta que cabe en este contexto es: ¿cuál es la razón de estos intentos de reconstrucción? Una posible respuesta la encontramos por analogía en *Le Voyeur*, donde Mathias trata de reconstruir su gira por la isla, al parecer, para tener una coartada en caso que fuese interrogado por la policía con respecto a la muerte de una chica habitante de la isla, ya que él ha olvidado ciertos momentos de su ruta. Así, Johnson habiendo asesinado a Manneret y sabiendo que la policía busca a su asesino, trata de tener una coartada impecable para no provocar ninguna sospecha, lo cual se insinúa en el siguiente pasaje:

Johnson qui a eu le temps de se préparer à cette question commence aussitôt le récit de sa sa soirée. (*MRV*: 96)

La reconstrucción de la cronología es, además, impedida por el empleo de prolepsis y analepsis, que contribuyen, no a la aclaración del orden temporal, sino a su desorden, y tienen, a la vez, un *status* de 'texto en el texto'. Este es el resultado de los procedimientos serial-aleatorios, donde la pregunta sobre el orden temporal es en sí misma errónea, ya que no existe una diégesis tradicional.

3.151 La función de las pseudo-anacronías: 'texto en el texto' proléptico, analéptico, anaproléptico

En la *MRV* encontramos una gran cantidad de prolepsis, analepsis y en menor grado las anaprolepsis. Como ya indicamos, estos procedimientos no tienen ninguna intención ordenadora, sino un *status* de 'texto en el texo', que consiste en la tematización de la temporalidad, de su deformación y de su destrucción. Estos procedimientos temporales representan, *structures* [...] *privées de temps*, que se encuentran en un *présent perpétuel qui rend impossible tout recours à la mémoire, en un monde sans passé qui se suffit à lui même à chaque instant*.[96] Estas anacronías son en realidad pseudo-anacronías.

a) El 'texto en el texto proléptico'

Ejemplo (1) (*MRV*: 19):

> *Mais, sans y prendre garde, l'homme continue à parler. Il raconte une histoire classique de traite des mineures dont le début manquant devient facile à reconstituer dans ses grandes lignes: une jeune fille achetée vierge à un intermédiaire cantonais, et revendue ensuite trois fois plus cher, en bon état mais après plusiers mois d'usage, à un Américain fraîchement débarqué qui s'était installé dans les Nouveaux Territoires, sous le prétexte officiel d'y étudier les possibilités de culture des ... (deux ou trois mots inaudibles). Il récoltait en réalité du chanvre indien et du pavot blanc, mais en quantités raisonnables, ce qui rassurait la police anglaise. C'était un agent communiste qui dissimulait son activité véritable sous celle, plus anodine, de la fabrication et du trafic de diverses drogues, sur une très petit échelle, suffisante surtout pour alimenter sa consommation domestique et celle de ses amis. Il parlait le cantonais et le mandarin, et fréquentait naturellement la Villa Bleue, où Lady Ava organisait des spectacles spéciaux pour quelques intimes. Une fois, la police est a arrivé chez elle [...].*

En el pasaje citado no se narra como si fuese una prolepsis, sino que la narración se le atribuye al *homme au teint rouge* en el presente, a pesar de que el pasaje anuncia y resume sintéticamente los principales 'temas generadores'. La historia alude a Kito, la *petite Japonaise*, la cual, como sabemos, es vendida por el intermediario Manneret a un restaurante, o alude a Lauren y su venta a Johnson por medio de Lady Ava. Tanto Lady Ava como Manneret trafican con drogas. Tenemos funcionalmente una prolepsis que no está formulada como tal.

---

96 Cf. Robbe-Grillet (1963: 118, 130-131).

Ejemplo (2) (*MRV*: 83; 98):

> *Lady Ava, assise solitaire* [...] *sachant trop bien à l'avance tout ce qui va arriver: la rupture brutale du mariage de Lauren, le suicide de son fiancé près du bosquet de ravenalas, la découverte par la police du petit laboratoire à héroïne, la liaison vénale et passionnée entre Sir Ralph et Lauren* [...] *je m'aperçois que le jeune homme tient un pistolet dans sa main droite, l'index déjà posé su la détente, mais le canon dirigé vers le sol. Cette arme va d'ailleurs lui causer bien des ennuis, un peu plus tard, lors de la fouille générale des invités par la police.*

El texto está formulado en forma proléptica, mas lo anunciado ya ha tenido lugar y en forma reiterada, es decir, tenemos funcionalmente una analepsis. La mención del suicidio de Marchat provoca solamente confusión, ya que el recipiente sabe que este ha sido asesinado por Lauren o por Johnson o por una prostituta. El laboratorio de heroína existe solamente en esta mención, ya que cuando la policía llega de sorpresa a la Villa Bleue no se menciona la causa.

b) El 'texto en el texto analéptico'

Ejemplo (1a) (*MRV*: 41):

> *Je crois avoir dit que Lady Ava donnait des représentations pour amateurs sur la scène du petit théâtre de la Villa Bleue. C'est sans doute de cette scène qu'il s'agit ici.*

Ejemplo (1b) (*MRV*: 120):

> [...] *c'est Georges Marchat, l'ex-fiancé de Lauren, qui a longtemps erré à l'aventure en remâchant sans cesse dans sa tête les éléments de son bonheur perdu et de son désespoir. Parti très tôt de la réception, où sa présence ne se justifiait plus guère, il a d'abord marché lui aussi à travers ce quartier résidentiel* [...] *puis il est revenu prendre sa voiture restée à proximité de la Villa Bleue* [...].

En ambos pasajes se refiere el narrador en forma analéptica a acciones que ya han tenido lugar, pero que son idénticas con las escenas de teatro, de tal forma que el recipiente no sabe si estas acciones realmente han sucedido o son parte de una pieza de teatro, es decir, ficticias y por esto no tiene ningún sentido el tratar de obtener un orden cronológico. Lo mismo vale para el ejemplo (1b), donde la analepsis da motivo a otra confusión temporal, ya que Marchat no puede haber abandonado la Villa Bleue porque ha sido baleado allí por Lauren.

Ejemplo (2a) (*MRV*: 81):

Le verre bascule et choit sur les dalles de marbre où il se brise en mille éclats. Ce passage a déjà été rapporté, il peut donc être passé rapidement.

Ejemplo (2b) (*MRV*: 143):

Il a été dit quelque part que la servante le laissait dans le hall, entre la porte cochère qui donne sur la rue et le vestibule où prennent les ascenseurs, mais c'est une erreur sûrement, ou alors il s'agissait d'une autre fois, d'un autre moment, d'un autre jour, d'une autre endroit, d'un autre immeuble (et peut-être même d'un autre chien et d'une autre servante [...].

Ejemplo (2c) (*MRV*: 158):

Ensuite elle est dans une cour où ont été abandonnés divers objets au rebut [...] (cet épisode, déjà passé, n'a plus sa place ici).

Los tres pasajes tienen en común que los datos temporales dados niegan otros anteriormente mencionados. La situación mencionada del *gros homme* en el buffet con su vaso de champaña, al parecer con morfina, no solamente no se ha fijado temporalmente, sino que se han dado a conocer solamente fragmentos de ésta, y en constante variación, por esta razón es imposible - como el narrador sostiene - que ya se haya descrito esta escena, y como éste también reconoce, se ha descrito en forma muy rápida. Los datos dados en (2b) son también erróneos, ya que en ninguna parte se ha narrado que Kim ha subido al ascensor. Fuera de eso se trata de la casa de Manneret que es vieja y no tiene ascensor, y el narrador relativiza los datos, ya que se ha perdido en el laberinto de la atemporalidad, como se confirma nuevamente en el ejemplo (2c) donde el narrador, en forma decidida, niega el dato temporal.

c) El 'texto en el texto anaproléptico'

Ejemplo (*MRV*: 160-163):

Je reprends et je résume. Kito - on l'a compris - est destinée aux chambres du deuxième étage de la Villa Bleue. Elle sera ensuite cédée par Lady Ava à un Américain, un certain Ralph Johnson qui cultive le pavot blanc à la limite des Nouveaux Territoires. L'histoire de la petite Japonaise n'ayant pas d'autre lien avec le récit de cette soirée, il est inutile d'en relater plus en détail les différentes péripéties. L'important, c'est que Johnsons, ce jour-là [...].
Les présentations doivent s'effectuer au cours de la réception du même soir [...].
[...] si bien que l'emploi du temps de sa soirée - établi par de tels observateurs - ne comportait même pas de visite à la Villa Bleue: il avait tout simplement regagné l'hôtel Victoria pour le dîner et n'en était plus ressorti.

El narrador resume algunos de los 'temas generadores' de la pseudo-historia agregando otros. La analepsis es una variación del papel de Lauren, la cual es combinada con características de la *petite Japonaise* (Kito). La prolepsis se refiere a la presentación de Lauren y Johnson durante la velada en la Villa, la analepsis, por el contrario, al hecho que Johnson no abandonará el hotel y no visitará la Villa, con lo cual se niega la presentación anunciada entre él y Lauren.

Para terminar podemos afirmar que las acronías son reducidas a pseudo-acronías, ya que falta un eje espacio-temporal definido, y son así liberadas de su función temporal tradicional. Ahora tienen un *status* metadiscursivo ya que destruyen la lógica de la ficción, la delatan como tal, conduciendo la atención del recipiente al problema de la escritura.

3.152 El *status* acrónico de indicaciones temporales en la *MRV*

De esta forma trata Robbe-Grillet también datos temporales puntuales explícitos. Términos como '*ce soir*', '*la soirée*', '*cette nuit-là*' (*MRV*: 94; 98; 124; 130), carecen de su función orientadora, ya que el recipiente no sabe de que tarde o noche y en que día radican estos datos. En otros casos tenemos una negación explícita de estos términos: '*Demain, par exemple* [...] *Ou après - demain* [...]'; '*sans doute cette scène a-t-elle eu lieu un autre soir; ou bien, si c'est aujourd'hui, elle se place en tout cas un peu plus tôt, avant le départ de Johnson*' (*MRV*: 30); '*ce jour-là ...*' (en esta última frase los puntos suspensivos indican la ignorancia del narrador con respecto al día referido), como así también la pregunta ¿Cuándo?; '[...] *c'est douzième au moins qu'il ramasse depuis qu'il a commencé son travail. (Quand?)*' (*MRV*: 183). El narrador mismo confirma el desorden temporal: *Les choses ne sont jamais définitivement en ordre* (*MRV*: 209). Por esta razón, datos temporales tales como, '*A onze heures un quart, le rideau se lève*' (*MRV*: 98-99) o '*Si Manneret vient déjà d'être assassiné, cette scène se passe auparavant, de toute évidence* [...]' (*MRV*: 182), permanecen sin ningún sentido cronométrico, pero tematizan, a través de las contradicciones, la eliminación de la antigua temporalidad, introduciendo una nueva forma de lectura.

Finalmente nos queda por mencionar, que el narrador con frecuencia enuncia situaciones como si estuviesen occurriendo en forma simultánea o sincrónicas, pero esta impresión fracasa por la carencia de referencia a un eje espacio-temporal, como ya hemos indicado en otros casos. (Cf. *MRV*: 29; 67; 100; 106-107)

3.2 »Texto en el texto reflectado« o la reflexión metadiscursiva sobre la producción y recepción textual: lectura como re-escritura

En la introducción de nuestro trabajo indicamos que una de las carecterísticas principales del *nouveau roman*, en especial en la obra de Robbe-Grille, era su dimensión metanarrativa, es decir, que la historia narrada es un reflejo de los procedimientos narrativos, una reflexión sobre la escritura, constituyendo uno de los principales objetos de los textos de Robbe-Grillet. A continuación analizaremos algunos de estos procedimientos con respecto a la producción y recepción textual.

Cuando el narrador dice: *Les groups se font et se défont au hasard des rencontres* (*MRV*: 60), se refiere no solamente a los grupos de invitados en la Villa Bleue, sino, a la vez, a los 'temas generadores', cuya combinación y variación obedece a los procedimientos serial-aleatorios que se unen y desunen según el principo del 'azar determinado'[97], es decir, se unen sin una conexión jerárquica ni lógica diégetica, a través de elementos en común al nivel del significado o del significante.

Ejemplo (1) (*MRV*: 63-64):

> *Je commence avec précaution: »N'est-elle-pas ...« Mais je m'arrête, mon interlocutrice ayant, à présent, l'air de penser à autre chose et de ne plus m'accorder qu'une attention de pure politesse. Ce morceau de musique qui dure depuis un certain temps, ou même depuis le début de la soirée, est une sorte de rengaine à répetitions cycliques, où l'on reconnaît toujours les mêmes passages àintervalles régulières. »... à vendre?« dit Lady Ava [...].*

El yo-narrador, que conversa con Lady Ava, se refiere a una pieza de música que se toca desde el comienzo de la velada y es equivalente con el texto. El contenido de la música se relaciona con aquél de la conversación de Lady Ava y el yo-narrador, es decir, con el contenido de la novela, y que se repite constantemente. Los términos, *'musique'* e *'intervalle'*, indican claramente la base musical de orígen de los procedimientos narrativos.

Ejemplo (2) (*MRV*: 132-134):

> *C'est une sorte de cour-jardin en plein air, éclairée par de grosses lanternes à pétrole, assez malpropre et qui doit servir de dégagement aux coulisses du théatre, car des éléments de décors y sont abandonnés çà et là dans une grande confusion.*
> *[...]*
> *[...] je distingue encore dans la lumière incertaine une boutique de mode, vue*

---

97 Cf. de Toro (1987).

*depuis la rue: dans la vitrine aux inscriptions anglaises, un mannequin en ro-
be collante tient à bout de laisse un grand chien noir [...], je découvre aussi
quelques éléments de mobilier qui doivent appartenir à la scène de la fumerie
d'opium [...].*

*En dehors de ces restes de spectacles, la cour est encombrée par une quantité
d'objets au rebut: un pousse- pousse [...] de vieux balais en paille de riz [...],
plusieurs statues [...], caisse de coupe à champagne [...]. Comme je cherche
une issue à ce désordre, j'atteins des régions qui sont plus éclairées du tout
[...]. Il y a surtout des inscriptions chinoises [...]. Je déchiffre [...].*

Ejemplo (3) (*MRV*: 32):

*Il cherche quelque chose [...] de solide, et il ne sait pas quoi. la bicyclette a
donc disparu [...], il n'y a plus de jardin, ni jalousies, ni lourds rideaux qui
glissent [...]. Il ne reste a présent que des débris épars: fragments de papiers
[...].*

El yo-narrador se levanta en medio de una escena de teatro en la Villa Bleue
(donde está presenciando escenas ya observadas por él en el parque) y llega a un patio trasero del edificio donde se encuentra una serie de requisitos del teatro, que han
sido »dejados en gran desorden o confusión«, con lo cual se refiere el yo-narrador a
los procedimientos narrativos y a la situación del recipiente, que sólo conserva en su
memoria una serie de fragmentos que se repiten con variaciones. Además, enumera
los »requisitos« que no son otros que los 'temas generadores' que constituyen la
narración. Como éstos han sido ya repetidos varias veces, el yo-narrador trata de encontrar »una salida«, no solamente del lugar donde se encuentra, sino de encontrar
otras formas de combinación, ya que ha llegado a una especie de agotamiento. El
término '*déchiffrer*' indica la necesidad del recipiente de tratar de descubrir el mecanismo de la narración. En el ejemplo (3a), el narrador se refiere, aparentemente, a
Manneret y al autor, el cual ve reducidos sus 'temas generadores' a un montón de
desperdicios, estando forzado a buscar nuevas combinaciones.

La particular situación del recipiente es constantemente tematizada:

Ejemplo (3a) (*MRV*: 55):

Le voisin du gros homme au teint rouge finit par perdre patience [...].

Ejemplo (3b) (*MRV*: 120):

*Il a continué à rouler tout en essayant de raconter son histoire, à laquelle na-
turellement la femme n'a rien compris, tant l'élocution du fiancé devenait
confuse et sa présentation des événements incohérente.*

Ejemplo (3c) (*MRV*: 202-203):

> *Dans le petit salon de musique, Lauren, la fiancée de Marchat, joue au piano*
> *pour quelques invités silencieux une composition moderne, pleine de ruptures*
> *et de trous, qu'elle ponctue de rires nerveux, soudains, sans durée, signalant*
> *des fausses notes, qu'elle est la seule à pouvoire reconnaître.*

En el ejemplo (3a) representa el interlocutor del *gros homme* al recipiente, que después de tantas repeticiones y de una estructura textual incomprensible, comienza a perder la paciencia. Así, la prostituta tiene (ejemplo (3b)) también la función del recipiente, que como éste, nada entiende de la oscura historia que narra Marchat, alias yo-narrador, alias Robbe-Grillet. En el ejemplo (3c) tenemos nuevamente una referencia a los procedimientos musicales. El público, que escucha la pieza de música, comparte también, en este caso, con el recipiente la impresión de que el »texto moderno« se caracteriza por sus 'rupturas', 'vacíos' y 'falsas notas', que solamente pueden ser comprendidas por el autor, respectivamente por los conocedores de sus principios narrativos. Re-escribir se define en este contexto, como descubrimiento del nuevo orden narrativo y de seguir las diferentes variaciones y transformaciones de los 'temas generadores'.

3.3 Resumen: la ambigüedad sin significación o la destrucción de las posiciones vacías

En la *CV*, la ambigüedad de su estructura consiste en que la solución del conflicto, basado en las diferentes oposiciones, sobre la cual yace la historia y en las diversas perspectivas a través de las cuales se narra esta historia, se deja en manos del recipiente.

Muy diferente es la situación en la *MRV*, donde la ambigüedad semántica es conducida *ad absurdum* hasta su eliminación, ya que al recipiente no se le ofrecen posibilidades de diferentes significados, sino combinaciones de significantes que destruyen cualquier intento de la constitución de una significación. Con esto, tenemos una intención claramente definida en la *MRV*, mucho más que en cualquier novela tradicional, ya que su interpretación radica o se reduce inevitablemente al descubrimiento de su técnica narrativa como resultado de la reducción de la historia, a una pseudohistoria, como reflejo de los procedimientos de escritura. La lectura consiste en el juego del desciframiento de la constituición de las series aleatorias de los 'temas generadores', cuyo contenido es una mera coartada para la reflexión sobre el acto narrativo. La historia en su totalidad se transforma en una alegoría de los procedimientos narrativos, la historia es una mera unidad en la conciencia de un yo-narrador difuso que es transmitida al recipiente durante el proceso de lectura.

III.

APENDICE: PROCEDIMIENTOS NARRATI-VOS Y ESTRUCTURA TEMPORAL EN *PEDRO PARAMO* DE JUAN RULFO

0. INTRODUCCION: *PEDRO PARAMO* Y LA CRITICA

Sin pretender en este lugar efectuar un recuento crítico sistemático sobre los trabajos dedicados a *Pedro Páramo* (= PP)[1], nos parece sí, adecuado, comentar algunas tesis sobre la estructura de esta obra, para así aclarar de antemano algunos problemas de base.

Observamos, con respecto a la estructura narrativo-temporal, que una buena cantidad de críticos está de acuerdo en el hecho que *PP* se caracteriza por un presente eterno, perpetuo, que lo narrado se desenvuelve en un mundo de vivos y muertos, que la narración está a cargo de un yo-narrador, Juan Preciado, y de un narrador omnisciente, etc. Mas, al ser descrita la estructura de la novela, emergen claramente las discrepancias, tanto sobre aspectos elementales como complejos, conduciendo así a resultados analíticos y descriptivos no siempre fructíferos y que, además, se excluyen mutuamente.[2]

La mayoría de los críticos está en profundo acuerdo que la historia de *PP* es presentada en forma acronológica, dando al comienzo al lector una impresión caótica del mundo narrado, que se va aclarando poco a poco.[3] Frente a esta opinión plenamente válida, se opone aquélla de Blanco Aguinaga, que sostiene que la novela está escrita en forma cronológica y que su estructura no confunde de ninguna manera al recipiente, de tal forma que éste jamás se siente presionado a analizar.[4] Por otra parte, Dorfman rechaza todo intento científico estructurador de la obra, porque éste supuestamente la deforma. La consecuencia es que Dorfman, fuera de constatar que *La forma en que ocurren los fenómenos en »Pedro Páramo«, ese extraño marasmo temporal de acciones entrecruzadas, es la única manera posible en que pudiera haber ocurrido*, su trabajo no nos aporta nada nuevo o vital para la comprensión de *PP*, a pesar de querer ofrecernos *una nueva interpretación* de la novela de Juan Rulfo.[5]

---

1 Para nuestro análisis de *PP* empleamos la edición de Fondo de Cultura Económica. México [12]1973, y hemos considerado los siguientes trabajos: Serra (1973: 211-229); Leal (1974: 13-22); Dorfman (1974: 147-148); O'Neill (1974: 283-322); Sacoto Salamea (1974: 385-394); Ramírez (1974: 135-171); Ortega (1975: 19-26); Sánchez (1975: 212-221); Yates (1975: 103-111); Blanco Aguinaga (1976: 113-154); Merrel (1976: 31-41), (1980: 132-137); Alvarez (1977: 419-431); Bastos/Molloy (1978: 3-24); Mena (1978: 165-188); Villegas Posada (1978: 87-95); Wolff (1978: 361-382); Esquerro (1980: 75-82). Un estupendo artículo que recibí durante el año 1986, después de haber concluido mi trabajo, es el de Rubió de Lértora (1985: 152-165).

2 Mientras Leal (1974: 13-22), O'Neill y Rodríguez-Alcalá (1965), por ejemplo, se esfuerzan por describir en forma sistemática algunos aspectos de la estructura de *PP*, Dorfman (1974: 147-148) niega la posibilidad del trabajo científico, perdiéndose en un bagaje pseudo-filosófico y superficial que nada aporta a la interpretación de *PP*. El declarar los términos analíticos de *'sujet'* y *'fábula'* como falsos *porque no existen como fenómeno artístico esencial, es decir, no existen como epifanía en la obra, en el autor o en el lector* [...], nos parece asombroso.

3 Vid. nota 1, entre otros Leal, O'Neill, Wolff.

4 Blanco Aguinaga (1976: 130).

5 El pretender una »nueva interpretación« es una gran ilusión de Dorfman, cuya pedantesca forma de considerar la seria obra de Rodríguez-Alcalá, contrasta con el pobre resultado de sus libres y arbitrarias digresiones - como hemos indicado más arriba.

Una cantidad de trabajos serios, como los de Rodríguez-Alcalá, Leal, O'Neill y Blanco Aguinaga[6], coinciden en que *PP* se puede dividir en dos partes: la primera, que iría desde las pp. 7-61, conteniendo un yo-narrador, Juan Preciado, que narra su historia a Dorotea, la segunda, desde las pp. 61-128, conteniendo un narrador omnisciente que narra la vida de Pedro Páramo en su totalidad. O'Neill, a pesar de asegurar que toda la narración, tanto de la primera parte, como de la segunda, se realiza en un diálogo entre J. Preciado y Dorotea en la tumba, lo cual es correcto, acepta la división tipográfica recién mencionada. Blanco Aguinaga divide también la novela en dos partes principales y en una parte de transición que sería el diálogo de Preciado con Dorotea: I (7-63)-Trans. (63-67)-II (67-128).[7]

Los criterios para esta división varían según su autor y no son, según nuestra opinión, siempre certeros. Algunos críticos parten del tipo de narrador y sostienen que, mientras en la parte I existe un narrador en primera persona, en la segunda existe un narrador omnisciente en tercera.[8] Sin embargo, este criterio no es plenamente válido, ya que en la supuesta parte I también tenemos diálogos entre Preciado y Abundio, Preciado y Eduviges, etc. y, además, un narrador en tercera persona, que no es de ninguna manera omnisciente, sino más bien neutral. Fuera de eso, se encuentra el yo-narrador, como hemos indicado, en un diálogo con otros personajes, con lo cual el 'yo' no es un yo-narrador, sino un yo-dialogante. Habría también que agregar que una buena cantidad de segmentos de la parte II son motivados en la parte I, en diálogos entre Preciado y otros personajes, y que el diálogo entre Preciado y Dorotea se continúa en la parte II. Por esto tampoco nos parece lícito considerar el diálogo como perteneciente solamente a la parte II - como sostienen algunos críticos. Resumiendo: en ambas supuestas partes existen diversas formas de narración, donde la forma dominante es el diálogo, luego sigue la narración en tercera persona y por fin la narración en primera persona.

Otros críticos parten, para su división, de la temática (un criterio por lo general poco adecuado). Así, Leal se basa, a pesar de constatar que en la parte I se emplea la misma técnica narrativa que en la parte II, en el personaje de Susana como criterio distintivo de la parte II, mas Susana ya ha sido mencionada en la parte I, dentro de los recuerdos de Pedro Páramo niño. Tampoco resulta muy convincente como criterio el definir la parte I como aquélla que trata en particular de Juan Preciado, concentrándose la parte II en Pedro Páramo, ya que la historia de Pedro Páramo comienza y se desarrolla en la parte I.

Otro criterio consiste en dividir la novela en el mundo de los muertos (= parte I) y en el mundo de los vivos (= parte II), lo cual es bien impreciso ya que, tanto en la

---

6   Vid. nota 1.

7   Con respecto a divisiones similares u otras, vid. Leal (1974: 16); Serra (1973: 215ss.); O'Neill (1974: 287ss.); Blanco Aguinaga (1976: 129ss.).

8   Vid. nota 7.

parte I como en la II, se encuentran ambos tipos de personajes. Además, habría que considerar que ambas partes pertenecen al pasado y, como veremos, son narradas a través del diálogo de Preciado y Dorotea y, por esto, todos los personajes están muertos. La única diferencia es que dentro del diálogo algunos personajes son actualizados como personajes muertos y los otros como vivos. La desatención sobre este punto radica, en que la crítica no valora suficientemente la importancia central del diálogo entre Preciado y Dorotea, y no rinde siempre debida cuenta al hecho que, aunque muchas veces desaparezca el marco dialogal, cediendo el lugar al yo-narrador o a un narrador en tercera persona, el diálogo permanece como punto de partida de toda la narración. Por último, nos parece poco convincente la proposición de Rodríguez-Alcalá el dividir la novela en Comala como infierno, representada por Pedro Páramo vs. Comala como paraíso, representada por las descripciones de Dolores, la madre de J. Preciado, las cuales son recordadas por éste al ir a Comala. No es el mundo de Dolores el objeto de la narración, sino el de J. Preciado, después de su llegada a Comala, el de los muertos o ánimas en pena y el de P. Páramo desde su niñez hasta su muerte.

Las diversas estructuras propuestas por la crítica sobre *PP* difieren de la nuestra en cuanto - como demostraremos - ni la acción, ni los tipos de narración, como tampoco la organización temporal, se deben basar en la segmentación tipográfica, es decir, no es posible sistematizar estos niveles dividiéndolos en dos partes, en una que va desde las pp. 6-63 y otra desde las pp. 63-129, ya que semejante sistematización no obedece a la estructura accional o narrativa del texto y de allí se desprende una serie de contradicciones que desistimos de enumerar en forma detallada.

Esencial nos parece determinar un criterio con respecto a un nivel determinado del texto, ya que algunos críticos parten a menudo de una serie de criterios diferentes dentro de un nivel textual, lo cual científicamente, no es lícito y conduce a serios problemas de estructuración, muchas veces contradictorios. Por ejemplo, se confunde corrientemente la estructura tipográfica del texto con aquélla de la segmentación de la acción y/o de los procedimientos al nivel del 'D I' y 'D II'.[9] Por esta razón comenzaremos en nuestro análisis por fijar los niveles textuales, y después de haber descrito brevemente los personajes, pasaremos a reconstruir y segmentar la historia, la cual naturalmente existe en *PP, mas no en la forma tradicionalmente acostumbrada.*[10] Luego continuaremos con la descripción de los diversos procedimientos narrativos y sus interdependencias, llegando, por último, a la descripción y sistematización del nivel temporal.

---

9   Este es en especial el caso de Serra (1973: 211). Algunos trabajos donde se ha tratado el problema exhaustivamente son los siguientes: W. Propp (1928), (1971), (1982); Bremond (1964: 4-32), (1966: 60-76), (1970: 247-276), (1973); Greimas (1967), (1970), (1973).

10   En contra lo sostenido por Dorfman (1974: 152): *En »Pedro Páramo« no existe una fábula.*

1. EL NIVEL DE LA HISTORIA EN *PP*

1.1 Los personajes

Comenzamos describiendo las relaciones entre los personajes y determinando su *status* de vivos o muertos:

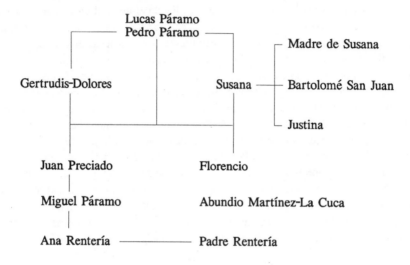

Lucas Páramo, quién es mencionado en varias ocasiones y presentado como vivo *in actu*, es el padre de Pedro Páramo. Este último, cacique de Comala y personaje principal, es el esposo de Dolores (quién más tarde lo abandona), el padre de Juan Preciado y luego esposo de Susana que, al parecer, afectada por la muerte de su primer esposo, Florencio, se encuentra en estado de demencia recordando constantemente a su esposo, a su madre y su niñez. Bartolomé San Juan, el padre de Susana, con la cual, al parecer, éste tiene una relación ambigua e incestuosa, es asesinado por orden de P. Páramo con el fin de apoderarse de su hija.[11] Otro hijo de P. Páramo es Abundio

---

11 Vid. p.e.: *¿Han venido los dos? - Sí, él y su mujer. ¿Pero cómo lo sabes? - ¿No será su hija? - Pues por el modo como la trata más bien parece su mujer* (*PP*: 85). *Qué hemos hecho? ¿Por qué se nos ha podrido el alma? Tu madre decía que cuando menos nos queda la caridad de Dios. Y tú la niegas, Susana. ¿Por qué me niegas a mí como tu padre? ¿Estás loca? - ¿No sabías? - ¿Estás loca? - Claro que sí, Bartolomé. ¿No lo sabías?* (*PP*: 88). Este pasaje nos revela una situación especial entre padre e hija. Especialmente significativo es el hecho de Susana niegue a Bartolomé como su padre, lo cual se ve claramente unas líneas más arriba, donde ella dice: '- *Sí, Bartolomé. - No me digas Bartolomé. ¡Soy tu padre!*', y que viene a confirmar la observación de Fulgor que informa a P. Páramo que Bartolomé ha llegado con '*su mujer*'. Los pasajes siguientes son aún más explícitos: *Allí estaba otra vez el peso, en sus pies, caminando por la orilla de su cuerpo, tratando de encontrarle la cara: - ¿Eres tú, Bartolomé? - preguntó* (*PP*: 93). El que camina por la '*orilla de su cuerpo*' podría ser el gato mencionado en la p. 92, pero este

(al cual trata como a un desconocido, éste es uno de los tantos bastardos de P.Páramo que pueblan Comala y sus alrededores), que está casado con la Cuca. Al morir la Cuca Abundio va a pedir dinero a P. Páramo para enterrarla, el cual se lo niega. En esta ocasión mata a Damiana (empleada de P. Páramo) y quizás también a P. Páramo lo cual queda oculto en la novela. Miguel Páramo es el único bastardo reconocido por P. Páramo, su hijo preferido, que tiene las mismas características que el padre. M. Páramo asesina al padre de Ana Rentería, y viola a la chica, atrayéndose el odio del sacerdote Rentería que toma a la huérfana bajo su protección. Eduviges Dyada (hermana de María Dyada) es amiga de Dolores y una de las interlocutoras de Juan Preciado, así como Abundio y Dorotea. Donis vive con una mujer, cuyo nombre no se menciona, en estado conyugal y que, al parecer, es su hermana. Estos reciben en su choza al ya casi trastornado J. Preciado que muere más tarde en la plaza de Comala. Donis y Dorotea lo entierran en una tumba, que Dorotea misma compartirá con Preciado al morir poco más tarde. Fulgor Sedano y Damasio son administradores de la finca de P. Páramo, Gerardo Trujillo es su abogado y Toribio Alderete una de sus tantas víctimas a las cuales les son usurpadas sus tierras y luego asesinadas. Filomeno, Dorotea, Melquíades y Prudencio son mencionados por la mujer de Donis, y al parecer, como en el caso de Dorotea, viven aún en Comala como últimos habitantes de la ciudad muerta. Como toda la historia es el resultado del diálogo de dos muertos en forma analéptica no existe un presente, real y vivo, sino un presente de los muertos dialogantes. Mas, dentro del diálogo - como ya hemos indicado y veremos más adelante - se desarrolla una acción anacrónica, la cual luego de haber sido reconstruida, los personajes están vivos (= niñez de P. Páramo, juventud, vejez y muerte), luego se mezclan los vivos con los muertos (= situación de Comala a la llegada de J. Preciado) y finalmente todos los personajes están muertos (= diálogos en la tumba), con la excepción, quizás, de Donis, cuya muerte no se menciona.

En la segmentación tipográfica que hemos realizado en la p. 206ss., los segmentos 5, 6, 7 y 9 llevan paréntesis triangulares, porque son independientes de los otros dos tipos de narración. Con lo que respecta al *status* de los personajes, a la llegada de J. Preciado, solamente están vivos Donis y su mujer, Dorotea, - como luego sabemos - mas, todos los otros personajes que dialogan con Preciado están muertos, comenzando por Abundio y terminando con Dorotea en la tumba.

---

pasaje no tiene ninguna conexión semántica con el anterior, y aunque la tuviese, es relevante que Susana no piensa que es el gato el que quiere encontrarle la cara, sino su padre. En el segmento tipográfico 45 (pp. 94-95), Susana se acuerda de su niñez, en especial de un episodio donde busca con su padre monedas de oro en una tumba: - *Busca algo más, Susana. Dinero, ruedas redondas de oro. Búscalas, Susana. Entonces ella no supo de ella, sino muchos días después entre el hielo, entre las miradas llenas de hielo de su padre. Por eso reía ahora. Supe que eras tú, Bartolomé.* Este pasaje sí está relacionado semánticamente con el anterior (p. 93), donde Susana pregunta - *¿Eres tú Bartolomé?*; esta pregunta es respondida en el pasaje citado de la p. 95, - '*Supe que eras tú, Bartolomé*'. El paralelismo semántico-sintáctico pone ambas enunciaciones en contacto e insinúa una unión entre padre e hija. Cf. Bastos y Molloy (1978: 3-24) que aluden a este problema.

1.2 La segmentación tipográfica

PP está constituido por 62 segmentos tipográficos, los cuales no tienen un *status* de núcleos de acción, es decir, carecen de funciones[12], sino que son segmentaciones al nivel de la superficie del texto, como resultado de determinados procedimientos tipográficos para crear la ilusión de la simultaneidad. Estos segmentos, que dependen del diálogo entre Preciado y Dorotea, se pueden sistematizar en dos grupos: el primero, constituido por el presupuesto yo-narrador, Juan Preciado, y sus diálogos con diversos personajes (estos segmentos tipográficos los pondremos entre paréntesis redondos), el segundo, constituido por una narrador imparcial/neutral en tercera persona, dentro de cuyos segmentos también tenemos diálogos, en especial entre P. Páramo y Fulgo Sedano, pero a la vez entre otros personajes. Todos estos diálogos dependen de la narración en tercera persona, así como los diálogos entre Preciado y otros personajes dependen de su diálogo con Dorotea (*PP*: p. 67). Los segmentos con el narrador en tercera persona los pondremos entre paréntesis cuadrados y los recuerdos de P. Páramo en paréntesis triangulares. La rayita »-« significa una simple sucesión lineal tipográfica y no causal-accional o temporal.

Como ya hemos indicado, los diálogos involucrados con Preciado y el narrador en tercera persona, que se ocupa de P. Páramo, o los diálogos de éste con otros personajes, no se pueden distribuir en dos partes tipográficas (*PP*: pp. 7-61 o 63 y 61/ 63-128), sino que se encuentran distribuidos a través de todo el texto.

Antes de entrar en la segmentación de la acción, es decir, en la estructura profunda, nos parece adecuado reproducir todos los segmentos tipográficos con una definición de su contenido, lo cual nos dará una información general sobre el texto, para luego realizar la segmentación de la secuencia accional, que a su vez nos permitirá describir la estructura temporal de *PP*:

(1) - Promesa de J. Preciado a su madre de ir en busca   (7 - 11)
         de su padre (yo-narrador/diálogo con Abundio)
(2) - Llegada de J. Preciado a Comala (yo-narrador/diálogo   (11 - 13)
         con Abundio)
(3) - J. Preciado: lo mandan donde Eduviges   (13)
         (yo-narrador/diálogo con Abundio)
(4) - J. Preciado (diálogo con Eduviges: »El hijo de Dolores   (13- 15)
         debió haber sido mío«)
<5> - P. Páramo niño recuerda a Susana (yo-narrador/es   (15 - 17)
         interrumpido por su madre)
<6> - Diálogo entre P. Páramo y su abuela   (17 - 18)
<7> - P. Páramo niño se recuerda de Susana   (18 - 19)

---

12 El término lo empleamos en el sentido de Propp o Bremond, vid. nota 9.

(yo-narrador es interrumpido por su madre)

(8) - Diálogo J. Preciado/Eduviges: Abundio es un muerto/   (19 - 24)
Eduviges reemplaza a Dolores en su noche de bodas

<9> - P. Páramo niño recuerda la partida de Susana de Comala   (24)
(yo-narrador es interrumpido por su abuela)

(10) - Diálogo J. Preciado/Eduviges: historia de   (25 - 27)
Miguel Páramo (muere en un accidente a caballo)

[11] - Anuncio de la muerte del padre de P. Páramo   (27 - 28)
(narrador neutral en tercera persona)

[12] - Muerte de M. Páramo: P. Páramo ruega al padre   (29 -30)
Rentería darle la absolución a M. Páramo y lo soborna
(narrador neutral en tercera persona)

[13] - M. Páramo asesina al hermano del padre Rentería y viola   (30 - 32)
a su hija Ana (narrador neutral en tercera persona
y diálogo analéptico entre Ana y el padre Rentería
a causa del entierro de M. Páramo)

[14] - Más sobre la muerte de M. Páramo (narrador neutral   (32 - 33)
en tercera persona/diálogos)

[15] - Mala conciencia del padre Rentería (narrador neutral   (34 - 35)
en tercera persona, diálogo del P. Rentería con
María Dyada, que no puede pagar las misas en favor de
su hermana Eduviges que se suicidó)

(16) - Fin del diálogo entre J. Preciado y Eduviges.   (36 - 37)
Esta lo deja durmiendo y es despertado por Damiana,
que le cuenta la muerte de Toribio Alderete y que
Eduviges anda penando (yo-narrador/diálogo con
Eduviges y con Damiana)

[17] - Fulgor Sedano se apodera de las tierras de Toribio   (37 - 38)
Alderete (narrador neutral en tercera persona, diálogo
F. Sedano/T. Alderete)

[18] - Ascenso de P. Páramo: se apodera de propiedades ajenas;   (38 - 41)
planea casarse con Dolores para así liberarse de su mayor
deuda (narrador neutral en tercera persona, diálogo F. Sedano/
P. Páramo)

[19] - Fulgor se recuerda de un diálogo con Lucas Páramo sobre   (41 - 42)
la inaptitud de P. Páramo (monólogo/diálogo)

[20] - Dolores, crédula del amor de P. Páramo, acepta su pro-   (42 - 43)
puesta de matrimonio (narrador neutral en tercera
persona, dialogo F. Sedano/Dolores)

[21] - Fulgor informa a P. Páramo de su éxito con Dolores;   (43 - 45)

P. Páramo le ordena a Fulgor acusar a Alderete
(narrador neutral en tercera persona/diálogos)

[22] - Fulgor informa a P. Páramo que el asunto de Alderete está (44 - 45)
solucionado (narrador neutral en tercera persona/diálogos)

(23) - J. Preciado cruza Comala con Damiana y escucha voces (45 - 47)
(yo-narrador/diálogo con Damiana)

(24) - Voces de muertos en pena y yo-narrador (47)

(25) - Voces de muertos en pena que informan sobre la (47 - 49)
explotación de campesinos por P. Páramo (diálogos)

(26) - Voces de muertos en pena: dos enamorados (diálogo) (49 - 50)

(27) - Voces de muertos en pena: J. Preciado se refugia en la (50 - 51)
casa de Donis y su hermana-esposa
(yo-narrador/diálogos)

(28) - J. Preciado duerme donde Donis y su mujer, y se (51 - 57)
retuerce como un epiléptico (yo-narrador/diálogo)

(29) - J. Preciado duerme en la casa de Donis y su mujer; un (57 - 58)
muerto en pena, la hermana de la mujer de Donis
aparece en la casa y aterroriza a J. Preciado
(yo-narrador/diálogo con Donis y su mujer)

(30) - J. Preciado duerme (diálogo con mujer) (58 - 60)

(31) - J. Preciado dialoga con su difunta madre (60 - 61)

(32) - J. Preciado duerme con la mujer de Donis (60 - 61)

(33) - La mujer se deshace en lodo, J. Preciado sale a la (61)
calle y muere

(34) - Diálogo entre J. Preciado y Dorotea en la tumba; ésta le (61 - 65)
cuenta que ella con Donis lo encontraron muerto en
la plaza de Comala y luego lo enterraron;
inmediatamente después muere Dorotea.
Esta le cuenta su historia a J. Preciado

[35] - Fulgor se ocupa del ganado, M. Páramo contrata a Dorotea, (65 - 69)
como se sabe más tarde, para que le ayude en la seducción
de muchachas (narrador neutral en tercera persona; diálogo
Fulgor/M. Páramo, Damiana/Dorotea)

(36) - Juan Preciado dialoga con Dorotea que cuenta más de su vida (69 - 70)

[37] - Fulgor anuncia a P. Páramo la muerte de M. Páramo; (70 - 72)
P. Páramo recuerda la muerte de su padre (narrador neutral
en tercera persona; diálogo Fulgor/P. Páramo)

[38] - El padre Rentería se recuerda del comienzo de la historia de (72 - 79)
P. Páramo, cuyo comportamiento era igual al de M. Páramo.
El padre Rentería confiesa el soborno frente a su superior

en Contla. Problematización de las necesidades materiales
de la iglesia frente al trato que le da a ricos y pobres
(narrador neutral en tercera persona/diálogo)

(39) - Susana recuerda en su tumba la muerte de su madre;   (79 - 85)
Dorotea le cuenta a J.Preciado la historia de Susana y
la muerte de don Lucas Páramo (monólogo/diálogo)

[40] - Fulgor informa a P. Páramo que han ubicado a Susana y a su   (85 - 87)
padre Bartolomé San Juan, que se resiste a sus ofrecimien-
tos de venir a Comala

[41] - Susana acepta la proposición de P. Páramo como   (87 - 88)
única medida de subsistencia, ya que se encuentra en
medio de la revolución (diálogos Susana/Bartolomé)

[42] - P. Páramo decide matar al padre de Susana   (89)

[43] - Susana en casa de P. Páramo, enferma y asistida por   (89 - 93)
Justina (narrador neutral en tercera persona; diálogo
Susana/Justina)

[44] - Susana, demente, es acosada por alucinaciones   (93 - 94)
(narrador neutral en tercera persona, monólogo)

[45] - Susana se recuerda de su infancia con su padre   (94 - 95)
(narrador neutral en tercera persona/diálogo)

[46] - Susana sueña con su padre y su difunto esposo, Florencio;   (95 - 96)
el padre Rentería viene a asistirla (narrador neutral
en tercera persona, monólogo de Susana)

[47] - Los revolucionarios matan a Fulgor. Tilcuate toma la   (97 - 99)
administración de la hacienda La Media Luna de P. Páramo.
P. Páramo piensa en Susana y sostiene la esperanza que
sane y olvide el pasado (narrador neutral en tercera
persona, diálogo y monólogo de P. Páramo)

(48) - Susana recuerda a su esposo desde su tumba y es   (99 -100)
escuchada por J. Preciado y Dorotea (monólogo y diálogo)

[49] - P. Páramo se arregla con los revolucionarios   (100-102)
(narrador neutral en tercera persona/diálogo)

[50] - P. Páramo manda a Tilcuate a la revolución   (102-104)
(narrador neutral en tercera persona)

[51] - J. Preciado y Dorotea escuchan a Susana (diálogo y monólogo) (103-104)

[52] - Susana se recuerda en sueño del anuncio de la muerte   (104-109)
de Florencio. P. Páramo la acompaña a su dormitorio.
Gerardo Trujillo exige una indemnización de P. Páramo
después de tantos años de trabajo, mas en vano

[53] - P. Páramo duerme con Margarita; recuerdos de Damiana   (109-111)

1.3 La segmentación de la acción

En *PP* existe una acción bien determinada, pero - como hemos indicado más arriba - organizada en forma no tradicional, una acción que se manifiesta en una estructura de mosaico que puede ser reconstruida después de un minucioso análisis. Como consecuencia de esta estructura, no se puede reconstruir la acción en forma absoluta y lógica (ya que su lógica primordial radica al nivel del discurso I, II, como veremos más adelante), sino en forma relativa.

Para la descripción de la estructura de la acción no solamente consideramos los diversos segmentos accionales, sino también los segmentos tipográficos que serán marcados en forma especial como ya lo habíamos practicado en *CV*.

$_1$A	- :	Situación inicial: Muerte de Lucas Páramo	(27 - 28)
$_1$A'	- :	Situación inicial: Muerte de Lucas Páramo	(70 - 72)
$_1$A"	- :	Situación inicial: Muerte de Lucas Páramo	(79 - 85)
$_2$A	- :	Ascenso de P. Páramo: Caciquismo	(38 - 41)
$_2$A'	- :	Ascenso de P. Páramo: Caciquismo	(41 - 42)
$_2$A"	- :	Ascenso de P. Páramo: Matrimonio con Dolores	(42 - 43)
$_2$A'''	- :	Ascenso de P. Páramo: Matrimonio con Dolores	(43 - 44)
$_2$A''''	- :	Ascenso de P. Páramo: Asesinato y usurpación	(44 - 45)
$_3$A	- :	Dolores Preciado abandona a P. Páramo	(23)
$_4$A	- :	Muerte de Florencio, esposo de Susana	(104-109)
$_1$B	- :	Violencia de Miguel Páramo: Conquista de mujeres	(65 - 69)
$_1$B'	- :	Violencia de Miguel Páramo: Asesinato de Rentería y violencia de Ana Rentería	(30 - 32)
$_2$B	- :	Recuerdo de la Muerte de M. Páramo	(25 - 27)
$_2$B'	- :	Recuerdo de la Muerte de M. Páramo: Entierro	(29 - 30)
$_2$B"	- :	Anuncio de la muerte de M. Páramo	(70 - 72)
$_5$A	- :	Regreso de Susana y su padre, Bartolomé San Juan a Comala	(85 - 87)
$_5$A'	- :	Regreso de Susana y su padre, Bartolomé San Juan a Comala	(87 - 88)
$_6$A	- :	Asesinato de Bartolomé San Juan	(89)
$_7$A	- :	Susana, esposa de P. Páramo: Delirio	(79 - 85)
$_7$A'	- :	Susana, esposa de P. Páramo: Delirio	(89 - 93)
$_7$A"	- :	Susana, esposa de P. Páramo: Delirio	(93 - 94)
$_7$A'''	- :	Susana, esposa de P. Páramo: Recuerda su infancia	(94 - 95)
$_7$A''''	- :	Susana, esposa de P. Páramo: Sueña con su padre y su difunto esposo, Florencio	(95 - 96)

$_7A''''$	- :	Susana, esposa de P. Páramo: Recuerda a su esposo Florencio	(99 -100)
$_7A'''''$	- :	Susana, esposa de P. Páramo: Recuerda la muerte de su esposo Florencio	(104-109)
$_8A$	- :	P. Páramo se arregla con los revolucionarios	(97 - 99)
$_8A'$	- :	P. Páramo se arregla con los revolucionarios	(100-102)
$_8A''$	- :	P. Páramo se arregla con los revolucionarios	(102-103)
$_8A'''$	- :	P. Páramo se arregla con los revolucionarios	(111-113)
$_8A''''$	- :	P. Páramo se arregla con los revolucionarios	(121-122)
$_9A$	- :	Agonía y muerte de Susana	(113-115)
$_9A'$	- :	Agonía y muerte de Susana	(117-119)
$_9A''$	- :	Agonía y muerte de Susana	(121-122)
$_{10}A$	- :	P. Páramo se venga de Comala	(121)
$_{11}A$	- :	Muerte de P. Páramo	(127-128)
$_1C$	- :	Muerte de la madre de J. Preciado: promesa de ir a buscar a su padre	(7)
$_2C$	- :	Llegada de J. Preciado a Comala guiado por Abundio	(7 - 11)
$_3C$	- :	Encuentro de J. Preciado con diversos habitantes muertos en Comala: Eduviges	(13 - 15)
$_3C'$	- :	Encuentro de J. Preciado con diversos habitantes muertos en Comala: Eduviges	(19 - 24)
$_3C''$	- :	Encuentro de J. Preciado con diversos habitantes muertos en Comala: Eduviges	(25 - 27)
$_3C'''$	- :	Encuentro de J. Preciado con diversos habitantes muertos en Comala: Eduviges	(36 - 37)
$_3C''''$	- :	Encuentro de J. Preciado con diversos habitantes muertos en Comala: Damiana	(45 - 47)
$_4C$	- :	Voces	(47)
$_4C'$	- :	Voces	(47 - 49)
$_4C''$	- :	Voces	(49 - 50)
$_4C'''$	- :	Voces	(50 - 51)
$_5C$	- :	Encuentro de J. Preciado con Donis y mujer	(51 - 57)
$_5C'$	- :	Encuentro de J. Preciado con Donis y mujer	(57 - 58)
$_5C''$	- :	Encuentro de J. Preciado con Donis y mujer	(58 - 60)
$_5C'''$	- :	Encuentro de J. Preciado con Donis y mujer	(60 - 61)
$_6C$	- :	Muerte de Juan Preciado	(61)

La acción la hemos segmentado en tres partes: la primera, que denominamos (A), trata de P. Páramo y Susana, la segunda, es (B) y trata de su hijo M. Páramo, en especial, de la muerte de éste. Estos segmentos están parcialmente relacionados con las acciones de (A), mas constituyen un episodio importante en la vida de P. Páramo, ya que se trata de su hijo preferido que ha salido igual a él, renovando, una vez más, la arbitrariedad y corrupción de los Páramos en Comala; la tercera es (C), el viaje de J. Preciado a Comala, motivado por la promesa hecha a su madre. Cuantitativamente es la secuencia (A), con 11 segmentos accionales y con un total de 30 segmentos tipográficos, la más larga, luego siguen (C), constituida por un total de 6 segmentos accionales y por 16 segmentos tipográficos, y (B), que tiene 2 segmentos accionales y 5 tipográficos. En el nivel de la historia es (A) la secuencia más importante, pero en el nivel del discurso I y II lo es (B).

Con respecto a (C), hemos considerado los segmentos ($_3$C), ($_4$C) y ($_5$C) como acciones fundamentales, ya que el encuentro con personajes muertos, con voces y personajes que se derriten en barro llevan por fin a J. Preciado, petrificado por el terror, a la muerte. En las pp. 61ss. encontramos la prueba de nuestra afirmación: '*Entre los dos te arrastramos a la sombra del portal, ya bien tirante, acalambrado como mueren los que mueren muertos de miedo*' y luego: '*Me mataron los murmullos*'.

2. EL NIVEL DEL DISCURSO EN *PP*

2.1 El discurso II o las técnicas y tipos de narración

2.11 El narrador en tercera persona

En *PP*, como ya hemos indicado, es el diálogo el tipo de narración predominante, luego la narración en tercera persona y por último la narración en primera persona, que es parte del diálogo. Estos tres tipos de narración o discursos, se emplean en diferentes formas y se encuentran en diversos grados de dependencias que describiremos a continuación.

A priori quisiéramos aclarar el problema del narrador en tercera persona, que en la crítica sobre *PP* es considerado como omisciente, lo cual no es exacto, según las definiciones hasta el momento válidas, ya que los pasajes omniscientes en esta novela son una excepción. Como sabemos, tanto en el tipo de narración en primera persona como en el de tercera, el narrador puede variar su grado de omnisciencia o neutralidad dentro de una escala que va de *0* a *n*.

El narrador en *PP* no nos narra, por lo general, un hecho del presente o del pasado en forma directa, sino que deja esta tarea a los personajes. Un ejemplo entre otros sería el siguiente pasaje:

I: *Un caballo pasó al galope donde se cruza la calle real con el camino de Con-*
tal. Nadie lo vio. Sin embargo, una mujer que esperaba en las afueras del
pueblo contó que había visto el caballo [...].
Platicaban, como se platica en todas partes, antes de ir a dormir [...].
- A mí me dolió mucho ese muerto - dijo Terencio Lubianes [...]. (*PP*: 32)

II:*Llamaron a su puerta; pero él no contestó; Oyó que* [...]. *Vino a su memo-*
ria la muerte de su padre [...]. *»¡Han matado a tu padre!«* (*PP*: 70-71).

El primer pasaje comienza con una narración en tercera persona, donde el narrador
es contradicho por un personaje con respecto al caballo de Miguel Páramo. Luego deja a los personajes la narración que nos informa sobre los detalles de la muerte de M.
Páramo. El segundo pasaje comienza también con un narrador en tercera persona:
Fulgor viene a anunciarle a P. Páramo la muerte de su hijo Miguel. En vez de que el
narrador omisciente interrumpa la narración con una analepsis sobre la muerte de Lucas Páramo, P. Páramo es quien comienza a recordarse de ésta, es decir, el narrador
narra a través de P. Páramo sobre la muerte de Lucas Páramo.

Otro pasaje típico, donde el personaje es constituido como 'medio' es el siguiente:

Uno oye. Oye rumores [...] *»¡Despierta!, le dicen. reconoce el sonido de la*
voz [...]. *Hace enderezar el cuerpo. Entreabre los ojos* [...]. *Entonces oyó el*
llanto. Esto lo despertó [...]. *Se levantó despacio y vio la cara de una mujer*
[...]. *Por la puerta se veía el amanecer* [...]. *Afuera en el patio* [...]. *Y aquí,*
aquella mujer [...] *su cuerpo impidiendo la llegada del día* [...]. (*PP*: 27-28).

Característico, en esta narración perspectivista, es el empleo de deícticos relacionados con la percepción sensorial como 'oyó', 'vio' y los deícticos de lugar y de movimiento, tales como, '*hace enderezar*', '*se levantó*', '*luego*', '*por la puerta*', '*afuera*', etc.
El personaje, P. Páramo, es el medio que se despierta y comienza poco a poco a
tomar conciencia de lugar y tiempo, a oir a su alrededor y a observar. Así, mira a través de la puerta escuchando ruidos en el patio de personas que no puede ver, ya que
la mujer en el umbral le interrumpe la vista.

Un pasaje, que ilustra el empleo del discurso indirecto libre y del *stream of con-*
sciousness, también empleado en *PP*, es el siguiente:

Mientras Susana San Juan se revolvía inquieta de pie, junto a la puerta, Pedro
Páramo la miraba y contaba los segundos de aquel nuevo sueño que ya duraba
mucho.
[...]
Si al menos fuera dolor el que sintiera ella, y no esos sueños, él podría bus-
carle algún consuelo. Así pensaba Pedro Páramo, fija la vista en Susana San
Juan.
[...]
Después salió cerrando la puerta [...]. (*PP*: 105)

Una excepción del tipo de narración neutral puede ser ilustrada en el pasaje citado a continuación:

El padre Rentería se acordaría muchos años después de la noche en que la dureza de su cama lo tuvo despierto y lo obligó a salir [...]. *Recorrió las calles* [...]. (*PP*: 72)

Este discurso anuncia el que conocemos de *Cien años de soledad*, mas, se diferencia de éste por su falta de circularidad. La fórmula 'acordaría', no anticipa un hecho que luego debería ser descrito en forma amplia por el narrador.

2.12 El diálogo como marco narrativo y el yo-narrador

Hemos apuntado que *PP* no se puede dividir en un narrador en primera persona que se encuentra desde la p. 7 a la 61, y en uno en tercera persona, que va desde la p. 61 adelante, lo cual ha quedado - esperamos - claramente demostrado en nuestra descripción de la organización tipográfica. Habiendo ya descrito las características de la narración en tercera persona, quisiéramos a continuación demostrar que, toda la novela depende del diálogo entre Juan Preciado y Dorotea, y que el yo-narrador no es un tipo de narración independiente, como la conocemos en la tradición de textos narrativos pertenecientes a este género, sino que parte del diálogo, donde a menudo no está explícitamente presente el interlocutor, Dorotea. Fuera de eso, observamos que el marco dialogal algunas veces desaparece como consecuencia de la organización temporal basada en superposiciones temporales. Es decir, lo narrado es presentado *in actu*. Fuera de eso, no solamente existe el yo de J. Preciado, sino también, dentro de las partes con un narrador en tercera persona, tenemos, por ejemplo al yo-narrador de Fulgor o en aquél de los recuerdos de P. Páramo niño.

La prueba principal del diálogo como marco narrativo en *PP* la encontramos en las pp. 61-65. Después de que la novela ha comenzado con el supuesto yo-narrador: *Vine a Comala* (*PP*: 7) y después que J. Preciado describe su muerte: *No había aire* [...] *fue lo último que vi* (*PP*: 61), leemos:

- *¿Quieres hacerme creer que te mató, Juan Preciado? Yo te encontré junto a la plaza* [...] *acalambrado como mueren los que mueren muertos de miedo* [...].
- *Es cierto Dorotea. Me mataron los murmullos.*
[...]
»*Llegué a la plaza, tienes tú razón* [...]«.
- *Mejor no hubieras salido de tu tierra. ¿Qué viniste a hacer aquí?*
- *Ya te lo dije en un principio. Vine a buscar a Pedro Páramo, que según parece fue mi padre. Me trajo la ilusión.* (*PP*: 61-62)

La pregunta de Dorotea tiene, desde un punto de vista pragmático, solamente sentido, si se conecta con el segmento inmediatamente anterior (33, p. 61), donde J. Preciado llega al fin de su aparente narración en primera persona.[13] La pregunta siguiente de Dorotea: '¿*Qué viniste a hacer aquí?*' y la respuesta de J. Preciado: '- *Ya te lo dije en un principio*', presupone que el diálogo ha empezado hace ya algún tiempo, anterior a todo lo narrado. La función texto-interna de semejante estrategia narrativa es la de fijar pragmáticamente el diálogo como marco narratológico y, la texto-externa, la de indicar al recipiente implícito, que todo lo narrado es parte del diálogo. Por esto, J. Preciado emplea el término en un '*principio*', un lexema cuya función deíctica es completamente innecesaria para Dorotea, que ha escuchado toda la historia desde el comienzo, pero fundamental para la orientación del recipiente al nivel de la comunicación. Para mantener en la memoria del recipiente el marco dialogal de la narración, se conserva esta forma en los segmentos tipográficos (36: 69-70); (48: 99-100); (58: 119-120).

La dependencia del narrador en primera y en tercera persona del diálogo se manifiesta, también en el hecho, de que una buena cantidad de temas son motivados por el diálogo entre J. Preciado y Dorotea. Así, todos los segmentos tipográficos sobre Susana tienen su origen en el segmento tipográfico (36), lo cual es confirmado en los segmentos (48) y (58). De la misma forma la muerte de M. Páramo tiene su origen en el diálogo entre J. y Edivuges (10), que, a su vez, es parte del diálogo de J. Preciado y Dorotea, etc.

Las interdependencias y relaciones de los tipos de narración, aquí descritos, los exponemos en un cuadro sinóptico de la p. 215 (indicando cada vez los segmentos tipográficos correspondientes). El esquema nos muestra que del diálogo entre J. Preciado y Dorotea dependen los diálogos de J. Preciado con Abundio, Eduviges, Damiana, Donis y su mujer. Al otro lado del esquema tenemos al narrador en tercera persona y diálogos con diferentes personajes, especialmente aquél entre Fulgor y P. Páramo. El diálogo entre J. Preciado y Dorotea, como marco narrativo para las partes con el narrador en tercera persona, es evocado en forma muy clara a través de los segmentos (39: 78-85) y (51: 103-104), donde Susana en su tumba se recuerda de su infancia y de su esposo y es escuchado por J. Preciado y Dorotea, y por el segmento (58: 119-120), en el cual Dorotea le cuenta a J. Preciado la muerte de Susana. Estos tres segmentos enmarcan los segmentos (38: 72-79), (40-47: 85-99) y (55-57: 113-119), que son parte de la vida de P. Páramo y de los pasajes narrados en tercera persona. De este marco narrativo se escapan solamente aquellos segmentos, donde P. Páramo, niño, recuerda a Susana (5-7: 15-19) y (9:24), mas aseguran la coherencia narrativa de todo el texto.

---

13   A continuación nos referimos siempre a los segmentos tipográficos.

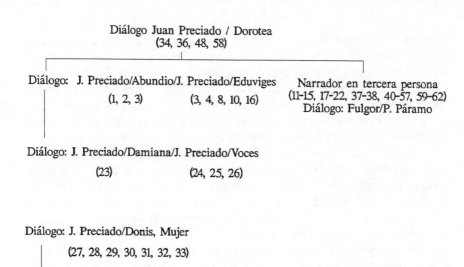

Diálogo Juan Preciado / Dorotea
(34, 36, 48, 58)

Diálogo: J. Preciado/Abundio/J. Preciado/Eduviges
(1, 2, 3)   (3, 4, 8, 10, 16)

Narrador en tercera persona
(11-15, 17-22, 37-38, 40-57, 59-62)
Diálogo: Fulgor/P. Páramo

Diálogo: J. Preciado/Damiana/J. Preciado/Voces
(23)   (24, 25, 26)

Diálogo: J. Preciado/Donis, Mujer
(27, 28, 29, 30, 31, 32, 33)

Diálogo: J. Preciado/Dorotea
(39, 51, 58)

Susana se recuerda
(38, 40-47, 55-57)

P. Páramo niño se recuerda
(5-7, 9)

Otro ejemplo de enmarcación dialogal de segmentos que pertenecen al narrador en tercera persona y a la vida de P. Páramo, es el diálogo de J. Preciado con Eduviges (10: 25-27), donde se menciona la muerte de M. Páramo. Este segmento termina con la frase de Eduviges: '- *Más te vale* [...]', luego vienen los segmentos sobre M. Páramo (11-15: 27-35) y finalmente se continúa el diálogo J. Preciado/Eduviges en el segmento (16: 36-37), que comienza con una frase similar ('- *Más te vale, hijo* [...]') a aquélla con que termina el segmento (10) citado más arriba. Esta recurrencia le indica al recipiente la continuación del diálogo y subraya el marco de comunicación. Fuera de eso, el diálogo de J. Preciado con Eduviges constituye el inicio de los segmentos sobre P. Páramo.

La técnica descrita contribuye a que el lector olvide el tiempo; una acción pasada es presentada siempre *in actu*, como presente, como si estuviese sucediendo allí mismo. Otras técnicas narrativas aseguran, a su vez, la coherencia textual, así como el lexema 'agua' en los segmentos tipográficos <5-7: 15-19>, [11: 27-28], [35: 65-69], [43: 89-93], [44 93-94], [46: 95-96]. En los primeros cinco segmentos, el lexema 'agua' orienta al recipiente implícito, el cual asocia este lexema con el personaje de P. Páramo, estabilizando así la comunicación. Luego se emplea el lexema 'agua' en relación con los monólogos de Susana. De esta manera, une el autor implícito los segmentos anteriores, que también trataban de Susana, con los posteriores, atribuyendo así, estos segmentos a la situación comunicativa caracterizada por el narrador en tercera persona. Esta técnica indica que la Susana mencionada al comienzo de la novela es la misma que aparece posteriormente. El 'agua' puede también, como en dos ocasiones, borrar los límites entre los segmentos, es decir, entre espacio y tiempo, como entre el segmento (34: 61-65), que termina con la mención de la lluvia: '*Allá afuera* [de la tumba] *está lloviendo. ¿No sientes el golpear de la lluvia?'* y el segmento (35: 65-69) que comienza con la mención de ésta: '*Al amanecer, gruesas gotas de lluvia cayeron sobre la tierra, sonaban huecas* [...]'. Ambos están unidos por los lexemas '*lluvia*' y '*golpear*', éste último es equivalente a '*sonar*'. La única ayuda que obtiene el recipiente para diferenciar los pasajes dentro de las primeras líneas, es la forma narrativa: el primero está en primera persona y el segundo en tercera. Otro procedimiento, con el cual se tienden a borrar los límites entre los diversos niveles temporales, es aquél del segmento [46: 95-96], donde el lexema '*padre*' tiene dos denotaciones: una de '*pater familias*' y otra de '*sacerdote*'. Susana sueña con su padre en el segmento anterior (45: 94-95), luego en el segmento (46), al ver acercarse una silueta, pregunta: '*¿Eres tú padre?*' y el sacerdote contesta: '- *Soy tu padre, hija mía*'. Luego agrega Susana: '*Ya sé que vienes a contarme que murió Florencio* [...]', en la creencia que Rentería es su padre. De esta forma se unen dos planos diferentes: el pasado de Susana que vive en su imaginación y el presente de su demencia.[14]

El mismo fenómeno observamos con respecto al lexema '*sabías*' en los segmentos [41: 87-88] y [42: 89], donde Susana le pregunta a su padre: - *Claro que sí Bartolomé. ¿No lo sabías?*; así finaliza este segmento. El próximo comienza con la frase *¿Sabías, Fulgor, que ésa es la mujer más hermosa* [...]?

La novela termina, finalmente, con dos personajes (que también estaban presentes al comienzo): con Abundio y con P. Páramo recordándose de Susana. Las frases:

Pedro Páramo [...] *se había olvidado del sueño y del tiempo* [...] *y siguió:* »*Hace mucho tiempo que te fuiste Susana. La luz era igual entonces que ahora* [...]. *Era el mismo momento. Yo aquí, junto a la puerta mirando el amanecer* [...]«. *Fue la última vez que te vi.* [...] *Te dije: ¡Regresa, Susana!* (*PP*: 122),

y

»*- Susana - dijo. Luego cerró los ojos -. Yo te pedí que regresaras* [...] *tu cuerpo transparentándose en el agua de la noche. Susana, Susana San*

---

14 Esta técnica también se encuentra en *El Acoso* de Carpentier, *Le Voyeur* de Robbe-Grillet, como así también en las tres novelas analizadas anteriormente.

Juan!«' (*PP*: 128),
conducen al lector al comienzo de la novela: el recuerdo en primera persona de la
partida de Susana de Comala, la mención del agua y del atardecer nos deja la impresión de una circularidad narrativa y nos insinúa levemente a P. Páramo como narrador, es decir, que todo lo narrado hasta allí es producto de su recuerdo. Mas, esto es
sólo una impresión, ya que su recuerdo final también está subordinado al diálogo de
J. Preciado y Dorotea. Es en el segmento (58: 110-120), donde Dorotea le cuenta a J.
Preciado que después de la muerte de Susana, P. Páramo se cruza de brazos y no sale
de su cuarto, es decir, paraliza la actividad productora de sus tierras, para vengarse de
los habitantes de Comala, que durante el entierro de Susana organizaron una fiesta;
luego P. Páramo se entrega a sus recuerdos.

Más arriba mencionamos que algunas técnicas narrativas contribuyen a la ilusión
de la abolición de los límites entre espacio y tiempo. Esta técnica es especialmente
desarrollada por Rulfo en el nivel de los procedimientos temporales, es decir, del
discurso I con cuya descripción llegamos al final de este capítulo.

2.2 El discurso I o los procedimientos temporales: simultaneidad como sistema dominante de relaciones temporales

2.21 Macro-estructura temporal

La secuencia accional en *PP* se puede ordenar temporalmente, tanto al nivel del
tiempo de la acción, como al nivel del tiempo textual en la forma expuesta en el diagrama temporal de la p. 222. Mientras en el nivel del 'TA', ($^1_1$A1) constituye el primer segmento cronológico, ($^1_1$C14) es el primero al nivel del 'TT'. El diagrama temporal nos indica con toda claridad que la estructura de la acción en *PP* es completamente anacrónica y tiende a una fuerte acronía, a pesar del tiempo histórico que sitúa
la acción antes de la revolución mexicana y termina con el fin de ésta y la estabilización política a través de Obregón.

La historia de P. Páramo dura más de treinta años, desde la fecha en que Susana
abandona Comala, hasta la muerte de Juan Preciado. Esta estructura anacrónica y
compleja tiene como función texto-interna el correlacionar segmentos, que en una tra-
yectoria cronológica de la acción quedarían separados, para así confrontarlos el uno
al otro, proponiendo una velada interpretación al recipiente sin el comentario de un
narrador onisciente, como ya lo habíamos constatado en la *CV* de Vargas Llosa. La
función texto-externa consiste en transformar al recipiente en un activo descodificador.

Diagrama temporal

'NH': 'TA': $_1$A1-$_1$A'1-$_1$A"1-$_2$A2-$_2$A'2-$_2$A"2-$_2$A"'2-$_3$A3-$_4$A4-$_1$B5-$_1$B'5-$_2$B6-$_2$B'6-$_5$A7-$_6$A8-$_7$A9-$_7$A'9-$_7$A"'9

'DI': 'TT': $_1$C14-$_2^2$C15-$_3^3$C16-$_4^4$A3-$_3^5$C'16-$_2^6$B6-$_3^7$C"16-$_1^8$A1-$_2^9$B'6-$_1^{10}$B'5-$_3^{11}$C"'16-$_2^{12}$A2-$_2^{13}$A'2-$_2^{14}$A"2-$_2^{15}$A"'2-$_3^{16}$A"'2-$_3^{17}$C""16-$_4^{18}$C17-

$_7$A"'9-$_7$A"'9-$_8$A10-$_8$A'10-$_8$A"10-$_8$A"'10-$_9$A11-$_9$A'11-$_9$A"11-$_{10}$A12-$_{11}$A13-$_1$C14-$_2$C15-$_3$C16-$_3$C'16-$_3$C"16-

$_4^{19}$C'17-$_4^{20}$C"17-$_4^{21}$C"'17-$_5^{22}$C18-$_5^{23}$C'18-$_5^{24}$C"18-$_5^{25}$C"'18-$_6^{26}$C19-$_2^{27}$B5-$_2^{28}$B"6-$_1^{29}$A1-$_1^{30}$A"1-$_7^{31}$A9-$_5^{32}$A7-$_5^{33}$A'7-$_6^{34}$A8-$_7^{35}$A'9-$_7^{36}$A"9-$_7^{37}$A"'9-

$_3$C""16-$_4$C17-$_4$C'17-$_4$C"'17-$_5$C18-$_5$C'18-$_6$C19

$_7^{38}$A""9-$_8^{39}$A10-$_8^{40}$A'10-$_8^{41}$A""9-$_8^{42}$A"10-$_4^{43}$A4-$_7^{44}$A""9-$_8^{45}$A"'10-$_9^{46}$A11-$_8^{47}$A""11-$_8^{48}$A""10-$_9^{49}$A"'11-$_{10}^{50}$A12-$_{11}^{51}$A13

La estructura temporal de *PP* es el resultado de una narración que ha abandonado el nivel objetivo, para pasar al nivel de la conciencia de los personajes, donde rige otra lógica que en la narración de tipo objetiva. Aún más, la perspectiva de los mediadores en *PP* no es solamente subjetiva, sino que de muertos, donde toda noción de causalidad accional, de tiempo y espacio, tienden a desaparecer. A través de la acronía Rulfo intenta transmitirnos la ilusión de la atemporalidad, tratando de romper la implacable linearidad de la escritura.

Al nivel del análisis macro-temporal, el procedimiento más empleado es el de la permutación temporal de segmentos accionales, existiendo una desviación entre el 'TA' y el 'TT', de la cual resulta una simultaneidad, abriendo diversas posibilidades de interpretación.

La ilusión de la simultaneidad, como la tendencia a borrar los límites entre *hic et nunc* y de correlacionar dos segmentos insinuando al lector una interpretación determinada, se puede conseguir especialmente a través de lo que hemos llamado 'superposición temporal', sea ésta explícita o implícita.

2.22 Micro-estructura temporal

A continuación analizaremos tres pasajes o casos de superposiciones temporales:

A.(*PP*: 70-72):

- Fulgor llega a la casa de Pedro Páramo para anunciarle la muerte de su hijo Miguel (= nivel temporal I, presente)
- P. Páramo se recuerda del día en que vinieron a anunciarle la muerte de su padre Lucas Páramo (= nivel temporal II, pasado remoto):

> *Llamaron a su puerta, pero él no contestó* [...]. *La carrera que llevaba Fulgor* [...] *hacia la puerta grande* [...]. *Rumor de voces. Arrastrar de pisadas despaciosas como si cargaran con algo pesado. Ruidos vagos.* (= nivel temporal I)

> *Vino hasta su memoria la muerte de su padre, también en un amanecer como éste* [...]. *Una madre de la que él ya se había olvidado* [...] *diciéndole:* »*¡Han matado a tu padre!*« (= transición del nivel temporal I al II)

> *- ¡Descánselo aquí!, No, así no. Hay que meterlo con la cabeza para atrás* [...].
> *- ¿Y él?*
> *- El duerme. No lo despierten. No hagan ruido.*
> *Allí estaba él, enorme, mirando la maniobra de meter un bulto envuelto en costales viejos* [...].
> *- ¿Quién es? - preguntó.*

Fulgor Sedano se acercó hasta él y le dijo:
- Es Miguel, don Pedro.
¿Qué le hicieron? - gritó.
Esperaba oir: »Lo han matado«. Y ya estaba previniendo su furia, haciendo
bolas duras de rencor; pero oyó las palabras suaves de Fulgor sedano que le
decía:
- Nadie le hizo nada. El solo encontró la muerte.
[...]
- Estoy comenzando a pagar. Más vale empezar temprano, para terminar
pronto.
No sintió dolor.
(= nivel temporal I)

La enunciación '*Vino hasta su memoria*', tiene la función deíctica de mostrar al recipiente implícito el cambio de nivel temporal, el cual es parcialmente articulado *in
actu* a través del enunciado, »*¡Han matado a tu padre!*«.

Como sabemos, P. Páramo venga la muerte de su padre matando un gran número
de personas inocentes, dándole rienda suelta a toda su maldad (*PP*: 71). Al enterarse
de la muerte de su hijo no sufre, sino que desarrolla nuevamente un sentimiento de
odio y de venganza, el cual no puede satisfacer porque Miguel ha sido víctima de un
accidente. La superposción, sin el comentario del narrador omnisciente, que hubiese
tenido que recordar al recipiente implícito ese episodio pasado y, comentar la actitud
de P. Páramo frente a ambas situaciones, reúne dos acontecimientos que cronológicamente no debiesen estar juntos, nos entrega los medios para la interpretación de
P. Páramo, de su carácter y de su actuar. Es el recipiente implícito el que debe también, en este lugar, ordenar e interpretar los dos segmentos, partiendo de los datos
textuales. Fuera de eso, el enunciado '*Estoy comenzando a pagar*', tiene solamente un
sentido, si se relaciona con el pasado sangriento de P. Páramo.

B. (*PP*: 72-79)
- Recuerdos del padre Rentería en la noche de la muerte de M. Páramo (= nivel tem-
  poral I, presente)
- P. Rentería en Contla (= nivel temporal II, pasado inmediato)
- Nacimiento de M. Páramo (= nivel temporal III, pasado remoto)

El padre Rentería se acordaría muchos años después de la noche en que la dure-
za de su cama lo tuvo despierto y después lo obligó a salir. Fue la noche en que
murió Miguel Páramo. Recorrió las calles solitarias de Comala [...]. Llegó hasta
el río y allí se entretuvo mirando en los remansos el reflejo de las estrellas [...].
Duró varias horas luchando con sus pensamientos, tirándolos al agua negra del
río.

El asunto comenzó - pensó - cuando Pedro Páramo [...] se alzó a mayor. Fue
creciendo como una mala yerba [...].
(= nivel I)

Tenía muy presente el día que se lo había llevado, apenas nacido [M. Páramo].
Le había dicho [...] - ¡Damiana! encárgate de esa cosa. Es mi hijo. Después ha-
bía abierto la botella:
- Por la difunta y por usted beberé este trago.
- ¿Y por él?
- Por él también, ¿por qué no?
[...]
Así fue.
(= nivel temporal II)

Comenzaron a pasar las carretas rumbo a la Media Luna. El se agachó escon-
diéndose en el galápago que bordeaba el río.
[...]
Padre, ¿ya dieron el alba? - preguntó otro de los carreteros.
- Debe ser mucho después del alba - respondió él. Y caminó en sentido con-
trario al de ellos, con intenciones de no detenerse.
[...]
Regresó entrada la mañana [...] - ¿Dónde estuvo usted, tío?
[...]
(= nivel temporal I)

No quería pensar para nada que había estado en Contla, donde hizo confesión
general con el señor cura [...].
[...]
Luego se había despedido. El, tomándole las manos y besándoselas (= nivel
temporal III). *Con todo, ahora aquí, vuelto a la realidad, no quería volver a*
pensar más en esa mañana en Contla.
Se levantó y fue hacia la puerta.
- ¿Adónde va usted, tío?
(= nivel temporal I)

El narrador, al comienzo con características omniscientes, se encuentra en un punto
temporal indeterminado y nos informa que el día de la muerte de M. Páramo, el padre
Rentería va a meditar al río (= nivel temporal I) y luego *in actu* (desde este punto desaparece el narrador omnisciente), se recuerda del nacimiento de M. Páramo, el cual
se lo entrega a P. Páramo (= nivel temporal II), para volver al nivel temporal I ('*Co-*
menzaron a pasar las carretas') y en su casa se recuerda de su fresquísima estadía en
Contla (= nivel temporal III), donde se dirige después de su meditación en el río. A

continuación, la narración retorna al nivel temporal I, sin separar ambos niveles a través de un pasaje tipográfico nuevo, sino que por un punto seguido. Esta técnica nos transmite la ilusión de la simultaneidad: no es un narrador el que nos conecta con ambos planos temporales, sino es la pregunta de la sobrina del padre Rentería la que motiva el recuerdo in *actu*.

C. (*PP*: 110):

- P. Páramo va a hacer el amor con Margarita (= nivel temporal I, presente)
- Damiana se recuerda de una noche en que P. Páramo quiere hacer el amor con ella (= nivel temporal II, pasado remoto).

Pedro Páramo se columpiaba sobre la ventana de la chacha Margarita.
- ¡Ah, qué don Pedro! - dijo Damiana -. No se le quita lo gatero [...].
Cerró la ventana al oir el bramido de los toros.
Se echó sobre el catre cobijándose hasta las orejas, y luego se puso a pensar en lo que le estaría pasando a la chacha Margarita.
Más tarde tuvo que quitarse el camisón porque la noche comezó a ponerse calurosa [...].
(= nivel temporal I)

- ¡Damiana! - oyó.
Entonces ella era muchacha.
- ¡Abreme la puerta, Damiana!
- Pero, ¿para qué, patrón?
- ¡Abreme Damiana!
- Pero si ya estoy dormida, patrón.
Después sintió que don Pedro se iba por los corredores [...]
Al día siguiente, ella para evitar el disgusto dejó la puerta entornada y hasta se desnudó, para que él no encontrara dificultades.
Pedro Páramo jamás regresó con ella.
(= nivel temporal II)

Por eso ahora, cuando era la caporala de todas las sirvientas de la Media Luna, por haberse dado a respetar, ahora que estaba ya vieja, todavía pensaba en aquella noche [...].
(= nivel temporal I)

P. Páramo visita a una de las jóvenes sirvientas (= nivel temporal I) y es escuchado por Damiana. Esta se recuerda de una similar noche cuando era joven y P. Páramo también quiso visitarla (= nivel temporal II) y finalmente vuelve a la acción presente.

Esta técnica de la simultaneidad alcanza su forma más radical al final de la novela donde no existe límite alguno entre presente, pasado y futuro, es decir, entre muertos y vivos: en la p. 127 Abundio asesina a Damiana, en la p. 128 siente P. Páramo que unas manos le tocan los hombros, las de Damiana que lo sujetan. Este pasaje se puede interpretar de dos formas: o Damiana no está muerta, negando la situación anterior, o P. Páramo muere y es recibido por Damiana en el mundo de los muertos. Sin embargo, es significativo que el narrador no nos indique el estado real en el que se encuentran estos personajes, como es el caso con respecto a los otros personajes de la novela. Esta situación permanece ambigua, así como el comienzo de la novela, donde J. Preciado al parecer vivo, es conducido por un muerto.

3. RESUMEN

PP se caracteriza por una estructura de radical anacronía, tanto al nivel del 'D I', como del 'D II' y del tipográfico, que conduce a la ilusión de la abolición de la temporalidad y de la espacialidad. Esto se debe a que todas las técnicas narrativas tienen su origen en lo onírico de los personajes, es a través de sus pensamientos, recuerdos, sueños y diálogos en el más allá que se transmite la historia.

El diálogo constituye al nivel del 'D II' el tipo de discurso narrativo principal, teniendo una función de marco general donde se incrusta luego la narración en primera y tercera persona. Al nivel del 'D II' son la permutación y la superposición temporal los recursos más importantes, teniendo una función contrastiva e interpretativa.

IV. CONCLUSIONES

Los análisis realizados los podemos resumir de la forma siguiente:

La ampliación del modelo de Genette, la introducción de nuevas categorías y diferenciaciones llevadas a cabo en el cap. I, resultan ser imprescindibles para el análisis y la interpretación de la estructura temporal en la novela contemporánea. La aplicación de nuestro modelo ha permitido estudiar sus ventajas y límites y ha demostrado que la dimensión temporal es un elemento central para la constitución del mensaje y para la estrategia de la recepción textual, y que existe una estrecha interdependencia, por una parte, entre los diversos niveles textuales, la organización temporal y, por otra, entre los diversos principios de la construcción de textos artísticos.

Partiendo de *CAS* en el cap. II$_1$, constatamos que la narración omnisciente se encuentra en directa relación con el empleo de anacronías explícitas (prolepsis, analepsis y circularidad). El narrador omnisciente tiene aquí el *status* de un oráculo, presentando la historia dentro de una tensión entre linearidad y circularidad. Linearidad, pero especialmente circularidad, tanto en el nivel de la acción, personajes y tiempo son los procedimientos determinantes en *CAS*, con un carácter paradigmático dentro de la novela latinoamericana contemporánea, a los cuales se puede reducir un gran número de textos narrativos. Tanto el narrador omnisciente, como la circularidad de personajes, de la acción y la temporal son el producto de una concepción mítica de la narración. Mientras la linearidad se refiere a la realidad profana-histórica, la circularidad construye la dimensión sacral-mítica. La recurrencia y la repetición de nombres, personajes y acciones tienen la función de constituir y actualizar el mito de Macondo y los Buendía como, así también, la creación de un presente atemporal, es decir, de la irrupción constante del tiempo mítico en el profano.

Con *CAS*, García Márquez renueva aquella tradición, que va desde Cervantes, pasando por Balzac, Faulkner, Asturias y Carpentier, de la narración mítica entendida como parte de la realidad latinoamericana en un momento en que - en particular en la novela europea - el pensamiento mítico, la reintroducción de un narrador omnisciente y de una historia coherente aparecen, a primera vista, como un gran anacronismo. Precisamente, en esta desviación de la norma y la reactualización de procedimientos narrativos tradicionales, amalgamados a la cultura latinoamericana, es donde radica, quizás, la fascinación de esta novela y su éxito, que culminará en el Premio Nóbel del autor colombiano. García Márquez funde y sintetiza datos históricos de Latinoamérica y Colombia, aspectos autobiográficos, leyendas míticas y fantásticas en un todo autosuficiente.

Un tipo de novela diferente ofrece la *CV* de Vargas Llosa, que se caracteriza por una neutralización del narrador (con la excepción de la secuencia accional C) que da, junto con determinados procedimientos temporales, la impresión de una total simultaneidad en todos los niveles textuales. Aquí confluyen diversas perspectivas, tipos de discursos, radicalmente entrelazados los unos con los otros, y una diferenciadísima distribución tipográfica en capítulos, subcapítulos, partes y segmentos con una clara finalidad de sostener la estrategia narrativa. En el nivel de la historia tenemos cinco secuencias accionales independientes que, en el nivel del discurso I, son conectadas en forma altamente anacrónica, permutadas, entrelazadas y superpuestas. La historia se presenta como si no siguiese ningún principio de orden, sino como resultado de una multiperspectiva.

Anacronías implícitas y explícitas son radicalizadas hasta el límite mismo de la acronía. Los segmentos accionales tienden a la estereotipización y a la paradigmatización sin destruir el eje sintagmático.

Los procedimientos de la permutación, entrelazamiento y superposición implícita tienen la función en la *CV* de reemplazar al narrador omnisciente: a través de la conjunción de diversos segmentos accionales, que cronológicamente vistos, estarían separados, se interpretan los diversos eventos recíprocamente, se contrastan y relativizan. De esta forma se exige una activo papel del recipiente implícito para la constitución del significado textual, éste es llamado a reflexionar y a interpretar en forma intensa. Sin su participación no es posible realizar la lectura de esta compleja novela. Su atención es de otro tipo que en el *nouveau roman*, ésta no está orientada a los procedimientos de narración, sino se concentra en el análisis de la problemática planteada en forma muy diferenciada. La *CV* es una fórmula lograda entre la experimentación narrativa y el tratamiento de la realidad latinoamericana, una fórmula que caracteriza a la *nueva novela* en su totalidad.

La *CV* de Vargas Llosa se puede incluir en aquella tradición que parte de Flaubert, pasando por la novela de Joyce, Dos Passos y Fuentes, y que supera la novela estrictamente del "punto de vista", llegando al relato objetivo y de la descripción del comportamiento con una gran acentuación de la conciencia de los personajes. Vargas Llosa funde estas tradiciones en su concepción de la "representación total de la realidad", basada en el tratamiento simultáneo de la acción. El autor peruano emplea la temporalidad, después de Proust, en una forma sin precedentes para la constitución del mensaje y para la estrategia de la recepción.

Frente a estas dos novelas, *CAS* y *CV* con una fuerte referencia externa y donde la reflexión sobre el acto de la escritura no es relevante al interior del texto, se encuentra la *MRV* como representante de una radical expresión de la novela antimimética, en la cual la reflexión sobre el acto de escribir y los procedimientos narrativos empleados, pasan a ser un objeto central del relato.

La *MRV* lleva el programa de Flaubert de escribir *un livre sur rien* [...] *dans lequel le style étant à lui tout seul une manière absolue de voir les choses* a su cúlmine. La característica principal de la *MRV* es la destrucción de procedimientos narrativos tradicionales. En esta novela se elimina la situación narrativa a través de un narrador inidentificable que se niega a sí mismo. La acción tradicional es reducida a un reflejo de los procedimientos textuales y tiene, en primera línea, un *status* metatextual y con esto desaparace la historia tradicional. Tanto la acción como los personajes son elementos lingüísticos, y ya no más imitación o antropomorfemas, sino un material literario, llamado 'temas generadores', esto es, unidades que se conectan en base a una serie de operaciones, proveniente de los procedimientos musicales serial-aleatorios, donde la combinación sucede en forma ajerárquica y como "azar dirigido". Como resultado desaparece la diégesis y con ella la dimensión espacio-temporal, que solamente se usa como cita de una tradición superada. Fuera de los procedimientos serial-aleatorios, se caracteriza la *MRV* por el empleo del 'texto en el texto' (*'mise en abyme'*), como otro medio para la destrucción de la lógica de la ficción, y con tal intensidad, que podemos definir esta novela como un perfecto ejemplo de una novela-*mise en abyme*.

En *PP* se distingue la estructura del 'D II' por un marco dialogal, donde tiene su origen la narración en su totalidad. Su característica narrativa principal es el *status* onírico de sus personajes.

Su estructura en el nivel 'D I' es completamente anacrónica y distorcionada, lo cual es acentuado por la atomización tipográfica del texto. Los niveles temporales son diluidos a través de un intenso empleo de permutaciones y superposiciones, que virtualmente transforman la novela en un presente eterno, en el del mundo de los muertos y del mito. Las recurrencias lexicales y temáticas, por una parte, que solamente hemos tratado al márgen, y los procedimientos temporales, por otra, que nos insinúan que toda la narración es circular, en cuanto parte de los diálogos entre J. Preciado y Dorotea (o de los recuerdos de P. Páramo, como también se insinúa) retornando a este punto, tienen la función, como en *Cien años de soledad*, de crear el mito de Comala. La anulación de las coordenadas lógico-temporales-espaciales, el hecho de que la historia sea narrada por muertos, conduce a *PP* del 'realismo mimético' a un 'realismo mítico', que eleva la novela a un plano puramente artístico, siendo *PP* - como toda obra de arte - un sistema secundario modalizante, que parte de un modelo primario el cual interpreta. Con PP se supera definitivamente una etapa novelística hispano-americana, donde obras literarias, primero en forma rudimentaria, hacían la naturaleza su tema principal, luego los conflictos sociales de diferentes grupos étnicos y económicos, y se solidifica el comienzo de la *nueva novela* (lo mismo vale para *El Acoso* de Carpentier), que de ninguna manera tiene su principio con *Rayuela* de Cortazar, es decir, en los años sesenta. *PP* no es una novela *pionera* de la *nueva novela*, sino que es una de sus más genuinas y logradas manifestaciones, lo cual se puede ver en el hecho de que las técnicas, tanto en el nivel del discurso I y II como en el nivel tipográfico, tendrán un lugar paradigmático predominante en la novela posterior, en obras tales como *La muerte de Artemio Cruz* de Carlos Fuente o en la *Casa Verde*, por nombrar sólo dos ejemplos.

Los textos analizados forman parte de dos sistemas narrativos muy diferentes y de tradiciones diversas que han marcado la evolución de la novela en la segunda mitad del correr del siglo XX.

Nuestro análisis se podría completar en el futuro con trabajos que incluyan tanto aspectos histórico-literarios, como extraliterarios y a la vez se podría concentrar, en forma especial y aún mayor a la aquí demostrada, en la investigación de la dimensión semántica y mítica, ya que nuestro propósito ha sido el de proponer un instrumental analítico y una tipología para la descripción e interpretación de la organización en la novela contemporánea.

V. BIBLIOGRAFIA

I. TEXTOS

Asturias, M.A., [20]1974: *El Señor Presidente* (1930/46), (Losada), Buenos Aires

Balzac, H. de, 1976: *Le Père Goriot* (1834), en: *La Comédie Humaine* (Bibliotheque de la Pléiade), ed. por P.-G. Castex, Paris, vol. III

- 1977: *César Birotteau* (1837), en: *La Comédie Humaine* (Bibliotheque de la Pléiade), ed. por P.-G. Castex, Paris, vol. VI

- 1950: *La Cousine Bette* (1846), en: *La Comédie Humaine* (Bibliotheque de la Pléiade), ed. por M. Bouteron, vol. VI, Paris

Bataille, G., 1967: *Histoire de l'oeile*, Paris

Nova vulgata. Bibliorum Sacrorum (Libreria Editrice Vaticana), Città del Vaticano, 1979

Borges, J.L., 1971: *Ficciones* (1935-1944), (Alianza/Emencé), Buenos Aires

- [2]1972: *El Aleph* (1949), (Alianza/Emence), Buenos Aires

Butor, M., 1957: *L'Emploi du temps* (10/18), Paris

- 1957a: *La Modification* (10/18), Paris

- 1963: *Description de San Marco* (Gallimard), Paris

Carpentier, A., 1963: *El Acoso* (1955-1956), (Instituto del Libro/ Edición Uracán), La Habana

- [7]1978: *La Guerra del Tiempo* (1958), (Barral Editores), Barcelona

Cela, C.J., [12]1972: *La Colmena* (1946/1951), (Noguer), Barcelona

Cortazar, J., [16]1974: *Final del Juego* (1956-1964), (Sudamericana), Buenos Aires

- [13]1973: *Las armas secretas* (1964), (Sudamericana), Buenos Aires

- [14]1974: *Todos los fuegos el fuego* (1966), (Sudamericana), Buenos Aires

Dos Passos, J., [14]1978: *Manhattan Transfer* (1925), (Houghton Mifflin Company Boston), Boston

Faulkner, W., [14]1978: *The Sound and the Fury* (1931), (Penguin Books), New York

Fielding, H., [10]1976: *Tom Jones* (1749), (Penguin Books), New York

Flaubert, G., 1971: *Madame Bovary* (1856), (Garnier Frères), ed. por C. Goth-Mersch, Paris

- 1964: *L'Education sentimentale* (Garnier Frères), ed. por E. Maynial, Paris

- 1965: *Bouvard et Pécuchet* (Garnier Frères), ed. por E. Maynial, Paris

Fuentes, C., [6]1970: *La muerte de Artemio Cruz* (1962), (Fondo de Cultura Económica), México

- 1974: *Cambio de piel* (1967), (Seix Barral), Barcelona

García Márquez, G., 1972: *El coronel no tiene quien le escriba* (1958), (Sudamericana), Buenos Aires

- [32]1972: *Cien años de soledad* (1967), (Sudamericana), Buenos Aires

- 1975: *El otoño del patriarca* (Plaza & Janés), Barcelona

Joyce, J., 1932: *Ulysses* (1922), (The Odyssey Press), Hamburg/Paris/Bologna

Mann, Th., [14]1978: *Der Zauberberg* (1924), (Fischer Taschenbuch Verlag), Fankfurt am Main

Proust, M., 1954: *Du côté de chez Swann* (1913-1928), en: *A la recherche du temps perdu* (Bibliotheque de la Pléiade), ed. por C. y A. Ferré, vol I, Paris

Ricardou, J., 1961: *L'observatoire de Cannes* (Seuil), Paris

- 1965: *La prise de Constantinople* (Minuit), Paris

Roa Bastos, A., [21]1979: *Hijo de Hombre* (1960), (Ed. Argos Vergara), Barcelona

Robbe-Grillet, A., 1955: *Le Voyeur* (Minuit), Paris
- 1957: *La Jalousie* (Minuit), Paris
- 1959: *Dans le labyrinthe* (Minuit), Paris
- 1961: *L'année dernière à Marienbad.* Ciné-roman (Minuit), Paris
- 1965: *La maison de rendez-vous* (Minuit), Paris
- 1970: *Projet pour une révolution à New York* (Minuit), Paris
Rulfo, J., [13]1973: *Pedro Páramo* (1955), (Fondo de Cultura Económica), México
Sarraute, N., 1957: *Tropisme* (1932/39), (Minuit), Paris
- 1956: *Portrait d'un inconnu* (1947), (Gallimard), Paris
Simon, C., 1960: *La route de Flandres* (Minuit), Paris
Sollers, Ph., 1965: *Drame* (Collection Tel Quel/Seuil), Paris
Vargas Llosa, M., [12]1973: *La ciudad y los perros* (1963), (Seix Barral), Barcelona
- [12]1972: *La casa verde* (1965), (Seix Barral), Barcelona
- [12]1976: *La conversación en la catedral* (1969), (Seix Barral), Barcelona
Woolf, V., [2]1979: *The Waves* (1931), (Atriad Panther Book), London

II. LITERATURA CRITICA

1. CIENCIA LITERARIA EN GENERAL

Barthes, R., 1964: *Eléments de sémiologie*, en: *Communications* 4, 91-135
- 1966: *Introduction à l'analyse structurale des récits*, en: *Communications* 8, 1-27
- [2]1972: *Le degré zéro de l'écriture*, Paris
- Ibid.: *L'écriture et le silence*, pp. 54-57
Bausinger, H., 1968: *Formen der Volkspoesie.* Berlin
Benveniste, E., 1966: *Problèmes de linguistique générale*, Paris, cap. V, 19, pp. 237-250
Bornscheuer, L., 1976: *Topik. Zur Struktur der gesellschaftlichen Einbildungskraft*, Frankfurt am Main
Bourdieu, P.: *Zur Soziologie der symbolischen Formen*, Frankfurt am Main 1970.
Bremond, C., 1964: *Le message narratif*, en: *Communications* 4, 4-32
- 1966: *La logique de possibles narratifs*, en: *Communications* 8, 60-76
- 1970: *Morphology of the French Folktale*, en: *Semiotica* II, 3, 247-276
- 1973: *Logique du récit*, Paris
Booth, W.C., [10]1973: *The Rhetoric of Fiction*, Chicago
Culler, J., 1975: *Structuralist Poetics. Structuralism, Linguistics and the Study of Literature*, Ithaca, Cornell UP
Cohen, M., 1954: *Grammaire et Style*, Paris
Dirscherl, K., 1975: *Zur Typologie der poetischen Sprechweisen bei Baudelaire. Formen des Besprechens und Beschreibens in den »Fleurs du Mal«*, München
Eliade, M., 1963: *Aspects du mythe*, Paris
- 1969: *Le mythe de l'éternel retour*, Paris
Foster, E.M., [8]1947: *Aspects of the Novel*, London

Greimas, A.J.: 1966: *Sémantique structurale. Recherche de Méthode*, Paris

- 1967: *La structure des actants du récit (essai d'approche générative)*, en: A. Julliand (ed.), 1967: *Linguistic Studies presented to André Martinet* (World XXIII, Nr. 1-3), pp. 221-238

- 1970: *Du sens. Essais sémiotiques*, Paris

Höfner, E., vid. p. 235

Humphrey, R., [8]1972: *Steam of Consciousness in the Modern Novel*, California UP

Ingarden, R., [2]1960: *Das literarische Kunstwerk*, Tübingen

Iser, W., 1972: *Der implizite Leser. Kommunikationsformen des Romans von Bunyan bis Beckett*, München

- Ibid.: *Historische Stilformen in Joyces »Ulysses«. Zur Interpretation des Kapitels »The Oxen of the Sun«*, pp. 276-358

- 1975: *Die Appellstruktur der Texte*, en: R. Warning (ed.), 1975: *Rezeptionsästhetik. Theorie und Praxis*, München, pp.228-252

- Ibid.: *Der Lesevorgang*, pp. 253-276

- Ibid.: *Die Wirklichkeit der Fiktion - Elemente eines funktionsgeschichtlichen Modells*, pp. 277-324

- Ibid.: *Im Lichte der Kritik*, pp. 325-342

- Ibid.: *Die Leserrolle in Fieldings Joseph Andrews und Tom Jones*, pp. 436-466

Jakobson, R., 1963: *Linguistique et poétique*, en: R. Jakobson, 1963: *Essais de linguistique générale*, Paris, pp. 109-248

- 1973: *Poésie de la grammaire et grammaire de la poésie*, en: R. Jakobson, 1973: *Question de Poétique*, Paris, pp. 219-233

Janik, D., 1973: *Die Kommunikationsstruktur des Erzählwerkes. Ein semiologisches Modell*, Bebenhausen

Jolles, A., [2]1958: *Einfache Formen*, Tübingen

Kaiser, G., 1971: *Nachruf auf die Interpretation?*, en: *Poetica* 4, 267-277

Kayser, W., [15]1971: *Das sprachliche Kunstwerk. Eine Einführung in die Literaturwissenschaft*, Bern

Koskimies, R., 1935: *Theorie des Romans*, Helsinki

Lämmert, E., vid. p. 233

Lerch, E., 1930: *Hauptprobleme der französischen Sprache*, Braunschweig

Lévi-Strauss, C., 1955: *The Structural Study of Myth, A Symposium*, en: *Journal of American Folklore* 78, 428-444

Lewandowski, Th., 1973/1975/1975a: *Linguistisches Wörterbuch*, Heidelberg, vol. 1-3

Link, H., 1973: *Die Appellstruktur der Texte und ein »Paradigmenwechsel in der Literaturwissenschaft«?*, en: *Jahrbuch der deutschen Schillergesellschaft* 17, 532-583

Lips, M., 1926: *Le style indirect libre*, Paris

Lotman, J.M., 1973: *Die Struktur des künstlerischen Textes*, Frankfurt am Main

- Ibid: *Der Begriff Text*, cap. 3, p. 85

- 1974: *Das Problem des künstlerischen Raums in Gogol's Prosa*, en: J.M. Lotman, 1974: *Aufsätze der Theorie und Methodologie der Literatur und Kultur*, Kronberg, pp. 200-271

Lubbock, P., [3]1960: *The Craft of Fiction*, New York

Lukács, G., [3]1971: *Die Theorie des Romans. Ein geschichtsphilosophischer Versuch über die Formen der großen Epik*, Neuwied

Marcuse, H., 1971: *Triebstruktur und Gesellschaft. Ein philosophischer Beitrag zu Sigmund Freud*, Fankfurt am Main

Muir, E., ⁵1949: *The Structure of the Novel*, London

Pfister, M., 1977: *Das Drama. Theorie und Analyse*, München

Posner, R., 1972: *Strukturalismus in der Gedichtsinterpretation*, en: H. Blumensath (ed.), 1972: *Strukturalismus in der Literaturwissenschaft*, Köln, pp. 202-242

Propp, W, 1928: *Transformacii volsebnych skazok*, en: *Poetica IV. Vremennik otdela slovesnych iskusstv gos. in-ta istroii istkussitv*, Leningrad, pp. 70-89

- 1928: *Morfoligija skazki*, Leningrad

- 1971: *Morfología del cuento* (Fundamentos), Madrid

- 1972: *Morphologie des Märchens*, München

Rank, O., ²1974: *Das Inzest-Motiv in Dichtung und Sage. Grundzüge einer Psychologie des dichterischen Schaffens*, Darmstadt

Riffaterre, M., 1971: *Essais de stylistique structurale*, Paris

Schmidt, S.J.: ²1976: *Texttheroie. Probleme einer Lingustik der sprachlichen Kommunikation*, München

Spitzer, L., 1928: *Stilstudien*, München, vol. II

Stanzel, F.K., ⁶1972: *Typische Formen des Romans*, Göttingen

- 1979: *Theorie des Erzählens*, Göttingen

Stierle, K., 1975: *Text als Handlung. Perspektiven einer systematischen Literaturwissenschaft*, München

Striedter, J. (ed), 1971: *Russischer Formalismus. Texte zur allgemeinen Literaturtheorie und zur Theorie der Prosa*, München

Titzmann M., 1977: *Strukturale Textanalyse. Theorie und Praxis der Interpretation*, München

Todorov, Tz., 1966: *Les catégories du récit littéraire*, en: *Communications* 8, 125-151

Toro, A. de, 1990: *Texto-Mensaje-Recipiente. Análisis semiótico-estructural de textos narrativos, dramáticos y líricos de la literatura española e hispanoamericana de los siglos XVI, XVII y XX (Con un excurso sobre A. Robbe-Grillet »La maison de rendez-vous«)*, Buenos Aires

Toro, F. de: *Semiótica teatral. Del texto a la puesta en escena*, Buenos Aires 1988

Tynjanov, J., 1971: *Das literarische Faktum* (1924), en: J. Striedter (Ed.), 1971: *Russischer Formalismus*. München, pp. 393-431

- Ibid.: *Über die literarische Evolution* (1927), pp. 433-461

Ullmann, St., 1957: *Style in the French Novel*, Cambridge

Warning, R. (ed.), 1975: *Rezeptionsästhetik. Theorie und Praxis*, München

- Ibid.: *Rezeptionsästhetik als literaturwissenschaftliche Pragmatik*, pp. 9-41

- 1976: *Ironiesignale und ironische Solidarisierungen*, en: W. Preisendanz, R. Warning (ed.), 1976: *Das Komische* (Poetik und Hermeneutik VII), München, pp. 416-423

- 1979: *Pour une pragmatique du discours fictionel*, en: *Poétique* 39, 321-377

- 1980: *Chaos und Kosmos. Kontingenzbewältigung in der »Comédie Humaine«*, en: H.-U. Gumbrecht/K.-H. Stierle/R. Warning (eds.): *Honoré de Balzac*, München, pp. 9-56

2. TEMPORALIDAD Y TEXTOS NARRATIVOS

Barthes, R., 1967: *Le discours de l'histoire*, en: *Information sur les sciences sociales* 6, 65-67

Bertl, K.D., 1974: *Gustave Flaubert. Die Zeitstruktur in seinen erzählenden Dichtungen*, Bonn

Butor, M., 1975: *L'espace du roman*, en: M. Butor, 1975: *Essais sur le roman*, Paris, pp. 48-58

- Ibid.: *Recherches sur la technique du roman*, pp. 209-123

Danahy, M., 1975: *Narrative timing and the structures of »L'education sentimentale«*, en: *Romanic Review* 66, 32-46

Ducrot, O./Todorov, Tz., 1972: *Temps et modalité dans la langue/Temps du discours*, en: O. Ducrot/Tz. Todorov, 1972: *Dictionnaire encyclopédique des sciences du langage*, Paris, pp. 389-404

Genette, G., 1972: *Figure III*, Paris

Heidegger, M., [6]1949: *Sein und Zeit*, Tübingen

Hirt, E., 1978: *Die Zeit im epischen Gedicht*, en: A. Ritter (ed.), 1978: *Zeitgestaltung in der Erzählkunst*, Darmstadt, pp. 27-31

Iser, W., 1972: *Wahrnehmung, Zeitlichkeit und Handlung als Modalitäten der Subjektivität. W. Faulkner: »The Sound and the Fury«*, en: W. Iser, 1972: *Der implizite Leser. Kommunikationsformen des Romans von Bunyan bis Beckett*, München, p. 214-236

Jauss, H.R., [2]1970: *Zeit in Erinnerung in Marcel Prousts »A la recherche du temps perdu«. Ein Beitrag zur Theorie des Romans*, Heidelberg

Kayser, W., vid. p. 235

Lämmert, E., [5]1972: *Bauformen des Erzählens*, Stuttgart

Lukács, G., vid. p. 231

Mendilow, A.A., 1952: *Time and the Novel*, London/New York

Meyerhoff, H., [2]1960: *Time in Literature*, California UP

Müller, G., [2]1974: *Die Bedeutung der Zeit in der Erzählung* (1946/47), en: E. Müller/H. Egner (eds.) [2]1974: *Morphologische Poetik. Gesammelte Aufsätze*, Darmstadt, pp. 247-268

- Ibid: *Erzählzeit und erzählte Zeit* (1948), pp. 269-286

- Ibid: *Über das Zeitgerüst des Erzählens* (1950), pp. 388-418

- Ibid.: *Aufbauformen des Romans, dargelegt an den Entwicklungsromanen G. Kellers und A. Stifters* (1953), pp. 556-569

- Ibid.: *Das Zeitgerüst des »Fortunatus«-Volksbuchs* (1954), pp. 570-590

- Ibid.: *Zeiterlebnis und Zeitgerüst in der Dichtung* (1955), pp. 299-311

Muir, E., vid. p. 232

Petsch, R., 1978: *Zeit in der Erzählung*, en: A. Ritter (ed.), 1978: *Zeitgestaltung in der Erzählkunst*, Darmstadt, pp. 32-50

Pouillon, J., 1946: *Temps et roman*, Paris

Poulet, G., 1950: *Etudes sur le temps humain*, Paris

Ricardou, J., 1967: *Temps de la narration, temps de la fiction*, en: J. Ricardou, 1967: *Problèmes du nouveau roman*, Paris, 161-170

Riedel, H., 1973: *Struktur und Bedeutung des Zeitgerüstes im traditionellen französischen Roman. Analysebeispiele zu H. de Balzac und J. Loisy*, Frankfurt am Main

Ritter, A., (ed.), 1978 : *Zeitgestaltung in der Erzählkunst*, Darmstadt

- Ibid.: *Einleitung*, pp. 1-26

Robbe-Grillet, A., 1963: *Temps et description dans le récit d'aujourd'hui*, en: A. Robbe-Grillet, 1963: *Pour un nouveau roman*, Paris, pp. 123-124

Rossum-Guyon, F. van, 1970: *Critique du roman. Essais sur »La modification« de Michel Butor*, Paris

Staiger. E., 1939: *Die Zeit als Einbildungskraft des Dichters*, en: R.W. Meyer, (ed), 1964: *Das Zeitproblem im 20. Jahrhundert*, Bern, pp. 90-110

Todorov, H., 1968: *Logique et temps narratif*, en: *Information sur les sciences sociales* VII-6, 41-42

Vogt, J., ²1974: *Bauelemente erzählender Texte*, en: H.L. Arnold/V. Sinemus, ²1974: *Grundzüge der Literatur- und Sprachwissenschaft*, München, pp. 227-242

Weinrich, H., ²1971: *Tempus. Besprochene und erzählte Welt*, Stuttgart

Weizsäcker, V.v., 1942: *Gestalt und Zeit. Die Gestalt 7*

Wunderlich, D., 1970: *Tempus und Zeitreferenz im Deutschen*, München

Zielinski, Th., 1901: *Die Bedeutung gleichzeitiger Ereignisse im antiken Epos*, en: *Philologus Suppl.* 8,3, 405-450

3. CRITICA DE LITERATURA FRANCESA

Albérès, R.-M., 1970: *Le roman d'aujourd'hui 1960-1970*, Paris

Anzieu, D., 1965/66: *Le discours de l'obsessionnel dans les romans de Robbe-Grillet*, en: *Les Temps Modernes* 21, 608-637

Auerbach, E., 1946: *Mimesis. Dargestellte Wirklichkeit in der abendländischen Literatur*, Bern

Barthes, R., 1964a: *Essais Critiques*, Paris

- ²1969: *Préface*, en: B. Morrissette, ²1969: *Les romans de Robbe-Grillet*, Paris, pp. 7-16

- ²1972; vid. p. 217

Bernal, O., 1964: *Alain Robbe-Grillet: le roman de l'absence*, Paris

Bertl, K.D., vid. p. 233

Blüher, K.A., 1970: *Zur Erzählstruktur von Robbe-Grillets »Le Voyeur«*, en: *Romanische Forschungen* 82, 3, 295-319

- 1975: *Alain Robbe-Grillet. »La Jalousie«*, en: K. Heitmann (ed), 1975: *Der französische Roman*, Düsseldorf, vol. II, pp. 281-297

- 1979: *La fonction du »public« dans la pensée esthétique de Valéry, ébauches d'une théorie de la réception littéraire*, en: K.A. Blüher/J. Schmidt-Radefeldt (eds.), 1979: *Poétique et communication. Paul Valéry* (Colloque international de Kiel 19-21 octobre 1977, Paris, pp. 105-128

Bollème, G. (ed.), 1963: *Extraits de la correspondance ou préface à la vie d'écrivain*, Paris

Brombert, V., 1966: *The Novels of Flaubert. A Study of Themes and Techniques*, Princeton

- 1975: *»L'Educations sentimentale«: articulation et polyvalence*, en: C. Gothot-Mersch (ed.), 1975: *La production du sens chez Flaubert*, Paris, pp. 55-84

Butor, M., 1960: *Répertoire*, Paris

- 1975: *Essais sur le roman*, Paris

Cross, R.K., 1971: *Flaubert and Joyce*, Princeton

Dällenbach, L., 1977: *Le récit spéculaire. Essai sur la mise en abyme*, Paris

Friedrich, H., ⁵1966: *Drei Klassiker des französischen Romans. Stendhal, Balzac, Flaubert*, Frankfurt am Main

Genette, G., 1963: *Le travail de Flaubert*, en: *Tel Quel* 14, 51-57

- 1966: *Silences de Flaubert*, en: G. Genette, 1966: *Figures. Essais*, Paris

Goebel, G., 1968: *Alain Robbe-Grillet: »Le Voyeur«*, en: W. Pabst (ed.), 1968: *Der moderne französische Roman*, Berlin, pp. 250- 272

- 1972: *Funktion des »Buches im Buche« in Werken zweier Repräsentanten des »nouveau roman«*, en: L. Schrader/ E. Leube (eds.), 1972: *Interpretation und Vergleich. Festschrift für Walter Pabst*, Berlin, pp. 34-52

Hatcher, A.G., 1944: *»Voir« as a Modern Novelistic Device*, en: *Philological Quarterly* 23, 354-374

Hauser, A., 1953: *Sozialgeschichte der Kunst und der Literatur*, München, vol. I-II

Heath, St., 1972: *The Nouveau Roman. A Study in the Practice of Writing*, London

Hempfer, K.W., 1972: *»Nouveau Roman und Literaturtheorie. Zu einigen neueren Arbeiten zum »Nouveau Roman«*, en: *Zeitschrift für französische Sprache und Literatur* 82, 243-262

- 1976: *Poststrukturale Texttheorie und narrative Praxis - »Tel Quel« und die Konstitution eines »nouveau-nouveau roman«*, München

Höfner, E., 1980: *Literarität und Realität. Aspekte des Realismusbegriffs in der französischen Literatur des 19. Jahrhunderts*, Heidelberg

Inoesco, E., 1966: *Notes et contres-notes*, Paris

James, H., 1914: *Gustave Flaubert*, en: H. James, 1914: *Notes on Novelists*, New York

Janvier, L., 1964: *Une Parole Exigeante. Le Nouveau Roman*, Paris

Jefferson, A., 1980: *The Nouveau Roman and the Poetics of Fiction*, Cambridge

- Ibid.: *Narrative euphoria: »La Maison de rendez-vous«*, pp. 46-57

Kayser, W., ³1963: *Entstehung und Krise des modernen Romans*, Stuttgart

Kenner, H., 1962: *Flaubert, Joyce and Beckett - The Stoic Comedians*, Boston

Kesting, M., 1965: *Politik und Ästhetik. Das Beispiel Flaubert*, en: M. Kesting, 1965: *Vermessung des Labyrinths. Studien zur modernen Ästhetik*, Frankfurt am Main, pp. 9-30

Lukács, G., vid. p. 231

Mansuy, M. (ed.), 1971: *Positions et oppositions sur le roman contemporain*, Paris

Matignon, R., 1960: *Flaubert et la sensibilité moderne*, en: *Tel Quel* 1, 83-89

Main, M., 1963: *Flaubert a Precursor of Proust*, en: *French Studies* 17, 218-237

Morrissette, B., ²1969: *Les romans de Robbe-Grillet*, Paris

Netzer, K., 1970: *Der Leser des Nouveau Roman*, Frankfurt am Main

Nolting-Hauff, I., 1974: *Märchen und Märchenroman. Zur Beziehung zwischen einfacher Form und narrativer Großform in der Literatur*, en: *Poetica* 6, 129-178

- Ibid.: *Märchenromane mit leidendem Helden. Zur Beziehung zwischen einfacher Form und narrativer Großform in der Literatur*, 417-455

- 1978: *Zur Psychoanalyse der Heldendichtung: Das Rolandslied und die einfache Form »Sage«*, en: *Poetica* 10, 4, 429-468

Ouellet, R. (ed.), 1972: *Les critiques de notre temps et le nouveau roman*, Paris

Pabst, W., (ed.), 1968: *Der moderne französische Roman*, Berlin

- Ibid.: *Einführung des Herausgebers*, pp. 7-30

Pingaud, B., 1958: *L'Ecole du refus*, en: *Esprit* 26, 55-59

Pollmann, L., 1968: *Der neue Roman in Frankreich und in Lateinamerika*, Stuttgart

Poulet, G., 1949: *Etudes sur le temps humain*, Paris

- 1961: *Flaubert*, en: G. Poulet, 1961: *Les métamorphoses du cercle*, Paris, cap. XIII

Proust, M., 1971: *Essaie et articles*, en: *Contre Saint-Beuve*, Paris, pp. 586-600

Raillard, G., 1957: *L'Example*, en: M. Butor, 1957: *L'Emploi du temps* 10/18, pp. 441-502

Ricardou, J., 1967: *Problèmes du nouveau roman*, Paris

- Ibid.: *Problèmes de la description*, pp. 91-124

- Ibid.: *L'Histoire dans l'histoire*, pp. 171-189

- 1971: *Pour une théorie du nouveau roman*, Paris

- 1971a: *Esquisse d'une théorie des générateurs*, en: M. Mansuy (ed.) 1971: *Positions et oppositions sur le roman contemporain*, Paris, pp. 143-162

Ricardou, J./Rossum-Guyon, F. van (eds.), 1972: *Nouveau Roman: hier, aujourd'hui* (10/18), Paris vol. I-II

Ricardou, J., ibid.: *Introduction: Le nouveau roman existe-t-il?*, vol. I, pp. 9-34

Robbe-Grillet, A., 1963: *Pour un nouveau roman*, Paris

- 26.6.1970a: *Projet pour une révolution à New York*, en: *Le Nouvel Observateur*

- 1972: *Sur le choix des générateurs*, en: J. Ricardou/ F. van Rossum-Guyon (eds.), 1972: *Nouveau Roman: hier, aujourd'hui* (10/18), Paris vol. II, pp. 157-176

Rogers, B.G., 1965. *Proust's narrative techniques*, Genève

Rousset, J., 1969: *»Madame Bovary« ou le livre sur rien*, en: J. Rousset, 1969: *Forme et signification*, Paris, 109-133

Saint-Jacques, D., 1972: *Le lecteur du Nouveau Roman*, en: J. Ricardou/F. van Rossum-Guyon (eds.), 1972: *Nouveau Roman: hier, aujourd'hui* (10/18), Paris vol. I, pp. 131-152

Sarraute, N., 1956: *L'Ere du soupçon*, Paris

- 1965: *Flaubert le précurseur*, en: *Preuves* 1, 3-11

Sartre, J.P., 1956: *Préface*, en: N. Sarraute, 1956: *Portrait d'un inconnu* (Gallimard), Paris

Soltzfus, B., 1964: *Alain Robbe-Grillet and the New French Novel*, Illinois

- 1985: *Alain Robbe-Grillet. The Body of the Text*, London/Toronto

Sturrock, Jh., 1969: *The French New Novel. Claude Simon, Michel Butor, Alain Robbe-Grillet*, London

Tadié, J.-Y., 1971: *Proust et le roman*, Paris

Thibaudet, A., 1922: *Gustave Flaubert. 1821-1880. Sa vie. Ses romans. Son style*, Paris

Toro, A. de, 1987: *En guise d'introduction: Flaubert précuseur du roman moderne ou la relève du système romanesque balzacien: »Le père Goriot« et »L'Education sentimentale«*, en: A. de Toro (ed.), 1987: *Gustave Flaubert. Procédés narratifs et fondements epistémologiques*, Tübingen, pp. 9-30

- 1987a: *»Lecture« als «ré-écriture« oder die Widerspiegelung seriell-aleatorischer Vertextungsverfahren in »Le Voyeur« und »La maison de rendez-vous« von A. Robbe-Grillet*, en: A. de Toro (ed.), 1987: *Texte-Kontexte-Strukturen. Beiträge zur französischen, spanischen und hispanoamerikanischen Literatur. Festschrift zum 60. Geburtstag von Karl Alfred Blüher*, Tübingen 1987, pp. 31-70

Vargas Llosa, M., 1975: *La orgía perpetua. Flaubert y » Madame Bovary«*, Madrid

Wehle, W., 1972: *Französischer Roman der Gegenwart. Erzählstruktur und Wirklichkeit im Nouveau Roman*, Berlin

- Ibid.: *»La Route des Flandres« - Claude Simon*, pp. 44-57

- 1980: *Proteus im Spiegel. Zum 'reflexiven Realismus' des Nouveau Roman*, en: W. Wehle (ed.), 1980: *Nouveau Roman*, Darmstadt, pp. 1-30

Wilhelm, K., 1969: *Der Nouveau Roman. Ein Experiment der französischen Gegenwartsliteratur*, Berlin

Zeltner-Neukomm, G., [3]1970: *Das Wagnis des französischen Gegenwartsromans. Die neue Welterfahrung in der Literatur*, Reinbek bei Hamburg

4. CRITICA DE LITERATURA LATINOMERICANA

Alazraki, J., [2]1974: *La prosa narrativa de Jorge Luis Borges. Tema, Estilo*, Madrid

Alegría, F., 1967: *La novela hispanoamericana. Siglo XX*, Buenos Aires

Alvarez, N.E., 1977: *Structuralism and »Pedro Páramo«: A Case in Point*, en: *Kentucky Quarterly* 24, 419-431

Arnau, C., [2]1975: *El mundo mítico de Gabriel García Márquez*, Barcelona

Asedios a Carpentier, Santiago/Chile, 1972

Asedios a Vargas Llosa, Santiago/Chile, 1972

Barroso VIII, J., 1977: *'Realismo mágico y lo real maravilloso' en »El reino de este mundo« y »El siglo de las luces«*, Miami

Bastos, M.L./Molloy, S., 1978: *El personaje de Susana de San Juan: Clave de enunciación y de enunciados en »Pedro Páramo«*, en: *Hispanoamérica. Revista de Literatura* 20, 3-24

Bellini, G., [2]1985: *Historia de la literatura hispanoamericana*, Madrid

Blanco Aguinaga, C., 1976: *Realität und Erzählstil bei Juan Rulfo*, en: M. Strausfeld (ed.), 1976: *Materialien zur lateinamerikanischen Literatur*. Frankfurt am Main, pp. 113-138

Boldori de Baldussi, R., 1974: *Vargas Llosa: un narrador y sus demonios*, Buenos Aires

Boorman, J.R., 1976: *La estructura del narrador en la novela hispanoamericana contemporánea*, Madrid

Borges, J.L., 1976: *El arte narrativo y la magia*, en: J.L. Borges, 1976: *Discusión* (Alianza/Emecé) Madrid/Buenos Aires, pp. 71-79

Bürger, P., 1971: *Techniken der Verfremdung von Jorge Luis Borges*, en: *Iberoromania* 3,2,, 152-164

Carpentier, A., [3]1980: *»El reino de este mundo«* (1949), (Pocket Edhasa), Barcelona, pp. 51-57

Carrillo, G.D., 1971: *Lo cíclico y los conceptos de identidad en »Cien años de soledad«*, en: *Razón y Fábula* 27, 18-34

Castañeda, L., 1971: *Técnica y estructura en la »Casa verde« de Mario Vargas Llosa*, en: H.F. Giacoman/J.M. Oviedo (eds.), 1971: *Homenaje a Mario Vargas Llosa*, Madrid, pp. 311-322

Colmenares, G., 1971: *Vargas Llosa y el problema de la realidad en la novela*, en: H.F. Giacoman/J.M. Oviedo (eds.), 1971: *Homenaje a Mario Vargas Llosa*, Madrid, pp. 367-376

Di Vito di Febo, G., 1979: *La componente mágica en »Cien años de soledad« di G. García Márquez*, en: *Siculorum Gymnasium* 23, 102-128

Dorfman, A., 1974: *En torno a »Pedro Páramo« de Juan Rulfo*, en: H.F. Giacoman (ed.), 1974: *Homenaje a Juan Rulfo. Variaciones interpretativas en torno a su obra*. New York/Madrid, pp. 147-148

Eitel, W. (ed.), 1978: *Lateinamerikanische Literatur in Einzeldarstellungen*, Stuttgart, pp. 265-282
- Ibid.: *Einleitung*, pp. IX-LXII

Esquerro, M., 1980: *Le roman en première personne: »Pedro Páramo«*, en: 1980: *L'autobiographie dans le monde hispanique. Actes du Colloque International de la Baume-les Aix 11, 12, 13 mai 1979* (Etudes Hispaniques 1. Aix-en-Provence, pp. 75-82)

Fernández-Braso, M., 1972: *La soledad de Gabriel García Márquez*, Barcelona

Franco, J., 1970: *Introducción a la literatura hispanoamericana*, Caracas/Venezuela

Franzbach, M., 1978: *Alejo Carpentier*, en: W. Eitel (ed.), 1978: *Lateinamerikanische Literatur in Einzeldarstellungen*, Stuttgart, pp. 265-282

Gallo, M., 1974-1975: *El futuro perfecto de Macondo*, en: *Revista Hispánica Moderna* 3, 115-135

Georgescu, P.A., 1972: *Hacia una novela de la simultaneidad*, en: *Studi e Informazione. Sezione Letteraria* I, 67-81

Giacoman, H.F. (ed.), 1970: *Homenaje a Alejo Carpentier*, Madrid

Giacoman, H.F. (ed.), 1971: *Homenaje a Carlos Fuentes*, Madrid

Giacoman, H.F./Oviedo, J.M. (ed.), 1971: *Homenaje a Mario Vargas Llosa*, Madrid

Giacoman, H.F. (ed.), 1971a: *Homenaje a Miguel Angel Asturias*, Madrid

Giacoman, H.F. (ed.), 1972: *Homenaje a Gabriel García Márquez*, Madrid

Giacoman, H.F. (ed.), 1974: *Homenaje a Juan Rulfo. Variaciones interpretativas entorno a su obra*, Madrid

Goic, C., 1972: *Historia de la novela hispanoamericana*, Valparaíso/Chile

- 1973: *Brevísima relación de la historia de la novela hispanoamericana*, en: R. Vergara (ed.), 1973: *La novela hispanoamericana*, Valparaíso/Chile, pp. 9-52

González Bermejo, E., 1971: *Con Gabriel García Márquez. Ahora doscientos años de soledad*, en: E. González Bermejo, 1971: *Cosas de escritores*, Montevideo, pp. 11-51

- Ibid.: *Mario Vargas Llosa o la suplantación de Dios*, pp. 53-89

Grossmann, R., 1969: *Geschichte und Probleme der lateinamerikanischen Literatur*, München

Hámilton, C., 1966: *Historia de la literatura hispanoamericana*, Madrid

Harss, L., [6]1975: *Gabriel García Márquez o la cuerda floja*, en: L. Harss, [6]1975: *Los Nuestros, Buenos Aires*, pp. 381-419

- Ibid.: *Mario Vargas Llosa o los vasos comunicantes*, 420-462

Iberoromania 3 (1975) (Volumen dedicado a Jorge Luis Borges)

Janik, D., 1976: *Magische Wirklichkeitsauffassung im hispanoamerikanischen Roman des 20. Jahrhunderts. Geschichtliches Erbe und kulturelle Tendenz*, Tübingen

- 1978: *Gabriel García Márquez*, en: W. Eitel (ed.), 1978: *Lateinamerikanische Literatur in Einzeldarstellungen*, Stuttgart, pp. 330-360

- 1981: *Reseña über P. Ramírez Molas. Tiempo y narración*, en: *Iberoromania* 13, 114-115

Jara Cuadra, R., 1970: *Modos de estructuración mítica de la realidad hispanoamericana contemporánea*, Valparíaso/Chile

Jean, D.T., 1974: *El sentido lírico de la evocación del pasado en »Pedro Páramo«*, en: H. F. Giacoman (ed.), 1974: *Homenaje a Juan Rulfo. Variaciones interpretativas entorno a su obra*, Madrid, pp. 189-206

Kesting, M, 1965: *Das hermetische Labyrinth. Zur Dichtung von Jorge Luis Borges*, en: M. Kesting, 1965: *Vermessung des Labyrinths. Studien zur modernen Ästhetik*, Frankfurt am Main, pp. 50-66

Kulin, K., 1969: *Planos temporales y estructura de »Cien años de soledad de G. García Márquez*, en: *Acta litterara Academiae Scientiarum Hungaricae* 11, 3-4, 291-314

Kloepfer, R./Zimmermann, R., 1978: *Mario Vargas Llosa*, en: W. Eitel (ed.), 1978: *Lateinamerikanische Literatur in Einzeldarstellungen*, Stuttgart, pp. 469-493

Kockelkorn, A., 1965: *Methodik einer Faszination. Quellenkritische Untersuchungen vom Prosawerk von Jorge Luis Borges*, München

Leal, L., 1974: *La estructura de »Pedro Páramo«*, en: H.F. Giacoman (ed.), 1974: *Homenaje a Juan Rulfo. Variaciones interpretativas entorno a su obra*, New York/Madrid, pp. 13-22

Leante, C., 1970: *Confesiones sencillas de un escritor barroco*, en: H.F. Giacoman (ed.), 1970:

Homenaje a Alejo Carpentier, Madrid, pp. 11-32

Levin, S.J., 1974: *»Pedro Páramo, »Cien años de soledad«: un paralelo*, en: H.F. Giacoman (ed.), 1974: *Homenaje a Juan Rulfo. Variaciones interpretativas en torno a su obra*. New York/Madrid, pp. 173-188

Lorenz, G.W., 1970: *Dialog mit Lateinamerika. Panorama einer Literatur der Zukunft*, Berlin
- 1971: *Die zeitgenössische Literatur in Lateinamerika*, Tübingen/Basel

Martín, J.L., 1974: *La narrativa de Vargas Llosa. Acercamiento estilístico*, Madrid

Meyer-Minnemann, K., 1978: *Tiempo cíclico e historia en »La muerte de Artemio Cruz» de Carlos Fuentes*, en: *Iberoromania* 7, 88-105

Mena, L.T., 1978: *Estructura narrativa y significado social de »Pedro Páramo«*, en: *Cuadernos Americanos* 217, 165-188

Merrel, F., 1976: *Multiple Images of Death in the Final Scenes of »Pedro Páramo«*, en: Chasqui: *Revista de Literatura Hispanoamericana* 6,1, 31-41
- 1980: *Pattern of Exchanges in Rulfos »Pedro Páramo«*, en: *Romance Notes* 21, 132-137

Müller-Bergh, K., 1976: *Alejo Carpentier - Autor und Werk in ihrer Epoche*, en: M. Strausfeld (ed.), 1976: *Materialien zur lateinamerikanischen Literatur*. Frankfurt am Main, pp. 71-111

Nueve asedios a García Márquez, Santiago/Chile, ³1972

O'Neill, S., 1974: *»Pedro Páramo«*, en: H.F. Giacoman (ed.): *Homenaje a Juan Rulfo. Variaciones interpretativas en torno a su obra*, New York/Madrid, pp. 283-322

Ortega, J., 1975: *Estructura temporal y temporalidad en »Pedro Páramo«*, en: *La palabra y el hombre. Revista de la Universidad Veracruzana* 16, 19-26

Pollmann, L., vid. p. 235
- 1982: *Geschichte des lateinamerikanischen Romans. Die literarische Selbstendeckung (1810-1929)*, Berlin, vol. I
- 1984: *Geschichte des lateinamerikanischen Romans. Literarische Selbstverwirklichung (1930-1979)*, Berlin, vol II

Ramírez, A., 1974: *Hacia una bibliografía de y sobre Juan Rulfo*, en: Revista *Iberoamericana* LX, 86, 135-171

Ramírez Molas, P., 1978: *Tiempo y narración. Enfoques de la temporalidad en Borges, Carpentier, Cortazar y García Máquez*, Madrid
- Ibid.: *García Márquez: »Cien años de soledad«*, pp. 167-204

Review, Fall (1976) 4-29

Revista Iberoamericana XLI (1975) 92-93, 397-464

Revista Iberoamericana (40 Inquisiciones sobre Borges) XLIII (1977) 100-101

Roa Bastos, A., 1976: *Imagen y perspectivas de la narrativa latinoamericana actual*, en: J. Loveluck (ed.): *Novelistas hispanoamericanos de hoy*, Madrid 47-63

Rodríguez-Alcalá, H., 1965: *El arte de Juan Rulfo (Historia de vivos y difuntos)*, México
- 1973: *Narrativa Hispanoamericana. Güiraldes-Carpentier-Roa Bastos-Rulfo (Estudios sobre invenciones y sentido)*, Madrid

Rodríguez Monegal, E., 1971a: *Carlos Fuentes*, en: H.F. Giacoman (ed.), 1971: *Homenaje a Carlos Fuentes*, Madrid, pp. 23-66
- 1976: *Borges: Una teoría de la literatura fantástica*, en: *Revista Iberoamericana* XLII, 95, 177-189

Rubió de Lértora, P., 1985: *Niveles y sujetos de focalización en »Pedro Páramo«*, en: *Semiosis* 14-15, 152-165

Sábato, E., ⁵1979: *El escritor y sus fantasmas*, Barcelona

Sacoto Salamea, A., 1974: *Las técnicas narrativas*, en: H.F. Giacoman (ed.), 1974: *Homenaje a Juan Rulfo. Variaciones interpretativas en torno a su obra*. New York/Madrid, pp. 385-394

Sánchez, P., 1975: *Relación entre la negación del tiempo y el espacio y Colama en »Pedro Páramo«*, en: *Cuadernos Americanos* 203, 212-221

Scheffel, M.: *Magischer Realismus. Die Geschichte eines Begriffes und ein Versuch seiner Bestimmung*. Tübingen 1990

Segre, C., 1973: *Curved time in García Márquez*, en: C. Segre, 1973: *Semiotic and literary criticism*, The Hague/Paris, pp. 152-193

Serra, E., 1973: *Estructura de »Pedro Páramo«*, en: *Nueva Narrativa Hispanoamericana III*, 2, 211-229

Siebenmann, G., 1972: *Die neuere Literatur Lateinamerikas und ihre Rezeption im deutschen Sprachraum*, Berlin

- 1973: *Die wiedergewonnene Allmacht des Erzählers*, en: K.-H. Körner/K. Rühl (eds.), 1973: *Studii Iberica. Festschrift für Hans Flasche*, Bern/München, 608-624

Strausfeld, M. (ed.), 1976: *Materialien zur lateinamerikanischen Literatur*, Frankfurt am Main

- Ibid.: *»Hundert Jahre Einsamkeit« von Gabriel García Márquez - ein Modell des neuen lateinamerikanischen Romans*, pp. 233-260

Torres-Ríoseco, A., 1965: *Historia de la literatura iberoamericana*, New York

Toro, A. de, 1992: *El productor 'rizomórfico' y el lector como 'detective literario': la aventura de los signos o la postmodernidad del discurso borgesiano*, en: K.A. Blüher/A. de Toro (eds.), 1992: *Jorge Luis Borges. Variaciones interpretativas sobre sus procedimientos semióticos y bases epistemológicas*, Frankfurt/Main, pp. 100-126

Vargas Llosa, M., ²1971: *Historia de un deicidio*, Barcelona

- 1971a: *Historia secreta de una novela* (Cuadernos Marginales 1), Barcelona

Videla de Rivero, G., 1975: *Anticipos del mundo literario de Borges en su prehistoria ultraista*, en: *Iberoromania* 3, 173-195

Villegas Posada, G.A., 1978: *»Pedro Páramo« o el mecanismo de codificación de un mito*, en: *Thesaurus 33*, 87-95

Volek, E., 1970: *Análisis del sistema de estructuras musicales e interpretación de »El Acoso« de Alejo Carpentier*, en: H.F. Giacoman (ed.), 1970: *Homenaje a Alejo Carpentier*, Madrid, pp. 385-438

Weber, F.W., 1963: *»El Acoso«: Alejo Carpentier's war on time*, en: *Publications of the Modern Language Association LXXVIII*, 4,1, 440-448

Wolff, R., 1978: *Juan Rulfo*, en: W. Eitel (ed.), 1978: *Lateinamerikanische Literatur der Gegenwart in Einzeldarstellungen*, Stuttgart, pp. 361-382

Yates, D.A., 1975: *Realismo mágico en »Pedro Páramo«*, en: *Otros mundos, otros fuegos [...]. Memoria del Congreso XVI. Instituto de Literatura Iberoamericana*. Michigan State University, pp. 103-111

Zech, H.: 1978. *Carlos Fuentes*, en: W. Eitel (ed.), 1978: *Lateinamerikanische Literatur der Gegenwart in Einzeldarstellungen*, Stuttgart, pp. 406-417

ABREVIACIONES

CAS	=	Cien años de soledad
CV	=	Casa Verde
D I	=	Nivel del discurso I
D II	=	Nivel del discurso II
MRV	=	Maison de rendez-vous
NH	=	Nivel de la historia
ND	=	Nivel del discurso
NT	=	Nivel temporal
PP	=	Pedro Páramo
RD II	=	Reiteración del discurso II
RH	=	Reiteración de la historia
SecAc	=	Secuencia accional
SegAc	=	Segmento accional
TT	=	Tiempo textual
TA	=	Tiempo de la acción
VT	=	Volumen textual

LIBROS DEL MISMO AUTOR

Die Zeitstruktur im Gegenwartsroman am Beispiel von G. García Márquez, »Cien años de soledad«, M. Vargas Llosa, »La casa verde« und A. Robbe-Grillet »La maison de rendez-vous« (Acta Romanica. Kieler Publikationen zur Romanischen Philologie. Gunter Narr Verlag), Tübingen 1986, 209 págs.

(Ed.): Gustave Flaubert. Procédés narratifs et épistémologiques (Acta Romanica. Gunter Narr Verlag), Tübingen 1987, 223 págs.

(Ed.): Texte-Kontexte-Strukturen. Beiträge zur französischen, spanischen und hispanoamerikanischen Literatur. Festschrift für Karl Alfred Blüher zum 60. Geburtstag (Gunter Narr Verlag), Tübingen 1987, 455 págs.

Texto-Mensaje-Recipiente. Análisis semiótico-estructural de textos narrativos, dramáticos y líricos de la literatura española e hispanoamericana de los siglos XVI, XVII y XX. (Acta Romanica, Gunter Narr Verlag), Tübingen 1988 y (Editorial Galerna). Buenos Aires 1990, 220 págs.

Ed./con K.A. Blüher): Jorge Luis Borges. Procedimientos literarios y bases epistemológicas (Vervuert Verlag), Frankfurt am Main 1992, 270 págs.

(Ed./con F. de Toro): Hacia una nueva crítica y un nuevo teatro latinoamericano (Vervuert Verlag), Frankfurt am Main 1992, 167 págs.

En preparación:
Von den Ähnlichkeiten und Differenzen. Ehre und Drama des 16. und 17.Jahrhunderts in Italien und Spanien. Theorie, Geschichte, Synthese, Kritik und Weiterführung.

DATE DUE

JAN 04 1999			
MAY 13 2001			
APR 21 2004			